의사국가고시 | 레지던트시험 | 전문의시험 | 준비를 위한

HANDBOOK

POWER

Internal Medicine
Cardiology

POWER
MANUAL
SERIES

순환기내과

군자출판사

Power 내과 02 3ʳᵈ edition

첫 째 판 1쇄 발행 ┃ 2009년 9월 25일
셋 째 판 1쇄 인쇄 ┃ 2019년 10월 7일
셋 째 판 1쇄 발행 ┃ 2019년 10월 22일

지 은 이	신규성
발 행 인	장주연
출 판 기 획	김도성
책 임 편 집	조형석, 안경희
표지디자인	김재욱
발 행 처	군자출판사(주)
	등록 제 4-139호(1991. 6. 24)
	본사 (10881) **파주출판단지** 경기도 파주시 서패동 474-1(화동길 338)
	Tel. (031) 943-1888 Fax. (031) 955-9545
	홈페이지 ┃ www.koonja.co.kr

ISBN 979-11-5955-493-3
      979-11-5955-490-2(세트)

정가   12,000원
세트   90,000원

머리말

　6년 만에 파워내과-핸드북의 세 번째 개정판이 나오게 되었습니다. 그동안 많은 분야에서 진단과 치료에 큰 변화가 있었고, 그에 따라 파워내과(본책)는 상당히 두꺼워졌습니다. 핸드북은 휴대성이 중요하기 때문에 파워내과 내용의 일부가 빠지기는 했지만, 각종 시험 준비에는 충분하리라 생각합니다. 가능한 자주 휴대하면서 참고하고, 부족하거나 더 궁금한 부분은 교과서나 논문 등을 통해 확인하는 습관을 들이면 의사로서의 지식을 쌓는 데는 충분할 것으로 생각합니다.

　요즘의 의학계는 가치추구 면에서 많은 변화를 겪고 있습니다. 인증제도의 활성화 등을 통해 의료의 질은 향상되고 있고, 전공의법을 통해 인턴/레지던트들도 삶의 질을 찾게 되었습니다. 이는 사회 전체적 변화의 일환으로 우리나라가 이미 선진국에 진입했기 때문입니다. 다만 빠르게 발전하다 보니 아직 과거 적폐의 잔재들이 남아있거나 새로운 문젯거리가 생기기도 합니다. 사이비극우 사이트에 중독되어 대표랍시고 설쳐대는 일부 의사들도 그 중 하나일 것입니다.

　가장 유능한 인재로 의대에 들어온 만큼 그에 걸맞은 도덕성과 사회역사적 소양을 갖추어야 하는데, 오히려 사회의 공통 선(善)과 정의를 짓밟는 반인륜적 무리들에 동조한다면 그런 의사에게는 생명을 다룰 자격이 없습니다. 시험공부만 열심히 하며 자신의 이익만 추구하는 삶은 그런 괴물을 만들어 낼 위험성이 있습니다. 파워내과 및 핸드북의 취지는 시험공부의 부담을 가볍게 해보자는 것이므로, 의학 이외에 다른 인문사회적 학습과 경험에 더 많은 시간을 투자할 수 있기를 바랍니다.

　끝으로 이번 개정판이 나오기까지 애써주신 군자출판사의 장주연 사장님과 김도성 차장님, 조형석님을 비롯한 직원 여러분들 모두에게도 감사를 드립니다.

2019년 10월 1일

신 규 성

■ **파워내과 핸드북의 특징**
   1. 내과학의 중요 내용을 간략하게 정리하여 학습의 방향을 제시
   2. 파워내과의 90% 정도 분량으로 충실하고 업데이트된 내용
   3. 의사국가고시를 포함한 각종 시험의 마지막 정리용
   4. 항상 가볍게 휴대하면서 참고할 수 있도록 과목별로 분책

■ **안내**
   1. 여러 시험에 출제가 되었거나 출제 가능성이 높은 부분들은
      ★, !, **굵은 글자**, 밑줄 등으로 중요 표시를 하였으니 학습할 때
      꼭 확인을 하시기 바랍니다.
   2. 각종 약자는 군자출판사 홈페이지의 약자풀이를 참고하시기 바랍니다.
      약자나 용어는 대한의협 및 각 학회에서 사용되는 것과 실제 임상에서
      통용되는 것을 함께 사용하여 학습의 편의를 도모하였습니다.

■ 파워내과 핸드북의 본분에는 네이버(NHN)의 나눔글꼴이 사용되었습니다.

목차
contents

○ 순환기 내과   *POWER Internal Medicine*

1. 서론 2

2. 심전도와 부정맥 38

3. 심부전 84

4. 고혈압 118

5. 동맥경화증 (죽상경화증) 140

6. 허혈성 심장질환 146

7. 급성 심근경색 170

8. 심근병증 196

9. 심장막 질환 210

10. 심장 판막 질환 218

11. 심장 종양 242

12. 선천성 심장병 246

13. 대동맥 및 혈관 질환 254

14. 류마티스 열 270

15. 감염성 심내막염 274

순환기
내과

1
서론

일반적인 이학적 소견

- 피곤해 보임 ; chronic low CO state / 빠른 호흡수 ; pul. venous congestion
- central cyanosis, clubbing ; Rt-to-Lt 심장/심장외 shunt, 폐의 oxygenation 부족
- 사지 말단의 cyanosis, 차가운 피부, 땀 증가 ; vasoconstriction (심한 심부전시)
- 기립성 저혈압 & 빈맥 ; 혈액량 감소 (휴식시 빈맥 → 심부전)
- 경정맥 확장 (CVP↑) ; cardiogenic shock, heart failure, AMI, cardiac tamponade ...
  (c.f., hypovolemic shock에서는 CVP↓)

복부 진찰

- pulsatile, expansible mass → abdominal aortic aneurysm
- large, tender liver → heart failure, constrictive pericarditis
- systolic hepatic pulsations → tricuspid regurgitation
- splenomegaly → severe heart failure의 말기, infective endocarditis
- ascites → constrictive pericarditis
- continuous ⓜ → arteriovenous fistula / 신장 위의 systolic bruit → renal artery stenosis

동맥압 (arterial pulse)

1. 정상 동맥압

- central aortic pulse : 급격한 상승, 둥근 정점, 약간 완만한 하강이 특징
  - 상행 패임 맥박 (anacrotic notch) : 상승 곡선 중 혈류가 가장 빠를 때 (최고 동맥압 직전) 발생
  - 하행 패임 맥박 (incisura) : 하행 곡선 중 aortic valve가 닫힐 때 발생
- 말초로 갈수록 상승곡선의 경사는 더 급해지고, anacrotic notch는 희미해짐, 날카로운 incisura는
  완만한 중복맥박패임(dicrotic notch)으로 바뀌고, 중복파(dicrotic wave)가 뒤따름
  (dicrotic wave는 고령, 고혈압, 동맥경화 등 때 감소됨)

• 따라서, 말초 동맥압(e.g., radial pulse)은 중심 동맥압(e.g., carotid pulse)에 비해 얻을 수 있는
정보가 적다 (예외; bisferiens pulse나 pulsus alternans는 말초에서 더욱 뚜렷함)

2. 비정상 동맥압

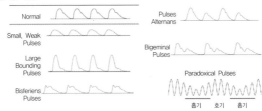

(1) **Hypokinetic pulse : pulsus parvus (소맥)**
• 작고 약한 pulse
• 원인 ; LV의 stroke volume 감소, narrow pulse pr., 말초혈관저항 증가
　　　(e.g., hypovolemia, LV failure, restrictive pericardial dz, MS)

(2) **Anacrotic pulse : pulsus tardus (지연맥)**
• LV outflow obstruction으로 systolic peak가 지연됨 (S_2에 가까워짐)
• 원인 ; AS (aortic valve stenosis)

(3) **Hyperkinetic pulse (large bounding, water hammer)**
• 크고 강한 pulse
• 원인 ; LV의 SV 증가, wide pulse pr., 말초혈관저항 감소와 관련

> 1. 비정상적으로 증가된 stroke volume ; complete heart block, hyperkinetic circulation
>   (e.g., 흥분, 빈혈, 운동, 발열), thyrotoxicosis, pregnancy …
> 2. 동맥계에서 혈액이 비정상적으로 빨리 빠져나갈 때 ; PDA, Valsalva sinus aneurysm의 파열,
>   peripheral AV fistula …
> 3. MR, VSD (∵ early systole 동안의 강한 LV ejection 때문)
> 4. AR (∵ stroke volume과 ventricular ejection rate의 증가 때문)

(4) **Pulsus bisferiens (bisferiens pulse, 이단맥)**
• 2개의 systolic peaks을 보이는 것 (2개의 pulse가 모두 dicrotic notch 전에 발생)
• 구성 ┌ rapid upstroke (percussion wave)
　　　 │ pressure의 잠깐 감소 (∵ midsystole때 ejection rate의 빠른 감소로)
　　　 └ slow & small upstroke (tidal wave)
• 원인 ; AR (± AS), HCM (첫번째 wave가 더 큼)
• 촉진으로는 관찰할 수 없는 경우 → Valsalva maneuver나 amyl nitrate 흡입으로 유발 가능

(5) **Dicrotic pulse (중복맥)**
• dicrotic wave가 비정상적으로 커져 systole, diastole 때 모두 pulse가 만져지는 것
• stroke volume이 매우 낮을 때 발생 (systolic pr. 130 mmHg 이상시 드묾)
• 원인 ; 심한 심부전(e.g., DCM), cardiac tamponade, hypovolemic shock, sepsis, AVR …

(6) Pulsus alternans (교대맥)

- 좌심실 수축력의 변화에 의해서 맥박의 크기가 규칙적으로 강-약-강-약-강-약 변하는 것
  : <u>regular rhythm</u>이면서 amplitude만 규칙적으로 변화함 (20 mmHg 이상)
  → 심한 좌심실 기능 (CO) 감소를 의미!
- 원인 ; LVF (loud S_3 동반), AR, systemic HTN, venous return 감소 (e.g., NG 투여, 기립자세)
  - premature beat, paroxysmal tachycardia 등에 의해 유발 가능
- * electrical alternans : EKG 상에서 QRS의 크기 변화 예) pericarditis, cardiac tamponade

(7) Pulsus bigeminus

- irregular rhythm이면서 맥박의 크기가 규칙적으로 강-약…강-약…강-약 변하는 것
- 각 정상 beat 뒤에 짧은 간격을 두고 약한 beat가 뒤따름 (↔ pulsus alternans는 rhythm 규칙적)
- 원인 ; 각 regular heart beat 뒤에 VPC 발생시

(8) Paradoxical pulse (pulsus paradoxus, 기이맥)

- 흡기시의 systolic arterial pr. 감소가 비정상적으로 심해짐 (>10 mmHg)
  - 정상적으로는 흡기시 3~4 mmHg 정도 감소
  - 흡기시 15 mmHg 이상 크게 감소되면 상완동맥이나 대퇴동맥에서도 촉지됨
  - 심한 경우 흡기시 peripheral pulse는 거의 사라짐
- 원인

> Cardiac tamponade or Pericardial effusion (∵ 흡기 → RV vol.↑ → LV 압박 → CO↓)
> Constrictive pericarditis (약 1/3에서 보임), Restrictive cardiomyopathy, Hypovolemic shock
> Severe airway obstruction (e.g., COPD, asthma), RVF, SVC obstruction
> Massive pulmonary embolism, Tension pneumothorax, Pregnancy, Extreme obesity ...

- reversed pulsus paradoxus : 흡기시 systolic pr. 증가 (예; HCM)

* 상지와 하지의 pulse가 불일치 (뒤의 pulse가 약해지고 지연됨) → CoA

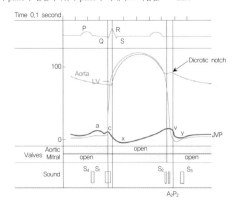

경정맥압 (jugular venous pulse, JVP)

1. 개요

- 경정맥 관찰의 목적 ; 정맥파(JVP)의 분석, CVP의 측정
- CVP = JVP + 5 cm (∵ RA는 sternal angle보다 약 5 cm 아래에 위치)
  (c.f., CVP의 reference point : midaxillary line의 4th ICS)
- JVP : sternal angle에서 Rt. internal jugular pulse까지의 수직 거리 (높이)

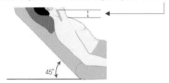

- 보통 상체를 45° 정도 일으킨 상태에서 관찰(촉진) : 정상 <4 cm
  - CVP 증가 : 더 많이 일으켜야 관찰 가능 (때때로 ~90°까지)
  - CVP 감소 : 똑바로 누워도 관찰 안됨
- RA 및 체액량 상태 (systemic venous pr.)를 반영
- 정상 CVP (mean RA pr.) : 5~10 cmH₂O   (midaxillary point 기준)
  - CVP가 증가되는 경우 ; biventricular HF (m/c), TR, TS, pul. HTN, cardiomyopathy,
    constrictive pericarditis, cardiac tamponade, volume↑ ...
  - CVP가 감소되는 경우 ; hypovolemia, intrathoracic pr.↓ ...

2. 정상 JVP

(1) *a* wave : RA 수축에 의한 정맥 팽창으로 발생, S₁ 직전에 발생, "dominant wave" (특히 흡기시)
(2) *c* wave : RV의 isovolumetric systole 동안 TV가 RA 쪽으로 팽창되어 또는
  인접한 carotid artery의 영향에 의해 발생
(3) *x* descent : RA 이완 및 RV 수축기 동안 TV가 RV 쪽으로 이동되어 발생
(4) *v* wave : RV 수축기에 TV가 닫힌 상태로 RA가 혈액으로 채워지면서 발생
(5) *y* descent : TV가 열리면서 혈액이 RV로 빠르게 이동되어 발생, diastole

a wave   *x* descent   *v* wave   *y* descent

3. 비정상 JVP

(1) large *a* wave (peak는 S_4 발생 시점과 동일)

  ① RA가 증가된 저항에 대항하여 수축할 때 발생 ; pul. HTN, pul. stenosis, tricuspid stenosis

  ② RV 수축에 의해 TV가 닫혔을 때 RA가 수축도 발생 ("<u>cannon *a* wave</u>")

    ┌ regular (junctional rhythm) ; paroxysmal nodal tachycardia
    └ irregular (AV dissociation) ; VT, complete AV block

(2) absent *a* wave : atrial fibrillation, atrial flutter

(3) prominent *x* descent ; cardiac tamponade, constrictive pericarditis

    (RV 확장 때는 x descent가 감소되고, TR에서는 방향이 반대로 되는 경우가 흔함)

(4) prominent *v* wave ; TR

    (TR이 심하면 *x* descent가 소실되면서 *v* wave와 함께 큰 단일 positive wave를 이룸)

(5) prominent *y* descent ; constrictive pericarditis, severe TR, severe RVF, high venous pr.

(6) slow *y* descent ; TS, RA myxoma ("cardiac tamponade"시는 *y* descent가 감소되거나 소실)

* abdominojugular (hepatojugular) reflux : 우상복부(liver)를 10초 이상 강하게 누르면 JVP 상승 & 손을 뗀 뒤 적어도 15초 이후까지 3 cm 이상 상승이 지속되면 (+) (정상인은 별 변화 없음)
  - PCWP or CVP의 증가 상태를 의미
  - 원인 : Lt. heart filling pr. 증가로 인한 Rt-sided heart failure, TR

* <u>Kussmaul's sign</u> : 흡기시 JVP (CVP)가 증가되는 것 (정상적으로는 감소됨)
  - severe Rt-sided heart failure에서 흔함
  - 예 ; constrictive pericarditis, CHF 일부, RV infarct, TS

심음 (heart sound)

1. 제1심음 (S_1)

┌ MV와 TV가 닫히면서 나는 소리 (약 0.1초의 차이므로 대개 하나의 심음으로 들림)
└ MV에서 대부분의 소리가 발생, LV 수축이 시작될 때 MV leaflet의 위치가 m/i

(1) S_1 증가

  ① tachycardia (∵ diastole 짧아져)

  ② high CO (∵ atrioventricular flow 증가) ; HTN, hyperthyroidism, exercise, anemia

  ③ 초기 MS (∵ atrioventricular flow 길어져) : ant. leaflet이 mobile할 때

  ④ short PR interval

(2) S_1 감소

  ① chest wall 통한 sound 전달이 감소 ; 심한 비만

  ② LV pr. pulse가 천천히 상승 ; DCM   ③ contractility 감소(e.g., MI)

  ④ bradycardia   ⑤ long PR interval ; 1st degree AV block   ⑥ MR (∵ imperfect closure)

  ⑦ 후기 MS (ant. leaflet이 fibrosis, calcification으로 immobile할 때)

(3) S₁의 splitting

- 정상 : 10~30 ms, MV→TV 순으로 발생
- S₁의 wide splitting ; complete RBBB (∵ RV 수축 지연)
- S₁의 reversed splitting (TV에 의한 음이 먼저 발생) ; severe MS, LA myxoma, LBBB

2. 제2심음 (S₂)

: AV와 PV가 닫히면서 나는 소리 (A₂, P₂)

(1) S₂ 증가

┌ A₂ 증가 ; systemic HTN
└ P₂ 증가 ; pul. HTN, Lt-to-Rt shunt (ASD, VSD)

(2) S₂ 감소

┌ A₂ 감소 ; AS, AR
└ P₂ 감소 ; PS, TOF (tetralogy of Fallot)

(3) S₂의 physiologic splitting

┌ 호기시엔 단일 음으로 들림
└ 흡기시 venous return 증가(→ RV로의 inflow↑ → ejection 시간↑)로 인해 P₂가 지연되어
  A₂와 P₂로 분리

(4) wide splitting of S₂ (A₂-P₂ interval 증가)

- 호기시에도 분리되어 들리고, 흡기시에는 더욱 크게 분리되어 들리는 것
- P₂가 늦게 발생하는 경우
  - RV의 전기적 자극 지연 ; complete RBBB, LV pacemaker, LV ectopy
  - RV pr. overload (RV 수축이 오래 지속) ; PS, acute massive pul. embolism
  - RV volume overload ; RVF
  - 폐혈관계의 저항 감소 ; ASD
- A₂가 빨리 발생하는 경우 ; MR, VSD, constrictive pericarditis

  * 폐혈관 저항 증가(pul. HTN) ; P₂↑, S₂ splitting↓ (pul. embolism이 원인일 때는↑)

(5) fixed splitting of S₂

- 호흡주기와 관계없이 A₂와 P₂가 지속적으로 넓게 분리되어 들리는 것
- (large) ASD (∵ LA와 vena cava로 부터의 flow의 비율이 호흡에 따라 알맞게 변해서
  RA filling flow는 일정하게 유지)

(6) reversed (paradoxical) splitting of S₂

┌ 호기시 splitting이 커지고 (P₂가 먼저, A₂가 나중에 발생)
└ 흡기시 감소 또는 단일 음 (P₂가 늦어져 A₂와 가까워짐)

- A₂가 늦게 발생하는 경우
  - LV의 전기적 자극 지연 ; LBBB (m/c), RV ectopy, RV pacemaker
  - 기계적 원인으로 LV 수축이 오래 지속 ; severe aortic outflow obstruction (e.g., AS, HTN),
      large aorto-to-pulmonary arterial shunt (e.g., PDA), chronic IHD, 심근병증에 의한 LVF
- P₂가 빨리 발생하는 경우 ; RV의 조기 수축, WPW syndrome (type B), pul. HTN

(7) persistently single S_2
- 호흡주기에 관계없이 지속적으로 단일 음으로 들리는 경우
- P_2가 안 들릴 때 : 흉곽이 커진 노인(m/c), pulmonary atresia, severe PS, dysplastic PV, 대혈관의 완전 전위
- A_2가 안 들릴 때 : immobile AV (severe calcific AS), aortic atresia
- A_2와 P_2가 항상 동시 발생 ; nonrestrictive VSD 동반한 Eisenmenger syndrome

3. 기타 수축기 심음

(1) ejection sound (click)
- 수축 초기 S_1 직후에 들리는 날카로운 고음
- 원인 ; AV or PV의 stenosis, aorta or pul. artery의 dilatation

(2) nonejection or midsystolic click
; MVP, tricuspid valve prolapse

4. 기타 이완기 심음

(1) opening snap (OS)
- 이완기 초기에 들리는 짧은 고음, 대개 MV (m/c) or TV의 stenosis에 의해 발생
- rheumatic MS 때 특징적으로 발생
- A_2-OS interval (0.04~0.12초) : 평균 LA pr.와 반비례 ($\downarrow \Rightarrow$ severe MS)

(2) 제3심음 (S_3, ventricular gallop)
- A_2 0.14~0.16초 뒤에, rapid filling period가 끝남과 동시에 들리는 저음
- 이완기초(rapid filling 기)에 ventricular filling rate/volume 증가 or 심실기능 이상 때문에 발생
- 소아나 CO이 증가된 젊은 성인에서는 정상적으로 들릴 수도 있음
- 40세 이후(특히 남성)에서 나타나면 비정상!
- S_3의 원인

> 심실 기능 장애 (heart failure)
> AV valve regurgitation (MR, TR), AR
> 심한 myocarditis
> Cardiomyopathy

⌈left-sided S_3 : 호기시 LV apex에서 가장 잘 들림 (Lt. lat. position에서)
⌊right-sided S_3 : 흡기시 흉골좌연이나 xiphoid 바로 아래에서 잘 들림

* pericardial knock (early loud S_3) : constrictive pericarditis에서 조기에 (A_2 0.1~0.12초 뒤) 발생한 고음 (∵ 유착된 심막에 의해 diastolic filling이 갑자기 멈춤)

(3) 제4심음 (S_4, presystolic/atrial gallop)
- 이완기말(atrial filling phase)에 심실의 compliance 저하로 ventricular filling 저항이 증가되었을 때 발생되는 저음의 presystolic sound
- effective atrial contraction과 관련 → AF (atrial fibrillation) 발생하면 소실됨

- 건강한 노인에서도 들릴 수 있음 (특히 운동후), 누워서 isometric/isotonic 운동시 크기 증가
- S_4의 원인 ; systemic HTN, AS, HCM, IHD (AMI), acute MR
- Rt-sided S_4 ; RVH (PS, pul. HTN에 이차적으로) → JVP에서 large a wave 동반 흔함
* S_3, S_4 : 저음(low-pitch) → 청진기의 bell로 들어야!

심 잡음 (Murmur)

■ murmur의 intensity (loudness)

grade
- Ⅰ : 너무 작아서 주의를 기울여야만 들림
- Ⅱ : 작지만 잘 들림
- Ⅲ : 큰 murmur (thrill은 만져지지 않음)
- Ⅳ : thrill을 동반한 큰 murmur
- Ⅴ : 청진기를 약간 떼고도 들림
- Ⅵ : 청진기를 완전히 떼고도 들림

■ murmur의 위치 (D = diastolic) ★
- 흉골 우연 상부 (RUSB) ; AS, VSD
- 흉골 좌연 상부 (LUSB) ; TOF, PS, ASD, PDA, VSD (subarterial)
- 흉골 좌연 하부 (LLSB) ; VSD, AR (D), TR
- 심첨부 (apex) ; MS (D), MR, VSD

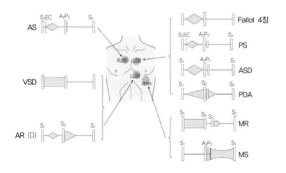

1. Systolic murmur

(1) pansystolic (holosystolic) murmur
- 수축기 내내 (S₁~S₂) ⓜ가 발생하는 것
- 원인 ; MR, TR, VSD, aortopulmonary shunt
  (c.f., MS는 presystolic ⓜ, mid-diastolic rumble)
- 정상인에서도 경미한 판막역류는 흔히 관찰되나, 대개 ⓜ는 안 들림
  - Doppler 심초음파에서 MR 45%, TR 70%, PR 88%
  - AR은 훨씬 드물며, 나이가 듦에 따라 증가

(2) midsystolic (systolic ejection) murmur
- S₁과 S₂ 사이에서 분리되어 들리는 ⓜ, 보통 crescendo-decrescendo 형태
- 원인 ; **AS**, HCM, ASD (pul. ejection ⓜ), PS
  (IHD 때 papillary muscle dysfunction에 의한 MR에서도 들릴 수 있음)

(3) early systolic murmur
- S₁ 때 시작되어 midsystole 때 끝나는 ⓜ
- 원인 ; large VSD with pul. HTN, small muscular VSD, TR (pul. HTN 없을 때),
  acute MR (LA의 compliance 감소시)

(4) late systolic murmur
- S₁ 이후에 시작되어 S₂ 때까지 커지는 ⓜ
- 원인 ; papillary muscle dysfunction (AMI, angina, diffuse myocardial dz.),
  MVP (late systolic MR 때문에), PDA (pul. HTN 동반시)

(5) functional (benign, innocent, physiologic) murmur
- 심장질환이 없이 ⓜ가 들리는 것 (수축기에만 들림)
- 예 ; 소아 및 청소년, 노인의 대동맥판 협착성 ⓜ, 혈류량 증가(e.g., fever,
  thyrotoxicosis, pregnancy, anemia), 임산부의 유방 잡음

2. Diastolic murmur

(1) early diastolic murmur
- 이완기 초기에 S₂와 함께 시작되어 decrescendo 형태로 끝남
- 원인 ; AR, PR

(2) mid-diastolic murmur
- AV valve stenosis (MS, TS) : 판막협착 정도는 ⓜ의 크기보다는 기간과 더 관련
- nonstenotic AV valve를 통과하는 혈류 속도/량의 증가
  ⎡ MR, VSD, PDA, complete heart block
  ⎣ TR, ASD, anomalous pul. venous return
- acute, severe AR (diastolic MR 때문)
- acute rheumatic fever, atrial myxoma ...

(3) late diastolic (presystolic) murmur
- mid-diastolic ⑩와 비슷하지만 crescendo 형태로 S_1 때까지 발생되는 ⑩
- AV valve stenosis (MS, TS), atrial myxoma ...
- severe, chronic AR : Austin-Flint ⑩ (mid-diastolic or presystolic)

3. Continuous murmur (Gibson's murmur)
- 수축기 때 시작되어, S_2 때 가장 크고, 이완기(일부) 때까지 지속되는 ⑩
- 압력이 높은 곳에서 낮은 곳으로의 unidirectional flow에 의해 발생
  (c.f., AR의 to-and-fro : systolic ⑩와 early diastolic ⑩ 사이에 뚜렷한 pause가 있음)
- continuous ⑩의 원인

> PDA (continuous machinary ⑩) : pul. HTN 없을 때
>   (pul. HTN 발생하면 systolic ⑩만 들림)
> Arteriovenous fistula (systemic, pulmonary, coronary)
> Valsalva sinus aneurysm rupture
> CoA, aortopulmonary fenestration
> Pulmonary embolism (부분 폐쇄된 폐동맥에 의해)
> VSD + AR (∵ VSD : systolic, AR : diastolic)
> 좌심방압이 증가된 small ASD
> 폐동맥에서 기원하는 Lt. coronary A. 존재시
> Proximal coronary A. stenosis
> Systemic (e.g., renal) or pul. A. branch의 stenosis
> Cervical venous hum

* 유방잡음(mammary souffle) : 임신 후반기와 산후 초기에 유방 위에서 들리는 정상 ⑩
   (systolic or continuous)

4. Provocation method

> **▶일반적으로**
> **(1) 좌심실 용적 감소시키는 조작시 (preload↓)** ⇨ ⑩ 감소
>   ; standing, amyl nitrate, tachycardia, Valsalva maneuver   **예외 : HCM, MVP**
> **(2) 좌심실 용적 증가시키는 조작시 (preload↑)** ⇨ ⑩ 증가
>   ; supine, squatting, hand grip, exercise, bradycardia, propranolol

■ 심음과 심잡음에 영향을 주는 요인들

(1) 호흡
① 흡기시 증가 : Right-sided ⑩ & sounds ; TR의 systolic ⑩, normal/stenotic valve를 통한 pulmonic blood (e.g., PS), TS or PR의 diastolic ⑩, right-sided S_3 & S_4
② 호기시 증가 : Left-sided ⑩ & sounds

(2) 체위 변화
① standing : 대부분의 ⑩ 감소 (예외 ; HCM, MVP)
② squatting : 대부분의 ⑩ 증가 (예외 ; HCM, MVP)

(3) 운동

① 운동시 증가 (e.g., hand-grip exercise → 혈압 및 심박수↑)
- normal/obstructed valves (예; PS, MS)를 통과하는 혈류에 의한 ⓜ
- MR, VSD, AR에 의한 ⓜ
- left-sided S_4와 S_3 (특히 ischemic heart disease에 의한)

② 운동시 감소 ; HCM or AS에 의한 ⓜ

(4) Valsalva maneuver

① 대부분의 ⓜ 감소 (예외 ; HCM, MVP의 ⓜ는 증가)
② Valsalva 해제시 right-sided ⓜ는 left-sided ⓜ보다 빨리 정상으로 돌아옴

(5) VPC or AF 이후

① normal/stenotic AV or PV의 ⓜ는 증가
② 반대로 AV valve 역류에 의한 systolic ⓜ는 변화가 없거나 감소(papillary muscle dysfunction), or 짧아짐(MVP)

(6) 약물

① amyl nitrite inhalation
- initial relative hypotension phase
  - MR, VSD, AR에 의한 ⓜ 감소
  - AS, PS에 의한 ⓜ는 증가
- later tachycardia phase : MS 및 우측 심장 병변의 ⓜ 증가
- MVP에서의 반응은 biphasic (softer → louder)

② phenylephrine (동맥수축제)은 반대의 효과를 일으킴

(7) 일시적 동맥 압박

: 양팔을 최고 수축기 혈압보다 20 mmHg 이상으로 cuff inflation
→ MR, VSD, AR의 ⓜ 증가 (다른 원인에 의한 ⓜ는 아님)

c.f.) Valsalva maneuver : 성문(glottis)을 닫고 강제로 호기를 하는 것
(일상생활에서 무거운 물건을 들어 올릴 때, 기침, 배변, 구토 등에서 일어남)

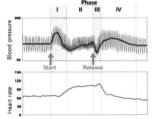

Phase I : 강제 호기 → 흉곽내압 상승 → LA로의 폐 혈류 증가
→ stroke volume↑ → BP↑, HR↓

Phase II : 상승된 흉곽내압에 따라 venous return도 감소
(preload↓) → stroke volume↓ → BP↓, 보상성 HR↑

Phase III : 호기 중단 즉시 흉곽내압 감소 → 폐혈관과 대동맥이
다시 커짐 (preload↓, afterload↓) → stroke volume↓↓
→ BP↓↓, HR↑

Phase IV : 흉곽내압이 낮아져 venous return 다시 증가
(overshoot) → stroke volume↑ → BP↑, 보상성 HR↓

심장초음파 (Echocardiography)

┌ transthoracic echocardiography (TTE) ; M-mode, 2D, 3D, Doppler 등
└ 기타 ; transesophageal echocardiography (TEE), stress echocardiography
• 의학영상에서 주로 사용되는 초음파의 파장 : 2~5 MHz

1. 2D (dimensional) echocardiography

┌ 장점 ; 실시간으로 영상을 얻고 해석 가능, 이동(응급시 이용) 가능
└ 단점 ; 고해상도의 영상을 얻을 수 없음 (특히 흉벽이 두껍거나 심한 폐질환 환자)
　　　　→ TEE or nuclear imaging 고려

(1) chamber size & function
• LV의 size와 function : M-mode or quantitative 2D echo.를 이용하면 정량적인 측정도 가능
• regional wall motion abnormalities, thickening 등도 관찰 가능 (e.g., LVH)
• RV는 복잡한 구조 때문에 2D echo.로 정량적인 검사가 어려움

(2) valve abnormalities
• valve의 형태와 움직임을 볼 수 있음
• stenosis의 severity (short axis view에서 MV area) 측정하거나, regurgitation의 원인도 알 수 있으나, 대개는 Doppler echo.가 필요함

(3) pericardial dz.
• effusion ; 심장 주위의 black echolucent area
• tamponade ; RV collapse, RA collapse, dilated IVC
• echo-guided pericardiocentesis

(4) intracardiac mass
• LV thrombus ; echo-dense structure (대개 apical region에 존재),
　　　　　　　regional wall motion abnormalities 동반
• atrial myxoma ; 경계가 뚜렷한 mobile mass가 atrial septum에 붙어있음
• 대개는 정확한 진단을 위해 고해상도의 TEE가 필요
　(특히 LA appendage 쪽은 TTE로 보기 어려우므로 TEE로 봐야 함)

(5) aortic dz.
• dilated aorta의 F/U에 이용 가능
• aortic dissection의 intimal flap 볼 수 있음 (but, 확진을 위해서는 TEE 필요)

2. Doppler echocardiography
• 기본원리 : RBC (or 심근)에서 반사되는 초음파를 이용하여 혈류 속도를 측정(or 조직 운동 파악)
　- 속도는 혈류(RBC, 20~100 cm/s)가 심근(<20 cm/s)보다 빠르고, 신호의 강도는 혈류보다
　　심근이 훨씬 강하므로, 각 측정 대상에 맞게 조정하여 flow or tissue doppler로 이용

• 종류

① pulsed-wave (PW) Doppler : 2D echo. 영상의 특정 부위에서의 혈류(or 조직) 속도를 측정

② continuous-wave Doppler : pulsed wave와 원리는 같지만 뒤바뀜 현상(aliasing phenomenon) 이 없음, high velocity blood flow 측정 가능 (e.g., 판막의 협착 or 역류, intracardiac shunt)

③ color flow Doppler : 혈류(or 조직)의 방향을 서로 다른 색으로 표시, 정확한 속도의 측정보다 동시에 전반적인 비정상적 혈류(or 조직 운동)를 관찰하는데 유용

④ tissue Doppler imaging (TDI) : 심근 조직이 움직이는 속도를 측정, myocardial strain rate (심근 움직임의 정량적 평가)로 국소 심근의 생존 여부 판단에 도움, 승모판 혈류 및 승모판륜 (mitral annulus) 조직 속도를 통한 좌심실 이완기능의 정확한 평가

(1) valve regurgitation

• color flow Doppler로 비정상적인 retrograde flow를 확인할 수 있음

• regurgitation의 severity도 반정량적으로 측정 가능

(2) valve gradient

• modified/simplified Bernoulli equation : 두 공간 사이의 최고속도를 이용하여 압력 차이를 구함

$$\boxed{\text{Pressure gradient } (\Delta P) = 4 \times V^2} \bigstar$$

• MS에서는 catheterization으로 측정한 것보다 더 정확함

(3) intracardiac pressure

• pr. gradient를 통해 계산할 수 있음!

• RV systolic pr. = assumed RA pr. + pr. gradient (TV 사이의)

• AS에서 LV systolic pr. = systolic aortic pr. + pr. gradient (AV 사이의)

• AR에서 LVEDP = diastolic aortic pr. – pr. gradient (AV 사이의)

* 예 ; PS 환자에서 우심방압(RAp)을 알고 있을 때 우심실압(RVp)과 폐동맥압(PAp) 구하기

– 우심실압(RVp) = RAp + 4(V_{TR})^2
– 폐동맥압(PAp) = RVp – 4(V_{PS})^2
= RAp + 4(V_{TR})^2 – 4(V_{PS})^2

$- \text{우심실압(RVp)} = \underline{RAp} + 4(V_{TR})^2$
$- \text{폐동맥압(PAp)} = RVp - 4(V_{PS})^2$
$\qquad\qquad\qquad = RAp + 4(V_{TR})^2 - 4(V_{PS})^2$

★ 만약 폐동맥판막(PV)이 정상이라면 수축기 PAp = RVp

(4) cardiac output

• SV (= EDV – ESV) = 단면적(AV orifice area) × velocity × time = (직경)²×0.785×TVI
↳ (직경/2)²×π   ↳ TVI (time velocity integral)

• CO = SV × HR

• CI (cardiac index, L/min/m²) = CO (L/min) / 체표면적(BSA; body surface area, m²)

(5) ventricular diastolic function의 측정 ★

• transmitral velocity curve에 영향을 주는 인자

① 좌심실의 이완 속도

② 좌심실의 compliance

③ MV를 지나는 driving force (LA contraction)

- transmitral velocity curve (mitral inflow velocity)의 parameters
  ① E velocity : 좌심실 이완에 의한 초기 이완기 충만 속도(early diastolic inflow velocity)
    * e′ : early diastolic mitral annular tissue velocity, TDI로 측정 (정상 >8 cm/s)
    * E/e′ ratio : LVEDP (LA pr) 반영, 이완기능장애 평가 및 MI 장기 예후 예측에 매우 유용
      ⇨ 평균 E/e′ ratio가 13 이상이면 diastolic dysfunction 확진 (정상 <8)
  ② A velocity : atrial contraction에 의한 후기 이완기 충만 속도(late diastolic inflow v.)
  ③ E/A ratio = E velocity / A velocity　(정상 : 1~2)
  ④ DT (deceleration time, 이완기 감속 시간) : E velocity가 최고→최저로 감속되는 시간
    (정상 : 160~240 msec) → 좌심실의 compliance 반영
  ⑤ IVRT (isovolumetric relaxation time) : AV closure ~ MV opening 사이의 시간
    (정상 : 70~90 msec)

■ Diastolic dysfunction의 경과/분류

시기	I	II	III(가역적), IV(비가역적)
기전	Relaxation 이상 LA와 LV의 pr, gradient 감소, E velocity 감소 보상적으로 A velocity는 증가	LA congestion → LA와 LV의 pr, gradient 다시 증가 마치 정상과 비슷한 소견을 보임 (pseudonormalization)	Restrictive filling LV의 compliance 감소 LA congestion 더 심해짐
LVEDP	N~↑	↑↑	↑↑↑
E/A ratio	<1	1~1.5 (정상과 감별 어려움)	>2
DT	>240	160~240	<160
IVRT	>90	<90	<60
Vp (mitral propagation velocity), cm/s	<50	<<50	<<<50

- restrictive filling의 예 ; LV failure, restrictive cardiomyopathy, volume overload,
  severe acute AR
- Diastolic Dysfunction의 평가 … true normal과 pseudonormalization (stage II)의 감별
  ① 승모판 혈류(mitral inflow) 속도 및 color M-mode pattern : E/A <0.5
  ② 승모판륜 속도(mitral annulus velocity, TDI로 측정); E/e′ ≥13 & mean e′ <9 cm/s
  ③ 최고 TR 속도
  ④ 좌심방 용적지수(volume index) : >34 mL/m² 이면 좌심방확장(LAE)
    좌심질량↑(LVH) : LVMI (LV mass index) >115 g/m²(남), >95 g/m²(여)
  ⑤ 폐정맥 혈류(pul. vein flow velocity)
  ⑥ preload reduction시 E/A ratio (50% 이상) 감소하면 pseudonormalization (↔ 정상과 차이)
    (↳ Valsalva maneuver, sitting, sublingual NG)

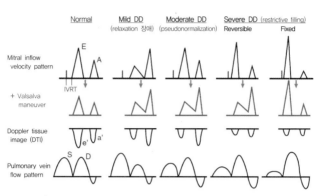

(DD: diastolic dysfunction, E: early diastolic mitral inflow velocity, A: late diastolic mitral inflow velocity, e′ : early diastolic mitral annulus velocity, a′ : late diastolic mitral annulus velocity, IVRT: isovolumetric relaxation time)

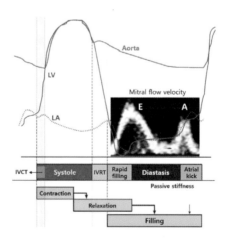

3. Stress echocardiography

- 부하(stress) ; 운동(treadmill, bicycle) or 약물(dobutamine, vasodilator [dipyridamole, adenosine])
- 적응 ; CAD의 진단 및 severity 평가 … exercise EKG보다 더 정확함 ★
  - ⇨ <u>confounding factor</u>로 resting EKG 해석이 어려운 경우 exercise EKG 대신 시행!!
    - ↳ preexcitation syndrome, resting ST depression, LVH, LBBB, paced rhythm 등

(1) 심근허혈(myocardial ischemia)의 소견

① regional WM (wall motion) abnormality : 증상과 EKG 이상보다 먼저 발생
② EF (ejection fraction) 감소
③ end-systolic volume 증가

(2) Dobutamine stress echocardiography (DSE)

- dobutamine (β_1-agonist) → <u>심근</u>의 산소 요구량을 증가시킴
- 심근허혈 및 CAD 진단, <u>myocardial viability</u> 평가에 이용

안정시	부하(stress)시	해석
WM 정상	→ hyperdynamic	정상
WM 정상	→ 새로운 WM 이상 발생 or hyperdynamic ×	Ischemia
WM 이상	→ 악화 (hypokinetic → akinetic → dyskinetic)	Ischemia
WM 이상	→ 변화 없음	Infarct
A- or hypo-kinetic WM	→ hypokinetic/normal로 호전 or biphasic response	Viable myocardium

* biphasic response : low-dose dobutamine (5~20 μ g/kg/min)에 반응하여 수축력이 증가하였다가,
　　high-dose dobutamine (30~40 μ g/kg/min)에는 다시 수축력의 감소를 보이는 것

(3) Vasodilator stress echocardiography

- doppler TTE에서 Lt. main coronary artery와 proximal LAD 관찰 가능
- vasodilators (adenosine or dipyridamole)로 부하를 가하여 관상동맥혈류예비력(coronary flow reserve, CFR) 측정 → 1.9~2.0:1 이하로 감소되면 70% 이상의 협착 & poor Px.를 시사
  - → 뒷부분 Angiography/혈관내초음파(IVUS) [→ 침습적인 것이 단점] 부분도 참조

c.f.) 심근조영 (부하) 심초음파(myocardial contrast echocardiography, MCE)
- 미세기포를 함유한 조영제를 투여하여 심장내 혈류 평가와 endocardium 경계까지 관찰 가능
- coronary stenosis (blood flow), LV volume/EF/WM, myocardial perfusion 평가에 유용

4. Transesophageal echocardiography (TEE)

┌ 심장 뒤쪽 구조물(LA, MV, aorta 등)을 보는데 TTE보다 좋다
└ 특히 LA appendage 쪽은 TTE로는 보기 어려움

(1) 적응 (transthoracic echo.보다 도움이 되는 경우)

① aorta (thoracic) ; dissection, atherosclerosis …
② embolism의 원인 파악 ; LA or LA appendage의 thrombi, patent foramen ovale, aortic debris
③ intracardiac mass ; LA myxoma …

④ infective endocarditis ; vegetation으로 진단 가능, 합병증 평가에도 이용

⑤ mitral prosthetic valve의 이상 여부 확인

⑥ 심장 수술의 방향 결정에 도움 ; MV repair, septal myectomy ...

* AF에서 cardioversion 시행 전에도 TEE로 LA thrombi R/O하는 것이 좋음 (∵ embolism 위험)

(2) 금기

① 식도의 병변 ; stricture, varix, tumor, diverticula, scleroderma

② 이전의 흉부 RTx.

③ perforated viscus

④ 목이 굽혀지지 않는 심한 atlantoaxial joint dz.

Echocardiography의 종류 및 이용	
2D echocardiography	심장의 구조, 심실 및 판막의 운동 평가, 심낭 질환, 심장 내 종양 M-mode & Doppler echo.의 위치 결정
3D echocardiography	Chamber volume 직접 & 자동 측정, regional LV wall motion 평가, 판막, 선천성 등 구조적 심장질환의 3D 시각화 (→ intervention 치료 가이드)
M-mode echo	크기 측정, timing cardiac events
Pulsed wave Doppler	Normal valve flow patterns, LV diastolic function, SV, CO
Continuous wave Doppler	판막 질환(협착, 역류)의 severity 평가, shunt flow의 속도 측정
Color flow mapping	역류 및 단락(shunt) 평가
Tissue Doppler imaging	심실 기능(특히 diastolic dysfunction), myocardial viability

■ 핵의학 영상검사

1. 심실기능 검사 (radionuclide ventriculography/angiography, RNV, RVG)

(1) Equilibrium radionuclide angiography/ventriculography (= gated blood pool imaging)

• ^{99m}Tc-labelled RBC or albumin 이용 → 혈관계 내에 골고루 분포된 뒤 영상을 얻음
(주사 6시간 뒤까지도 반복 촬영이 가능, 다중 촬영 가능)

• 측정할 수 있는 것 ; LV의 volume, EF, 국소 벽운동, RV의 크기와 기능, 심방과 대혈관의 크기, diastolic filling parameters, valvular regurgitation의 severity (regurgitant fraction)

(2) First-pass radionuclide angiography/ventriculography

• radionuclide를 순간(bolus) 주사하여 짧은 시간 (1분) 내에 영상을 얻는 것

• 신장으로 빨리 배설되는 ^{99m}Tc-DTPA (diethylenetriaminepentaacetic acid)를 주로 이용

• 장점 ; 빠른 시간에 영상을 얻을 수 있음, 좌/우를 분리시켜 조영 가능

• 단점 ; 한 방향만 촬영 가능, 반복 촬영 불가능, 해상도가 낮음
(→ RV 기능, 심장내 shunt 평가 정도에만 사용되며 equilibrium technique이 훨씬 많이 사용됨)

* ejection fraction (EF, 구출률)= $\dfrac{SV}{EDV} = \dfrac{EDV - ESV}{EDV}$　(정상 : 50~80%)

- 측정 : radiocontrast or radionuclide angiography, echocardiography
- 단점 : 심실 기능을 정확히 평가하지 못할 때가 있음
  (심실 기능이 정상이어도 EF (or CO)가 감소할 수 있음)
  예) preload↓ (e.g., hypovolemia), afterload↑, MS, MR, AR ...

2. 심근관류영상 (Myocardial perfusion imaging, MPI) ··· SPECT

(1) 개요

- 대부분 gated **SPECT** imaging을 이용
- 최대 부하(stress)시에 동위원소 주입 → 몇 시간 뒤 재분포(redistribution)
- ^{99m}Tc-sestamibi (MIBI) or tetrofosmin : 심근관류 SPECT에 m/c 이용, 살아있는 심근세포에 의해서 섭취됨(passive uptake), 섭취되는(uptake) 정도는 coronary blood flow와 비례함
- ^{201}Tl (thallium) : active uptake, ^{99m}Tc 제제보다 반감기 훨씬 긺, 4~24시간 뒤의 지연 영상에서 섭취를 보인다면 생존 가능 심근으로 진단 가능(stunned or hibernating myocardium)
  → viability 평가에는 ^{201}Tl을 사용하고 (PET이 더 우수), 나머지는 ^{99m}Tc 제제를 주로 사용함
- <u>부하(stress) 검사</u> : 심근혈류를 증가시켜 coronary flow reserve를 평가
  ① 운동부하 : 일반적인 운동은 심근혈류 2~3배 증가시킴 (최대 운동은 약 5배 증가)
  ② 약물부하 : 운동이 불가능하거나, 기저 ECG 이상으로 ECG 평가가 어려운 경우
    (a) vasodilator ; <u>adenosine</u>, <u>dipyridamole</u> (이차적으로 adenosine↑) → 심근혈류 3~4배↑
      - 기관지수축성 폐질환, 심한 heart block, 심한 경동맥 폐쇄 환자는 금기
      - dipyridamole은 반감기가 길어 부작용(저혈압) 위험 → aminophylline (길항제!)
    (b) inotropic agent ; dobutamine → 심근혈류 2~3배↑ (심한 부정맥/고혈압 환자는 금기)

(2) 판정기준

부하시	안정시(재분포시)	의의
정상	→ 정상	임상적으로 의미있는 CAD 없음
관류결손	→ 정상	부하에 의해 유발되는 심근 허혈(ischemia)
관류결손	→ 관류결손	MI, scar, hibernating myocardium
관류결손	→ 부분적 재분포	scar + ischemia, or persistent ischemia

(3) 임상적 이용

- 허혈성 심질환(CAD)의 진단, 중증도(severity), 예후 평가
- revascularization (PCI or CABG) 치료방침 결정 및 치료 후 평가(재협착 진단)
- 심근의 생존능력(viability) 평가

- 단점
  ① 감쇠현상 (심한 비만 or 유방이 크거나 치밀한 여성은 감마선 일부가 연조직에 흡수되어 위양성을 보일 수 있음 → PET이 더 정확)
  ② perfusion scan (cold spot imaging)은 AMI와 old MI를 구별 못함

3. PET (positron emission tomography)

(1) myocardial perfusion PET

- $^{13}N-NH_3$ (방사선 노출↓), rubidium-82 (촬영시간↓, 고가) 등을 이용한 PET
- <u>absolute</u> regional blood flow 측정 가능 (↔ SPECT는 relative blood flow 측정)
- SPECT보다 화질 더 좋음 (특히 심한 비만 및 유방이 크거나 치밀한 여성에서 유용)
- SPECT보다 진단적 정확도 및 예후 평가 우수 → SPECT 결과가 모호할 때 주로 이용됨

(2) $^{18}F-FDG$ (fluorodeoxyglucose) PET

- 심근의 대사를 측정 → 주로 <u>myocardial viability</u> 평가에 이용! ··· 7장 AMI 편 참조
  ↳ PET가 gold standard (SPECT보다 정확도 10~20% 높음)
- perfusion이 감소된 부위에서 FDG uptake 증가시 blood flow/glucose "mismatch", 관류대사
  불일치) → 생존 심근으로 진단 가능 ; revascularization 이후에 기능을 회복할 가능성이 있는
  ischemia or hibernating (viable) myocardium 임을 시사
- ^{201}Tl or ^{99m}Tc-sestamibi SPECT에서 infarction으로 분류된 부위의 10~20%가 PET에서는
  ischemia or hibernating (viable) myocardium으로 확인됨

High risk perfusion (poor Px) 소견 ★
1. Severe resting/exercise LV systolic dysfunction (EF <35%)
2. Stress-induced large perfusion defect (LV의 20% 이상, 특히 전벽)
3. Stress-induced multiple perfusion defects (2개 이상)
4. LV 확장을 동반한 large fixed perfusion defect
5. Transient (post-stress) LV dilatation
6. Lung uptake 증가 (PCWP 증가를 의미) - thallium

Stress echocardiography	Stress myocardial perfusion imaging (MPI)
<u>Specificity</u> 높다	<u>Sensitivity</u> 높다
검사하기가 쉽고 편함 (응급 때도 이용 가능)	기술적인 성공률이 높다
심장 구조/기능을 광범위하게 평가 가능 (판막 포함)	예후 및 viability에 대해 더 정확히 평가 가능 (데이터 많음)
저렴	휴식기 multiple regional WM 이상이 있는 경우 더 정확

CT/MRI

: 심전도 동기화를 이용하여 움직이는 심장을 촬영(ECG-gated) → coronary artery도 판독 가능

1. CT (MDCT)

- 대개 β-blocker를 투여하여 심박수를 60회/분 이하로 낮추고, 숨을 참는 동안 촬영함
- CTA (CT angiography) : 정확도는 MRA와 비슷, 대동맥 질환 및 pul. embolism 진단에
  매우 유용 (전신 혈관 구조의 평가 가능)
- coronary CTA (CCTA) : 3차원(volume-rendered, VR) MDCT로 비교적 정확히 관상동맥을
  평가 가능 (but, 아직은 coronary angiography가 해상도 더 높아 gold standard)
  - coronary artery calcification (atherosclerosis에서 동반) 확인에 매우 sensitive

- 석회화점수(coronary artery calcium score, CACS) → CAD severity 및 예후와 관련
  (but, stenosis의 생리/해부학적 severity와 관련성은 부족함!)
  → 석회화점수 높으면(CAC >400) high-risk → stress test 시행 권장
- CE CTA : 관상동맥 주요 분지의 병변 발견에 catheterization 90% 이상 수준의 정확도 보임
  (left main 및 left-sided coronary artery 근위부의 진단에 가장 정확하고, 더 말단 가지나
  빨리 움직이는 right coronary artery의 진단에는 sensitivity 떨어짐)
  → 관상동맥 병변 with 대혈관과 관련된 해부학적 이상 확인이 필요할 때 권장
• 단점
- 방사선 노출, 요오드성 조영제 사용 (신장 질환, allergy 환자에서 문제)
- 심박동이 빠르거나 부정맥(e.g., AF), 심한 비만, 심한 석회화(CAC 400~1000), stent 유치 환자
  등에서는 영상의 질 저하로 의 stenosis 평가에는 부정확함!
• 임상적 이용 (적응증)
- CAD 진단 : intervention이 필요하지 않을 것으로 예상되는 경우 … 음성예측도가 매우 높음!
  (CAD 의심 증상이 있지만, equivocal stress test & 위험도가 낮은 환자의 초기 선별검사로)
- revascularization 치료 이후 평가, 다른 심장 수술 전 coronary stenosis 평가
- 심실 기능 : 동영상 촬영으로 EF, EDV, ESV, WM 등도 측정할 수 있으나.. 시간 해상도가
  아직 부족하여 (빠르게 움직이므로) 제한적
- 심근관류/생존능(viability) : 지연영상(delayed enhancement)으로 평가 가능 (but, 방사선 노출↑)
- 심낭 질환, 심장 종양, 심장 기형, 대동맥 질환 등 구조적 질환에 주로 이용 (해상도 매우 높음)

2. CMR (cardiac MRI)

• 수많은 영상을 찍은 뒤 컴퓨터로 재구성하는 CT와 달리, (초음파처럼) 고주파를 쏜 뒤 받아들여
  영상을 획득하므로(= sequence), 목적/질환에 따라 검사 전 정확한 sequence 설정이 필요함
• soft tissue를 더 잘 볼 수 있고, 대혈관과 심근의 우수한 영상을 얻을 수 있음
• 선천성 심질환, 대동맥 질환, 심근/심낭 질환, 혈전, 종양 등의 진단에 우수함
• gadolinium-enhanced MRI ; CAD 진단 및 myocardial viability 측정 가능
- myocardial perfusion (± stress) 측정 (→ CAD 진단), 심실기능 및 WM 평가 가능
  ↳ 약물(adenosine, dipyridamole)
- 지연조영증강(late gadolinium-enhancement, LGE) : 조영제 주사 10~30분 뒤 영상 획득
  ┌ normal (viable) : 살아있는 심근세포 층은 빠르게 빠져나감(wash-out) → 조영↓ (black)
  └ nonviable or infarction : 심근세포가 괴사된 (or 기타 이유로 섬유질로 대치된) 부위의
    간질공간 증가 (→ 해당 부위에 조영제 분포) → 조영↑
- SPECT보다 해상도가 높아 small subendocardial infarction을 더 잘 발견하고, infarction 범위를
  정확하게 평가 가능 (transmural extent <50% → 재관류 치료 후 회복될 가능성 높음)
- LGE는 infarction or fibrosis를 의미하지만, 그 자체가 특정 심근병리에 특이적인 것은 아님
  → 질환에 따라 LGE 양상/분포가 다르므로, 여러 비허혈성 심근질환의 감별에도 활용됨
• cine-MRI : 대개 SSFP (steady-state free precession) 기법으로 촬영 (숨을 참은 상태에서 10초
  이내의 동영상을 획득, retrospective gating, 시간 해상도↑)
  → 심실의 크기와 기능, 심장내 shunt, 판막 기능, 심장내 종괴 등을 평가 가능

- MRA ; 흉복부의 대동맥 및 대혈관 관찰에 유용
- coronary MRA ; 아직 CCTA보다 오래 걸리고 해상도 낮음, 관상동맥 기형 등에 제한적으로 사용
- 단점 (방사선 노출이 없는 장점이 있지만, 아직은 CT보다 촬영시간이 오래 걸림)
  ① 일부 체내 삽입장치의 MR 안전성 문제, 혈역학적 불안정이나 심한 호흡부전 시에는 금기
  ② 심한 부정맥 환자에서는 image quality 떨어짐
  ③ coronary MRA에서는 석회화를 확인하기 어려움
  ④ 신질환 환자에게 gadolinium 투여시 systemic fibrosis 발생 위험

체내 삽입장치들의 MR 안전성

안전	안전성 확인 필요	금기
Coronary stent 인공 심장 판막 인공 관절 (열 발생은 가능) 인공 렌즈 (백내장 수술) 미용적 유방 삽입물 IUD (intrauterine devices)	Cardiac pacemaker/defibrillator Cochlear implants (인공와우) Insulin pump, clip, staples, 　sternal wire, filter, coil ... ⇨ 근래 출시된 MRI-conditioned 　장치들은 대부분 안전함	안검 스프링, 망막 압정 Injection port (chemoport) 약물 흡수용 피부 패치

중재적 심장학, 심도자술(Cardiac catheterization & angiography)

1. 개요

(1) 준비사항
- 대부분 외래로 시술하는 추세
- mild sedation (e.g., diazepam, midazolam, benzodiazepine), 최소 6시간 이상 금식 필요

심도자술 시술 전 항응고제 중단

경구항응고제(warfarin)	3일 전 ⇨ Femoral approach는 INR을 1,8 이하로 　　　　　(Radial approach는 2,2 이하로) 유지해야 됨 *꼭 필요한 환자는 heparin으로 교체하고 시술 4시간 전에 중지
DTI (dabigatran)	24시간 전 (eGFR 50~79 면 36시간 전, 30~49면 48시간 전) PCI (intervention) 가능성 있으면 시간 2배로
Direct Xa inhibitors (rivaroxaban, 　apixaban, edoxaban)	24시간 전 (eGFR 30 미만이면 36시간 전) PCI (intervention) 가능성 있으면 48시간 전
Aspirin 등의 경구 항혈소판제	계속 복용해도 됨

- CAD 의심 환자는 시술 전 aspirin 복용 권장 (∵ intervention 시행하게 되면 도움)
- 예방적 항생제는 사용하지 않아도 됨
- vascular access
  - Rt. heart cath. ; femoral vein (m/c), internal jugular or subclavian veins
  - Lt. heart cath. ; femoral artery (m/c), radial artery (점점 증가), brachial artery
    - radial artery ; femoral에 비해 access site Cx.적고, 시술 후 바로 활동이 가능하지만
      guide catheter의 직경 제한으로 intervention (PCI)의 종류나 IABP는 제한될 수

- 복부 대동맥 및 iliac/femoral artery 등의 병변 시에는 brachial or radial artery 이용
- 장기간의 혈역학적 monitoring이 필요한 경우는 int. jugular vein 이용

	Right catheterization	Left catheterization
Pressure 측정	RA, RV, PA, PCWP(=LA)	Ao, LV, LA
Oximetry	O (심장내 shunt 확인)	O
Cardiac output	열희석법(thermodilution)으로 측정	×
기타	폐동맥조영술, EPS, pacemaker 삽입	관상동맥조영술, 대동맥조영술

(2) 적응/금기

• 진단적 적응증

① CAD ; ACS, stress test 시행한 적 없는 high probability 환자, stress test에서 고위험 소견, stress test와 증상이 일치하지 않을 때, 원인을 모르는 새로운 LV dysfunction/WM 이상, CCTA에서 50% 이상의 협착 or severity를 알 수 없는 병변 등

② 판막질환 ; 수술 전, 판막질환의 정도에 비해 심한 pul. HTN or LV dysfunction or Sx.

③ 심근질환 ; 심근질환 의심시, 확진시, 재평가, 치료방침 결정 등

④ pul. HTN ; 심초음파에서 RV systolic pr. 상승, 원인을 모르는 pul. HTN, 치료반응 평가

⑤ 심장 내 shunt ; shunt anatomy or fraction이 불확실한 경우

② 기타 임상적 및 noninvasive test에서 의심되는 질환의 확인이 필요하고, severity를 결정할 때 (but, 선천성 or 판막 질환의 대부분은 noninvasive test 만으로 치료방침 결정)

• 치료적 적응증

1. Coronary stenoses & occlusions의 치료
   Percutaneous transluminal coronary angioplasty (PTCA)
   Laser techniques
   Intravascular stents
   Atherectomy
2. Valvular stenoses의 치료
   Balloon valvuloplasty (aortic, mitral, pulmonic)
3. Congenital defects의 치료
   Atrial septostomy
   PDA & ASD/VSD의 umbrella closure
   Undesired collateral vessels의 coil closure
4. Peripheral arterial stenosis
   Balloon dilatation
   Stent or covered stent

• 상대적 금기 (생명유지를 위해 꼭 필요한 경우, 절대적 금기는 없음)

조절되지 않는 부정맥, CHF, HTN 등
심한 hypokalemia 등의 전해질 불균형 or 조절되지 않는 digitalis toxicity
원인을 모르는 열성 질환 or 조절되는 않는 현성 감염
심한 응고장애 or 항응고제 사용으로 INR >1.8
급성 뇌졸중, 최근의(<1개월) CVA
급성 위장관 출혈, 심한 빈혈
ARF or 심한 CKD
방사선 조영제에 대한 심한 알레르기
협조가 안 되는 환자, 임신

(3) 부작용

- 진단적 심도자술의 전체적인 부작용은 1.35%, 사망률은 0.01~0.1% 정도

심도자술에 의한 부작용/사망의 위험인자	
고령(>75세), 비만, 응급으로 시행시	심한 CAD 환자 (e.g., UA, AMI)
이전의 CVA, DM, 신부전, 심한 폐질환, 말초혈관질환	Lt. main coronary stenosis
조절되지 않는 HTN	심한 3-vessel coronary artery dz.
혈역학적으로 불안정한 환자	심장 판막 질환 동반
CHF, LV dysfunction (LVEF <35%)	Aortic aneurysm

- 조영제에 의한 부작용
  ① 알레르기 반응 (1%) : urticaria ~ anaphylaxis (→ 반복 노출시 ~50%에서 재발)
    - 예방 : steroid (prednisone), antihistamines (diphenhydramine), H_2-blocker (cimetidine)
    - low-/iso-osmolar 조영제 사용으로 크게 감소했음
  ② 신부전 (3~7%) : CIN (contrast-induced nephropathy)
    - 조영제 투여 환자의 10~20%에서 신기능 저하 발생 (but, 투석이 필요한 경우는 0.14%)
    - 24~48시간 후부터 발생, 3~5일 이후 Cr 최고치, 7일 정도 경과 이후부터 호전
    - 위험인자 : dehydration, hypotension, IABP, HF, 75세 이상, anemia, DM, 조영제 양↑,
      이전의 신기능 저하(serum Cr >1.5 mg/dL or eGFR <60 mL/min/1.73 m²)
    - 예방 : 시술 전후의 hydration, low-/iso-osmolar 조영제 사용 (N-acetylcysteine은 아님)
- AMI (0.05%), stroke (0.07%), 일시적인 tachy/bradyarrhythmia
- catheter 삽입 부위의 출혈/자반/혈종 (femoral보다 radial access가 훨씬 적음)
- 심상 파열이나 대동맥 박리는 매우 드묾

■ Swan-Ganz (pulmonary artery) catheter (PAC) : Rt. heart cath.

- multilumen catheter로 tip은 우심방과 우심실을 지나 폐동맥 분지 내에 위치시킴
- 호흡주기에 의한 영향을 최소화하기 위해 호기말에 압력 측정
- 측정 - CO와 PCWP 측정이 주목적!
  ① 압력 : CVP, RA, RV, PA, PCWP (= LA pr. = LVEDP)
  ② CO (thermodilution method 등)
  ③ mixed venous blood sampling ; oxygen tension, saturation, Hb 등 측정
  ④ 우측 심장의 O_2 saturation (→ 심장내 shunt 확인)
  ⑤ 계산 : 폐혈류량/저항, 체혈류량/저항, 판막 넓이 등
- 중환자의 혈역학 감시에 많이 사용되었었지만, 점점 덜 침습적인 장치로 대치되어 급감하였음
- Swan-Ganz catheter (balloon flotation) 부작용
  ① pneumothorax, hemothorax, arterial injury (e.g., carotid artery hematoma)
  ② PA rupture (<1%) : 사망률 50%
    - pul. HTN, 60세 이상, 항응고제 복용 환자 등에서 발생위험 증가
    - 갑자기 선홍색 객혈 발생시 의심 (특히 ballooning 직후) → 응급 수술
  ③ valvular injury, endocardial injury (e.g., subendocardial hemorrahge, IE)
  ④ arrhythmia ; VPB (m/c, 1~63%), nonsustained VT, RBBB
  ⑤ thromboembolism (유치 기간이 길수록↑), air embolism, pulmonary infarction
  ⑥ catheter infection, sepsis (유치 기간이 길수록, femoral access시 ↑)

2. Hemodynamics

(1) hemodynamic parameters의 참고치

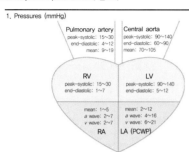

1. Pressures (mmHg)

Pulmonary artery
peak-systolic: 15~30
end-diastolic: 4~12
mean: 9~19

Central aorta
peak-systolic: 90~140
end-diastolic: 60~90
mean: 70~105

RV
peak-systolic: 15~30
end-diastolic: 1~7

LV
peak-systolic: 90~140
end-diastolic: 5~12

RA
mean: 1~5
a wave: 2~7
v wave: 2~7

LA (PCWP)
mean: 2~12
a wave: 4~16
v wave: 6~21

2. Cardiac index (CI) [(L/min/m²]]	2.6~4.2
3. Oxygen consumption index [(L/min)/m²]	110~150
4. Arteriovenous oxygen difference (mL/L)	30~50
5. 혈관 저항 [(dyne•s)/cm⁵]	
(1) 전신 혈관 저항	700~1600 (평균 1100)
(2) 전체 폐 저항	100~300 (평균 200)
(3) 폐 혈관 저항	20~130 (평균 70)

(2) cardiac output (flow)의 측정

① direct Fick oxygen method

$$Q \text{ (L/min)} = \frac{O_2 \text{ consumption (mL/min)}}{\text{arteriovenous } O_2 \text{ difference (mL/L)}}$$

• pulmonary blood flow (Qp) = $\dfrac{O_2 \text{ consumption}}{(PV - PA) \; O_2 \text{ difference}}$

• systemic blood flow (Qs) = $\dfrac{O_2 \text{ consumption}}{(\text{aorta} - \text{mixed venous}) \; O_2 \text{ difference}}$

$$Qp/Qs = \frac{(Ao - \underline{\text{mixed venous}}) \; O_2 \text{ difference}}{(PV[=Ao] - PA) \; O_2 \text{ difference}}$$

• mixed venous O_2 content : shunt 바로 직전 chamber의 O_2 saturation을 사용
  예) ASD → (3×SVC + 1×IVC)/4,   VSD → RA,   PDA → RV,   no shunt → PA
• 장점 : low CO 환자에서 가장 정확 / 단점 : 많은 시간과 노력이 필요

c.f.) 혈관저항의 계산
  ┌ 전신혈관저항 = 80 (Ao$_m$ -RA$_m$) / Qs
  └ 폐혈관저항 = 80 (PA$_m$ - LA$_m$) / Qp

  (Ao$_m$: 평균 대동맥압, RA$_m$: 평균 RA압, PA$_m$: 평균 폐동맥압, LA$_m$: 평균 LA압)

② thermodilution technique
- Swan-Ganz catheter의 근위부 (RA)에서 cold (<25℃) saline or dextrose를 주입한 뒤 catheter 끝의 온도계에서 온도의 변화를 측정 → 시간에 따른 그래프로 그림
  (그래프의 curve의 면적은 CO와 반비례함 → 컴퓨터에서 CO 계산)
- 장점 : 간단하고 시간이 적게 걸림
- 단점 ; Rt. CO를 반영(→ TR 환자에서는 시행 곤란), low CO 환자에서는 과다 측정됨, 변동이 많음(→ 여러 번 측정하여 평균을 계산)
  c.f.) indicator dilution technique : 정확하지만 많은 양의 혈액 채취가 필요, 시간도 오래 걸림 (→ 대부분 thermodilution technique으로 대치됨)

③ angiographic technique
- $SV = EDV - ESV$, $CO = SV \times HR$
- 단점 : 원래 volume의 측정이 정확하지 않음 (특히 역류 or AF 시)
- 장점 ; 심한 AR or MR 환자에서 stenotic valve area 계산시 다른 방법보다 선호됨

c.f.) PAC보다 덜 침습적인 혈역학 감시법(hemodynamic monitoring) → 주로 CO 측정을 위해
(1) 동맥파형추출법 (arterial line) : 동맥압 상승 ~ dicrotic notch까지 아래 면적으로 CO 계산
  예) PiCCO®, Flotrac®, LiDCO®, ProAQT® → SV/CO, SVV, PVV 등 측정 가능
  (SVV: stroke volume variation, PVV: pulse pressure variation)
(2) 비침습적 ; USCOM® (doppler echo.), NICOM® (bioreactance), Nexfin® (finger cuff) 등
  연속 측정은 불가능 ↵   흉부에 전극을 붙여 측정 ↓   ⇨ 모두 PPV는 측정 못함

3. 각 질환별 이용

■ 정상
- systole 때 LV와 aorta (radial artery)의 압력이 같다 (→ aortic valve 봄)
- diastole 때 LA (PCWP)와 LV의 압력이 같다 (→ mitral valve 봄)
  c.f.) PCWP = LA pr. = LVEDP (좌심실확장기말압력)

(1) Mitral Stenosis (MS)
- PCWP (LA pr.) 증가
- diastole 때 PCWP (LA pr.) > LV pr.

(2) Mitral Regurgitation (MR)
- systole 때 LV pr. < arterial pr.
- 운동할수록 mean PCWP & v wave 증가

(3) Aortic Regurgitation (AR)
- aortic pulse pressure의 폭 증가
- diastole 때 LV pr. = aorta (radial or femoral A.) pr.
- early diastole 때 LV pr.가 PCWP (LA pr.)보다 크다 (→ MV의 premature closure 시사)
  ⋯ severe AR의 특징!

(4) Aortic Stenosis (AS)
- systole 때 LV와 aorta 사이의 pr. gradient (LV pr. > aorta pr.)
- aortic orifice (valve area) 감소

(5) 기타 판막 질환
- TS : diastole 때 RA pr. > RV pr.
- TR : RA pr.와 RV pr.가 거의 유사

(6) Constrictive Pericarditis
- 4 chambers (LV, LA/PCWP, RV, RA)의 이완기말 압력의 상승 및 평준화
  ("equalization of diastolic pressure")

(7) Congenital heart dz.
- mixed venous blood (SVC, IVC)와 RA 사이에 O_2 step up
  ; ASD, Valsalva sinus의 RA로의 rupture, partial anomalous pul. venous connection ...
- RA와 RV 사이에 O_2 step up ; VSD
- RV와 PA 사이에 O_2 step up ; PDA

4. Angiography

(1) ventriculography
; 심실의 크기 및 기능 평가, MR의 발견 및 severity 평가

(2) aortography
① AR의 발견 및 severity 평가
② aorta와 우측심장과의 비정상적 교류 발견
  예) PDA, ruptured aneurysm of a sinus of Valsalva
③ aortic aneurysm
④ aortic dissection (intimal flap 확인할 수)

(3) coronary angiography (cine angiography)
① stenosis의 위치 및 severity 평가
② coronary blood flow 속도 평가
③ 심근의 capillary filling 평가
④ collateral blood supply 확인
⑤ congenital anomaly 발견 (e.g., coronary fistulae)

* borderline stenosis (40~70%)의 추가 검사
  (a) stenosis 전후의 pressure gradient 측정
  (b) adenosine (vasodilator) 투여 뒤의 혈류 증가 정도 평가
  (c) intravascular US (IVUS)로 내강의 정확한 단면적 및 plaque 확인

5. PCI (percutaneous coronary intervention)

→ 6장 참조

실신 (syncope)

실신(syncope)의 원인

1. 신경매개 실신
  <u>혈관미주신경 실신(vasovagal syncope)</u>
  반사매개 실신(reflex-mediated syncope)
  Carotid sinus hypersensitivity
  폐 ; 기침, 재채기, 관악기연주자, 역도선수, "Mess Trick" and "Fainting Lark", 기도 장치
  비뇨생식기 ; 배뇨후, 전립선 마사지, 비뇨생식기 장치
  위장관 ; glossopharyngeal neuralgia, 연하, 식후, 식도 자극, 직장수지검사, 배변, 위장관 장치
  기타 ; 눈 압박, 안과 검사, 안과 수술
2. 기립성 저혈압
3. 심장질환에 의한 실신
  부정맥 ; sinus node dysfunction, AV dysfunction, SVT, VT, inherited channelopathies ...
  구조적심장질환 ; 판막질환, 심근허혈, 심근질환, 심낭질환, atrial myxoma ...
4. 뇌혈관계 질환에 의한 실신
  ; Subclavian steal syndrome (vascular steal syndrome), 편두통, 일과성 뇌허혈, 간질 ...

1. 개요

- 정의 : 갑자기 의식을 잃고 쓰러지나, 특별한 조치 없이 짧은 시간 내에 스스로 의식을 회복하는 것
- 진단적 접근 (bradyarrhythmia 흰지도 비슷)
  - (1) 자세한 병력조사, 신체검사, 체위변화에 따른 혈압/심박 측정, EKG
  - (2) 혈액검사 ; 일상적인 routine panel 검사 or cardiac markers는 도움 안됨 → target 검사로
  - (3) 자율신경계 검사
    - <u>기립경사 검사(tilt table test, TTT)</u> ; 일반적으로 40분 이상 기립 (기립성저혈압 확인은 5분 이상)
    - 부교감신경계 검사 ; deep respiration 및 Valsalva maneuver에 대한 HR variability 등
    - 교감 cholinergic 기능검사 ; thermoregulatory sweat response, quantitative sudomotor axon reflex test (QSART) 등
    - 교감 adrenergic 기능검사 ; Valsalva maneuver에 대한 BP 반응 등
  - (4) carotid sinus massage
    - carotid sinus syncope 의심, 50세 이상에서 원인 미상의 반복성 실신 등 때 시행
    - 경동맥 분지 부위의 경동맥동(carotid sinus)을 손가락으로 압박하여 과민반응 여부 확인
      (처음 압박시 반응이 없으면 5초간 손가락을 좌우로 비비거나 동그랗게 문지르며 반응을 봄)
    - 양 쪽의 반응이 다를 수 있으므로 반대쪽에서도 시행하며, 양쪽 동시 자극은 금기
    - 반드시 EKG & BP monitoring 하에서 시행
    - carotid bruit, plaques, stenosis 등이 있을 때는 금기 (∵ embolism 발생 위험)
  - (5) 심장 검사
    - <u>24hr EKG monitoring</u> ; Holter (SCD 위험↓ 환자) or 입원 중 monitoring (SCD 위험↑)
    - 심초음파 ; 심장질환의 병력 or 구조적 심장질환이 의심될 때
    - exercise test ; 운동 중 or 직후 실신 발생시

- EPS ; EKG 이상을 동반한 구조적 심장질환 환자에서 noninvasive test로 원인을 못 찾을 때
 (sensitivity/specificity가 낮아 실신 환자에서는 거의 시행 안 함)
(6) 정신과 검사 ; 원인을 모르는 실신이 반복될 때 고려

실신 환자에서 입원 또는 적극적인 검사가 필요한 고위험 소견
CAD를 시사하는 흉통, CHF 의심, 중등도 이상의 판막질환
심초음파 상 허혈 의심 소견
심실부정맥의 병력, SCD의 가족력
Prolonged QT interval (>500 msec)
SA block or sinus pauses 반복, 지속적인 sinus bradycardia, trifascicular block
AF, nonsustained VT
Preexcitation syndrome (e.g., PSVT), 심전도 상 Brugada pattern 등

2. Vasovagal (neurocardiogenic, vasodepressor) syncope (VVS)혈관미주신경실신 (Neurally mediated hypotension or syncope)

- 정상인에서 가장 흔한 실신의 원인, 주로 장시간 서 있을 때 발생
- 유발인자 ; emotional stress, 덥고 혼잡한 주위환경, 운동, 목욕, 피로, 음주, fever, injury, pain ...
- 기전 : venous return↓ → SV↓ → sympathetic activity↑ → 심장의 과도한 자극(e.g., 두근거림)
   → 갑작스런 sympathetic withdrawal & parasympathetic activation
   → vasodilation & bradycardia → brain ischemia (syncope), hypotension
- Sx ; hypotension (심하진 않다), bradycardia, nausea, pallor, diaphoresis ...
   (→ 눕거나 다리를 올리면 회복)
- Dx : 기립경사 검사(upright tilt-table test, head-up tilt test)
   ┌ 60° ~ 80° 기립 상태를 20~45분 이상 시행시 갑자기 HR/BP↓ & syncope 발생
   └ provocation drugs : isoproterenol (m/c), NG, edrophonium, adenosine
   ① cardioinhibitory type : vagal tone↑ → BP의 변화 없이, 갑자기 HR 크게 감소
   ② vasodepressor type : sympathetic failure (혈관 확장) → HR의 큰 변화 없이, 갑자기 BP 감소
   ③ mixed type : HR & BP 모두 감소
   - autonomic dysfunction/failure : BP 점진적으로 감소하지만 HR의 보상성 증가 없음
   - postural tachycardia : BP는 거의 변화 없고, HR가 과도하게 증가됨
- 치료
   ① 교육/신체훈련 (m/g) ; 안심, 유발인자 회피, 적절한 염분/수분 섭취, tilt (standing) training,
       isometric counterpressure maneuvers (e.g., leg crossing or handgrip with arm tensing)
   ② 가능하면 저혈압 유발 약물(e.g, 항고혈압제)의 중단/감량
   ③ 약물치료 : 대부분은 효과의 근거가 빈약해서 recurrent VVS에서나 고려
   - β-blockers : 교감신경↓, 심근수축력↓, 42세 이상 recurrent VVS에서 고려
   - mineralocorticoid (fludrocortisone) : 염분/수분 섭취에 반응 없는 recurrent VVS에서 고려
   - α-agonist (midodrine) : HTN, HF, urinary retention 병력이 없는 recurrent VVS에서 고려
   - SSRI 항우울제(e.g., paroxetine, fluoxetine, sertraline)
   ④ cardiac pacing : dual chamber pacing (AAI, VVI, VDD 등은 금기)
       ↳ severe bradycardia나 asystole를 동반한 recurrent VVS (40세 이상)외에는 효과 없음

3. Carotid sinus hypersensitivity

- carotid sinus baroreceptor (common carotid artery의 분지 부위에 위치)의 압박에 의해 sinus arrest, SA exit block, AV block 등이 유발 (e.g., 면도, 꽉끼는 칼라, 넥타이를 맬 때 등)
- 주로 50세 이상 남성에서 발생
- 진단 : carotid sinus massage
  ① cardioinhibitory type : 3초 이상의 asystole 발생
  ② vasodepressor type : vasodilatation → systolic BP 50 mmHg 이상 감소
  ③ mixed type
- 치료
  ① 유발 약제의 복용 중단 (e.g., digitalis, clonidine, α-methyldopa, β-blocker)
  ② cardioinhibitory type → atropine, pacemaker
  ③ vasodepressor or mixed type → RT or surgical carotid sinus denervation

4. 기립성 저혈압 (Postural/orthostatic hypotension)

- 기립경사검사(누워 있다가 일어난 뒤) 3분 이내에 혈압이 20/10 mmHg 이상 감소되는 것
  (∵ venous return↓ → but, sympathetic reflex 상실 → systemic arterial BP↓)
- 노인에서 syncope 원인의 30% 차지 (특히 혈압약, 항우울증약 복용시)
- 원인

```
Primary Disorders of Autonomic Failures
  Pure autonomic failure (Bradbury-Eggleston syndrome)
  Multiple system atrophy (Shy-Drager syndrome)
  Parkinson's disease with autonomic failure

Secondary Neurogenic
  노화, Idiopathic immune-mediated autonomic neuropathy
  일반 질환 ; DM, amyloid, alcoholism, renal failure
  대사 질환 ; vitamin B12 deficiency, porphyria, Fabry disease, Tangier disease
  자가면역질환 ; Guillain-Barré syndrome, MCTD, RA, Eaton-Lambert syndrome, SLE
  Paraneoplastic/carcinomatosis autonomic neuropathy
  신경계 감염 ; HIV, Chagas disease, botulism, syphilis
  중심 뇌병변 ; multiple sclerosis, Wernicke encephalopathy,
      vascular lesions or tumors involving the hypothalamus and midbrain
  Spinal cord lesion, sympathectomy
  Dopamine beta-hydroxylase deficiency
  Familial hyperbradykinism
  Hereditary sensory neuropathies, dominant or recessive

Drugs
  Diuretics, α-blocker, ACEi, antidepressants, alcohol, vasodilators
  terazosin (Hytrin), labetalol, guanethidine, monoamine oxidase inhibitors, ganglion-blocking drugs,
  hexamethonium, mecamylamine, tranquilizers, phenothiazines, barbiturates, prazosin, hydralazine,
  centrally acting hypotensive drugs, methyldopa, clonidine
  (c.f., β-blocker와 CCB는 기립성저혈압이 거의 없음)

Postprandial hypotension
Volume depletion ; adrenal insufficiency, acute blood loss ...
```

- 치료

① 교정 가능한 원인의 제거 ; 유발 약제(e.g., vasodilator, diuretics)의 중단 등

② 일반적인 교육/치료 ; 적절한 염분과 수분 섭취, 일어날 때는 천천히, antigravity or g suit, elastic stocking, head elevation, isometric counterpressure maneuvers ...

③ 약물 치료

 - fludrocortisone

 - vasoconstrictor ; midodrine, pseudoephedrine, ephedrine ...

 - 반응 없으면 pyridostigmine, yohimbine, DDAVP, erythropoietin 등 추가 고려

5. 기타 syncope의 원인들

(1) 심혈관 질환 ; arrhythmias, pul. embolism, pul. HTN, atrial myxoma, massive MI, LV myocardial restriction/constriction, pericardial constriction/tamponade, aortic outflow tract obstruction. AS, HCM ...

(2) 뇌혈관 질환 ; vertebrobasilar insufficiency, basilar artery migraine ...

	신경매개 저혈압 (vasovagal syncope)	부정맥 (arrhythmia)	간질 (seizure)	심인성 (psychogenic)
임상양상	남<여 젊음(<55세) 발생 흔함(>2회) 장시간 서있음, 더위, 흥분 등의 유발인자	남>여 고령(>54세) 발생 드문 편(<3회) 운동중 or 누워있음 급사의 가족력	젊음(<45세) 어느 상황에서도 발생 가능 특별한 유발인자 없음	남<여 젊음(<40세) 다른 사람들 있을 때 발생 발생 흔함(하루에도 몇 번) 특별한 유발인자 없음
전구증상	길(>5초) Palpitations Blurred vision Nausea Warmth Diaphoresis (식은땀) Lightheadedness	짧음(<6초) Palpitations 덜 흔함	갑자기 발생 or 짧은 조짐(deja vu, olfactory, gustatory, visual)	대개 없음
실신의 양상	Pallor Diaphoretic Dilated pupils Slow pulse, low BP Incontinence (실뇨), brief clonic movements 도 발생 가능	Blue, not pale Incontinence, brief clonic movements 도 발생 가능	긴 시간 실신(>5분) Blue face, no pallor 입에 거품 혀 깨물 Horizontal eye deviation 맥박 및 혈압 상승 Incontinence 흔함 (실뇨 뿐아니라 실변도 가능) Grand mal시에는 tonic-clonic movements	Normal color Not diaphoresis Eyes closed 맥박/혈압 정상 Incontinence 없음 장시간(수분) 실신 흔함
잔류증상	흔함 지속적인 피로(>90%) 의식 회복 빠름	드묾 의식 회복 빠름	흔하고 오래 지속 근육통, 두통, 피로 발작 후 졸림과 혼미 지속	드묾 의식 회복 빠름

■기타

1. 운동시의 심혈관계 변화

- 정맥 환류(venous return) 증가 → ventricular filling & preload 증가
  - (∵ 과환기, 근육의 펌프 작용, 정맥수축)
- 심근의 수축력 증가 → stroke volume 증가 (∵ 아드레날린성 자극↑, 혈중 catecholamine↑, 빈맥)
- 이완기말 압력 및 용적 (EDP, EDV)은 변화가 없거나 감소 (심부전 환자는 EDV 증가)
- 근육의 동맥은 이완 → 심박출량(cardiac output)은 최대 5배까지 증가하지만,
  말초혈압(arterial pr.)은 중등도로만 증가하게 제한

2. 임신시 심혈관계의 변화

- systemic vascular resistance↓, uterine blood flow↑, blood volume↑ (40~45%), HR↑ (10~20%)
  → CO↑ (2nd trimester 때 최대, 40%↑)
- BP ┌ systolic : 약간 감소 or 변화 없음
     └ diastolic : 크게 감소
- pulmonary vascular resistance↓, 하지의 venous pr.↑ (→ 약 80%에서 발 부종 발생)
- S₃, systolic ejection ⑩, bounding pulse

3. 노인에서의 심혈관계 변화

- 구조적 변화 ; myocyte의 크기↑, 수↓, matrix connective tissue↑
- 대동맥의 elasticity (compliance)↓ → after load↑ → systolic BP↑, LVH, interstitial fibrosis
  → LV의 이완능력(compliance)↓ → 정상 LVEDV 유지하기 위한 atrial contraction↑
- CO (EF)
  ① resting시 : 정상 (SV의 증가에 의해)
  ② 운동시 : maximal HR↓ (→ 운동능력↓)
- β-agonist에 대한 반응성↓
- baroreceptor의 반응성↓ → postural hypotension

4. Sudden Cardiac Death (SCD) : 급성(돌연) 심장사

- 정의 : 심장 질환으로 인한 급성 증상 발생 후 1시간 이내에 사망하는 경우
  - acute low CO state ; massive acute PE, aortic aneurysm rupture, intense anaphylaxis,
    cardiac rupture & tamponade 등이 원인 → SCD로 분류하지는 않음
  - cardiovascular collapse : 심장 and/or 말초혈관의 acute dysfunction으로 인한 뇌혈류의 감소로
    갑자기 의식이 소실된 것 (→ vasodepressor syncope이나 서맥이 원인인 경우 대개 자연 회복)
- 1st peak (~생후 6개월 : sudden infant death syndrome [SIDS] & 2nd peak (45~75세)
- 남:여 = 4:1, 나이 들수록 남녀 차이는 감소 (45~64세 7:1, 65~74세 2:1)
- 위험인자 : 고령, 흡연, LDL↑, DM, HTN, 좌심실비대, CRP↑ 등 (→ CAD의 위험인자와 같음)

- **기저질환**
  - 관상동맥질환(CAD)이 m/c (70~80%)
  - 심근질환 (10~15%) ; DCM, HCM (운동선수에서 m/c), arrhythmogenic RV dysplasia ...
  - 기타 ; 판막질환, 선천성 심장병, 염증/침윤성 질환, 전기생리학적 이상(e.g., WPW syndrome)
  - inherited d/o. ; congenital LQTS, Brugada syndrome, catecholaminergic PMVT ...
    (↳ 청소년 및 젊은 성인에서 SCD의 흔한 원인)   → 2장 부정맥 편 참조
- **functional contributing factors** ; coronary flow 변화, CO↓, metabolic abnormalities (e.g., K^+↓),
  neurologic disturbances, toxic responses (e.g., proarrhythmic drugs, cocaine, digitalis)
- **cardiac arrest의 원인 (electrical mechanism)** ; VF (m/c, 50~80%), bradyarrhythmia & asystole
  (10~30%), pulseless electrical activity (PEA), sustained VT ...
- 첫 EKG 소견에 따른 예후(퇴원시 생존율) ; VT (67%) > VF (25~40%) > PEA (11%) > asystole (0~2%)
- coronary heart dz. 사망의 50%는 SCD
- AMI 입원시, 첫 72시간에 발생한 심실빈맥보다 72시간 이후에 발생한 심실빈맥이 사망률 더 높다
- SCD 재발 방지에는 항부정맥제보다는 ICD (implantable cardioverter/defibrillator)가 더 효과적임!
- cardiac arrest의 응급소생술 후 병원에 입원한 경우의 사망원인은 CNS injury
  (anoxic encephalopathy & infection)가 가장 많음
- 병원 밖에서 cardiac arrest 이후 생존한 환자 (이후 2년 이내 사망률 10~25%)
  - CAD (특히 high EF) → anti-ischemic therapy (e.g., PCI, thrombolysis)
  - 다른 심장질환(e.g., 심근질환, 유전질환), EF 30~35% 이하의 MI → ICD
- 2ndary cardiac arrest시에는 70%가 사망

5. 심장이식 (cardiac transplantation)

(1) 적응

- **대상** : end-stage heart dz. (e.g., 말기 심부전)
  ① 관상동맥질환 (m/c)   c.f.) 우리나라는 심근질환이 약 2/3 차지
  ② 심근질환 (2nd m/c) : DCM이 90% 이상
  ③ 기타 ; 판막질환, 선천성 심장병, 심근염 등

심장이식의 금기	
고령(70세 이상), 고도 비만	활동성 궤양성 질환(PUD)
활동성 감염(e.g., HCV, HIV)	Circulatory cytotoxic Ab 양성
활동성 전신질환(SLE, sarcoidosis, amyloidosis)	IDDM : 조절이 안되거나
현재 악성종양 or 치료되었지만 재발률 높은 경우	end-organ damage 동반
최근의 폐경색, 비가역적 폐고혈압	심한 뇌혈관 or 말초혈관 질환
심한 폐질환(e.g., COPD: FEV1 <1 L/min)	마약 또는 알코올 중독자
비가역적 신부전 or 간부전	예후가 나쁜 정신질환 (치료X 등)

- **이식시기** : 향후 예상 수명이 6개월~1년 남았을 때
  ① LVEF <20% & NYHA class Ⅳ 증상
  ② 운동중 최대산소섭취량(maximal V_{O_2}) <12 mL O_2/kg/min (… 최대 CO과 비례함)
  ③ 다른 치료에 반응 없는 심각한 ventricular arrhythmias 존재

심장 이식 대기자의 응급도 (우리나라)	
0순위	VA-ECMO 치료 중인 환자, 심부전으로 인한 인공호흡 중인 환자 기계적 순환 보조장치(MCS)가 필요한 VT/VF 삽입형 심실보조장치(VAD)를 가진 환자가 심각한 합병증으로 ICU에 입원 비삽입형 심실보조장치(VAD)
1순위	인공심장(artificial heart), 심실보조장치(VAD), IABP 치료 중 연속적으로 4주 이상 IV 강심제 투여 중인 환자 1주 이상 고용량 단일 강심제 or 2개 이상의 중등도 용량의 강심제가 필요한 경우 지속성 VT/VF가 자주 반복 되거나 심실제세동기(ICD)가 자주 작동하는 경우

(2) immunologic preparation
- ABO typing, Ab screening test, panel-reactive antibody (PRA), HLA typing 등 검사
- PRA test : circulating anti-HLA Ab 유무와 그 특이성 동정, 고형장기이식 전후로 검사
  - 공여자의 HLA에 대한 anti-HLA Ab에 감작된 경우 (donor-specific Ab, DSA)
    → antibody-mediated rejection의 원인이 됨 (이식×)
    (virtual cross-matching : 환자의 anti-HLA에 대응하는 HLA 항원을 가진 공여자를 미리 배제)
  - complement dependent cytotoxicity (CDC) : 살아있는 림프구를 이용하여 검출 (과거)
  - flow cytometry crossmatch (FCXM), Luminex-PRA → 민감도 우수함
- HLA compatibility (환자-공여자간 HLA 항원 일치)를 맞출 필요는 없음
- 수술 전후 면역억제요법(induction therapy)
  : steroid + calcineurin inhibitor (CNI) + antiproliferative agent + IL-2 receptor Ab

(3) 합병증
① 수술 직후 ; 폐혈관 질환으로 인한 RVF
② 수일~수주 ; <u>acute rejection</u>
  ⓐ acute cell-mediated (cellular) rejection → 예방/치료위해 면역억제요법 시행!
    - 신장/간이식과 달리 rejection의 serologic marker는 없음 (일부에서 troponin I을 사용하기도 함)
    - 위험인자 ; 젊은 환자, 여성, 여성 공여자, CMV(+), 감염, HLA 불일치 개수
    - Dx : endomyocardial biopsy (1~2주 간격, 몇 달 이후엔 1달마다 ~6-12개월까지 시행)
    - Tx : high-dose steroid, OKT3, ATG, ALG)
  ⓑ acute Ab-mediated (vascular) rejection : 이미 형성된 항체(e.g., anti-HLA)가 원인
    - 위험인자 ; 여성, high PRA level, (+)crossmatch
    - 임상적으로 진단, 심초음파상 심장기능↓ or shock / biopsy에서 cellular rejection 無
    - Tx : IV steroid, plasmapheresis, IVIg, rituximab 등
③ 첫 1년 이내 ; 감염 (CMV infection ; 흔하고, graft rejection도 촉진함)

예방적 항생제 요법	
CMV	Ganciclovir (IV 4주 → oral valganciclovir ~3개월) [주기적 CMV Ag level 보며 투여 여부 결정하기도]
Pneumocystis jiroveci	Bactrim (~1년간)
HSV1, HSV2	Acyclovir (~1개월) [Ganciclovir 투여 중일 때는 필요 없음]
Oral candidiasis	Topical nystatin (~6개월)

④ 1년 이후 ; chronic rejection (대개 CAD 형태로 나타남)
  ↳ 이식 심장의 CAD (1년 이후 사망원인의 20~30% 차지)
 - 위험인자 ; 반복적인 rejection, hyperlipidemia, DM, CMV infection
 - 일반적인 CAD와 차이 ; diffuse, concentric, longitudinal, 근위부보다 원위부에서 호발
 - 병이 상당히 진행되어도 협심증 호소는 드묾 (∵ 이식된 심장은 denervation된 상태)
 - 조직 ; smooth muscle cell hyperplasia, intimal proliferation, lipid-laden macrophage 침윤
 - 예방/치료
   (1) CCB, ACEi, statins → CAD 발생 감소
   (2) 면역억제제로 MMF, mTOR inhibitors (sirolimus, everolimus) 사용 → CAD 발생 감소
   (3) anticoagulation, aspirin, cyclosporin A : 효과 적다
   (4) revascularization (CABG or PCI) : 대개 별 도움 안됨
   (5) 재이식만이 유일한 완치법
⑤ 악성종양
 - 원인 ; 면역억제제, virus (e.g., EBV(림프종), HHV-8(Kaposis' sarcoma)) ...
 - 피부암(m/c, 특히 SCC(4~20배 증가), 입술), 림프종(40~50배 증가), 항문암, 여성생식기암 등

8. 비심장수술 환자의 수술 전 심장위험(cardiac risk) 평가 ★

(1) 응급수술(urgent surgery)이 필요한 환자 ⇨ 그냥 수술 진행
  ↓ No
(2) Active/unstable 심장질환* ⇨ 다학진료를 통해 치료방침 결정 (심질환 먼저 치료 or 수술 진행)
  ↓ No
(3) 수술의 위험도(surgical risk)** 평가 → Low

  ↓ Intermediate~high

(4) 활동능력(functional capacity)*** → >4 METs

  ↓ ≤4 METs

(5) 수술의 위험도(surgical risk)** → Intermediate-risk

  ↓ High-risk surgery

(6) 심장위험인자(cardiac risk factors)**** → 2개 이하

  ↓ High-risk (≥3개)

Low / >4 METs	예정대로 수술 진행, 생활습관개선 및 약물치료 1개 이상의 clinical risk factors → ECG monitoring 허혈성심질환 환자 → low-dose β -blocker Systolic dysfunction인 심부전 환자 → ACEi 혈관수술 예정 환자 → statin 등 고려
Intermediate-risk	위의 조치 + 1개 이상의 clinical cardiac risk factors**** → Noninvasive stress test 고려
2개 이하	위의 조치 + 심실기능평가: Rest echocardiography & biomarkers (CK-MB, BNP, troponin) 검사 고려

Noninvasive stress test : DSE (dobutamine stress echocardiography) or pharmacologic stress MPI
(stress test 불가능하면 심근조영 심초음파 or Rest MPI(심근관류영상) 고려 / coronary angiography는 적응 안됨!)

⌐ No/mild/moderate ischemia ⇨ 적절한 예방약물치료 시작/지속 이후 예정대로 수술 진행
└ Extensive ischemia ⇨ 환자에 따라 치료방침 결정 (revascularization 방법 vs 수술 등)*****
  - 비심장 수술 전 심장위험을 낮추기 위한 무조건적인 revascularization 치료는 권장 안됨 (survival 차이X)
  - Lt. main coronary artery dz.는 비심장 수술 전 revascularization 치료시 survival 향상
  ⇨ But, 대부분의 extensive ischemia는 revascularization을 염두에 두고 심도자술을 시행함

* Active cardiac conditions (수술 전 심장 평가/치료 필수)	
Unstable coronary syndromes	Unstable or severe angina (CCS class III~IV), recent (<30일) MI
Decompensated HF	NYHA functional class IV, 최근에 발생 or 악화되는 HF
Significant arrhythmias	고도 AV block, Mobitz II AV block, 증상 있는 심실부정맥, 증상 있는 서맥, 심실속도가 조절 안되는(HR >100 bpm, rest) SVT (AF 포함)
Severe valvular disease	심한 AS (mean pr. gradient >40 mmHg, AV area <1.0 cm², or 증상 동반), 증상 있는 MS (운동시 악화되는 호흡곤란, presyncope, or HF)

** 수술의 위험도(surgical risk)	
High (cardiac risk >5%)	대동맥 등의 대혈관 수술, 말초혈관 수술
Intermediate (cardiac risk 1~5%)	복부/흉부 수술, 두경부 수술, 정형외과 수술, 전립선 수술, 경동맥 내막절제술
Low (cardiac risk <1%)	내시경 시술, 피부/점막 시술, 백내장 수술, 유방 수술 등

*** 활동능력(functional capacity)	
1 MET	스스로 돌보기, 먹고/옷입고/화장실가기, 실내에서 걷기, 2.3~4.8 km/hr로 평지 걷기 (1~2블럭)
4 METs	청소/설거지/가구옮기기 등의 집안일, 6.4 km/hr 정도로 평지 걷기, 계단(2층 이상)/언덕 오르기, 짧은 거리의 달리기, 가벼운 운동 (골프, 볼링, 복식 테니스, 댄스, 공던지기 등)
>10 METs	힘든 운동 (수영, 단식 테니스, 축구, 야구, 스키 등)

**** RCRI (revised cardiac risk index) 심혈관위험 임상지표 ★	
1. 고위험 수술	혈관 수술, 복부/흉부 수술
2. 허혈성심질환	MI 병력, 현재 허혈성 흉통 존재, NG 설하정 치료 필요, exercise test (+), EKG에서 pathologic Q wave, PTI/CABG 받고 현재 허혈성 흉통 존재
3. 울혈성심부전	좌심부전의 징후, 발작야간호흡곤란, 폐부종, S3 gallop, 양측 폐의 수포음, CXR 상 폐부종
4. 뇌혈관 질환	TIA or CVA의 병력
5. 신기능 저하	수술전 혈청 creatinine >2 mg/dL
6. Insulin으로 치료 중인 당뇨병	(2.~6.: clinical risk factors)

* 위험도 분류 ┌ Low (0개) : cardiac events 발생 0.4~0.5%
　　　　　　├ Intermediate (1~2개) : cardiac events 발생 위험 0.9~1.3% (1개), 4~6.6% (2개)
　　　　　　└ High (3개 이상) : cardiac events 발생 위험 9~11% ⇨ noninvasive stress test 시행

* 수술전후 예방약물치료 (수술 후 심장관계 합병증 예방 위해)
　- β-blocker (e.g., bisoprolol) : RCRI high risk 환자(≥3개), 수술전 noninvasive test에서 intermediate~high risk myocardial ischemia시 권장 (1일↑ 전부터, 수술 당일 시작은 X)
　　→ 혈압 140/90 mmHg, 심박수 60~80 bpm 이하로 유지
　- statins : atherosclerosis or DM 환자, 혈관수술 예정 환자에서 권장 (2주↑ 이전부터)
　- aspirin, thienopyridine : cardiac risk 감소 효과 불확실!, 중단/지속은 환자에 따라 결정 (중단에 따른 심장/혈전증 위험보다 복용에 따른 출혈 위험이 높지 않으면 계속 복용)
　- CCB : cardiac risk 감소 효과 불확실, 전에 복용하던 환자는 계속 복용
　- ACEi/ARB : HTN으로 복용하던 환자는 계속 복용

***** Revascularization 먼저 시행한 이후의 비심장 수술(elective noncardiac surgery) 가능 시기	
Balloon angioplasty (풍선성형술)	2주 이후 (+ aspirin 지속)
Bare—metal stent (BMS, 일반금속스텐트)	4주 이후 (4주 이상의 dual antiplatelet therapy 필수)
Drug—eluting stent (DES, 약물방출스텐트)	구형(1세대) 12개월 이후, 신형(2세대) 6개월 이후 (dual antiplatelet therapy는 유지 ∵ stent thrombosis 위험)
CABG (관상동맥우회술)	1~5년 사이

2 심전도와 부정맥

심전도(ECG or EKG) 개요

1. 자극전도계 (conduction system)

(1) **sinoatrial (SA) node** (동방결절) = sinus node (동결절)
: RA와 SVC 사이에 위치, electrical impulses 생성 (pacemaker)

(2) ┌ internodal conduction tracts (3개) → AV node로
└ Bachmann bundle → LA로

(3) atrioventricular (AV) junction
① AV node (방실결절)
② His bundle (히스다발, 히스속) ┐ His-Purkinje system

(4) bundle branch (BB)
① Rt. BB (→ RV로)
② Lt. BB (→ LV로)
 └ Lt. ant. & post. fascicles
(5) Purkinje network (Purkinje fibers) ┘

2. EKG 파형의 구성

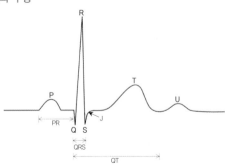

(1) intervals

① RR interval
- 두 개의 연속된 ventricular depolarization 사이의 시간 (heart rate)
- rhythm이 규칙적인지 불규칙적인지, 빠른지 느린지 파악

② PR interval
- atrial depolarization 시작부터 ventricular depolarization 시작까지의 시간 (atrium ~ Purkinje fibers까지의 탈분극), 대부분은 AV junction (AV node + His bundle)에서 정체되는 시간
- 정상 : 0.12~0.2 sec

③ QT interval
- 심실의 depolarization 시작부터 repolarization 끝까지의 시간 (QRS 시작 ~ T wave 끝), 심실의 수축기와 일치, 대개 RR interval의 1/2 이하, HR 빨라지면 상대적으로 감소
- QT 단축 : <u>hypercalcemia</u>, hyperkalemia, acidosis, hyperthermia, <u>digoxin</u>, catecholamine ...
- rate-related (corrected) QT interval : $QTc = QT/\sqrt{RR}$ (정상 : ≤0.44 sec)

(2) waves

① P wave
- atrial depolarization을 반영 (SA node에서 시작)
- 전반부는 주로 RA, 후반부는 주로 LA의 depolarization에 해당
- 0.08~0.12 sec / leads I, II, aVF, V_{4-6}에서는 (+), aVR에서는 (−), 나머지는 다양
- "2.5×2.5" : EKG 기록지에서 높이와 폭이 각각 2.5칸 이내여야 함
- 대개 lead II에서 P-mitrale나 P-pulmonale의 유무를 봄

② QRS complex
- ventricular depolarization을 반영 (duration : 0.06~0.1 sec)
  - Q wave : 첫 번째 (−) wave, R wave 이전에 나옴
  - R wave : 첫 번째 (+) wave (이후에도 (+) wave가 나타나면 R', R")
  - S wave : R wave 이후의 첫 번째 (−) wave (이후에도 (−) wave가 나타나면 S', S")
- 크기가 작은(<5 mm) 부분은 소문자를 사용하여 표기함 (e.g., qRs)
- frontal QRS axis (limb leads) : 정상 −30° ~ +100°
  - LAD (left axis deviation) : −30° 보다 (−)인 경우
  - RAD (right axis deviation) : +100° 보다 (+)인 경우

LAD (좌축편위)	RAD (우축편위)	
LVH	RV overload	Lt. post. fascicular block
Lt. ant. fascicular block	Lateral wall MI	Lt. pneumothorax
Inferior MI	Dextrocardia	정상 (특히 소아, 젊은 성인)

- abnormal Q wave (대개 duration >0.04 sec, 높이 >QRS의 1/4)   → 7장 AMI 편 참조

③ T wave
- ventricular repolarization을 반영, 대개 QRS complex와 같은 방향, 둥글고 약간 비대칭
- 0.1~0.25 sec duration, 5 mm 이하 / leads I, II, V_{3-6}에서는 (+), aVR에서는 (−)
- 모양이 너무 뾰족하고 크면 myocardial infraction/ischemia, hyperkalemia, CVA, LV volume overload 등을 의심할 수 있음
- inverted T wave : LVH, cardiomyopathy, myocarditis, CVA ...

④ U wave
- T wave 다음에 나타나며, 정상적으로 T wave와 같은 방향이며 크기는 1 mm 미만
- 정상인에서는 가운데 precordial leads에서 HR가 느릴 때 잘 보임
- 커지는 경우(prominent U wave) ; drugs (dofetilide, amiodarone, sotalol, quinidine, procainamide, disopyramide), hypokalemia
- 매우 큰 경우 ; torsade do pointes의 발생 위험을 시사
- inverted U wave ; LVH, ischemia

(3) ST segments
- ventricular repolarization의 앞부분을 반영 (QRS 끝 [J point] ~ T wave 시작)
- 정상적으로 flat하지만, precordial lead에서는 2 mm, limb lead에서는 1 mm 정도 상승하고, 0.5 mm 정도 하강 가능
- <u>ST elevation의 원인</u> ★

---

1. Myocardial ischemia/infarction
    AMI
    Post-MI (ventricular aneurysm pattern)
    비경색성 transmural ischemia (e.g., Prinzmetal's angina, Tako-Tsubo syndrome)
2. Acute pericarditis
3. LVH, LBBB
4. Normal variants (early repolarization pattern 포함)
5. 기타 (드뭄)
    비허혈성 심근 손상 ; myocarditis, LV 침범 종양, 심실 외상
    Acute pulmonary embolism
    Brugada syndrome (Rt. precordial leads에서 ST elevation을 동반한 RBBB-like pattern)
    Class Ic 항부정맥제, DC cardioversion
    Hypercalcemia, Hyperkalemia, Hypothermia, SAH (subarachnoid hemorrhage)

- ST depression ; unstable angina, NSTEMI, myocardial strain, digoxin, LVH, hypokalemia ...

■ 표준 12 leads system
(1) 6 limb leads
① 3 standard "bipolar" leads ; I, II, III ⋯ 두(+/−) 전극 사이의 전위차
② 3 augmented "unipolar" leads ; aVR, aVL, aVF ⋯ 기준(참고) 전극과의 전위차
(2) 6 chest/precordial leads ("unipolar") ; V_1~V_6

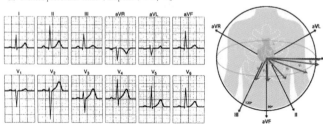

3. Hypertrophy & Enlargement

(1) LVH (left ventricular hypertrophy)

- $V_{1\sim2}$에서 deep S wave, $V_{5\sim6}$에서 tall R wave
- $V_{5\sim6}$에서 ST depression, T inversion ("LV strain" pattern)
- ⌈ V_1의 S wave + $V_{5\sim6}$의 R wave ≥35 mm
  ⌊ lead I 의 R wave + Ⅲ의 S wave ≥25 mm
  → false (+)/(−)가 많으므로 심초음파 등을 통한 확인이 필요
  (e.g., 여성, 비만, 흡연자 등에서는 진단 민감도 떨어짐)
- 원인 ; severe HTN, HCM, AS, 심한 심실기능 장애를 동반한 CAD ...
- 일반적으로 심혈관계 질환의 이환 및 사망률 증가와 관련

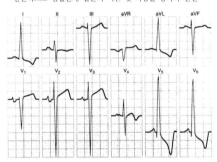

(2) RVH (right ventricular hypertrophy)

- V_1을 비롯한 precordial leads 모두에서 Rs (R > S), RAD
- $V_{1\sim3}$에서 ST depression, T inversion ("RV strain" pattern)
- 원인 ; 선천성심장병(ASD, PS, TOF), 폐질환, 폐고혈압(e.g., severe MS) ...
- pul. HTN이나 폐질환의 severity 평가에는 가치가 떨어지며, 폐기능/혈역학과의 관련성도 적음

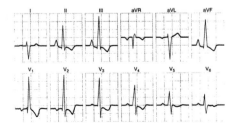

(3) RAE (right atrial enlargement/overload)
- P-pulmonale (Ⅱ, Ⅲ, aVF에서) : <u>tall, peaked</u> P wave (≥2.5 mm)
  (LA는 변화가 없기 때문에 P wave의 폭은 변화 없음)
- 예 ; COPD, status asthmaticus, acute pul. embolism, acute pul. edema

(4) LAE (left atrial enlargement/overload)
- <u>prolonged</u> (≥0.12 sec) P wave duration (∵ LA depolarization↑)
- P-mitrale (Ⅰ, Ⅱ에서) : notched P wave (**M** 맥도날드 → P-**M**itrale)
  (두번째 notch는 LAE에 의한 depolarization을 의미)
- P-terminal force (V₁) : deep, broad terminal trough (biphasic P wave)
- 예 ; HTN, <u>mitral</u> or aortic valve dz., AMI, 좌측 심부전에 의한 pul. edema

	Normal P wave	RAE	LAE
Ⅱ	아주 작은 notch	높은 봉우리	두개의 봉우리
V₁	RA / LA Biphasic	RA / LA	RA / LA 큰 (−) 부분

4. 전해질 및 기타 대사장애

(1) Potassium
- hyperkalemia (K⁺ >5.5 mEq/L)
  ① tall & peaked T wave (tenting) : >6 mEq/L
  ② P wave 감소, sinus bradycardia : >7 mEq/L
  ③ PR prolong, P 소실, QRS widening : >8 mEq/L
  ④ sine wave (∵ QRS와 T가 합쳐짐) : >9 mEq/L (VF도 발생 가능) → asystole

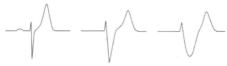

Mild (>6 mEq/L)   Moderate (>7 mEq/L)   Severe (>8 mEq/L) Hyperkalemia

• hypokalemia (K$^+$ <3.5 mEq/L) ; prominent U wave, T wave 음성화, QT (QU) 연장
(c.f., 여기에 QT prolong 약제가 더해지면 TdP를 초래할 위험이 높아짐)

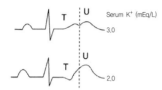

(2) Calcium
• hypercalcemia : QT interval (ST segment) 단축
• hypocalcemia : QT interval (ST segment) 연장

(3) Magnesium
• severe hypermagnesemia : AV & intravascular conduction 장애
→ complete heart block, cardiac arrest (Mg^{2+} >15 mEq/L)
• hypomagnesemia : 대개 hypocalcemia or hypokalemia와 동반되어 발생
→ EKG 소견은 hypokalemia와 유사 (ST 저하, T wave 음성화, U wave)

(4) Hypothermia
; sinus bradycardia, ST elevation, J wave (Osborn wave)   →

부정맥(arrhythmia) 개론

1. 부정맥에 대한 접근 순서
: P와 QRS 분석에 가장 적합한 lead는 lead Ⅱ와 V$_1$

① QRS
• 분당 횟수 (RR interval), 규칙성, axis
• 모양 ┌ 정상(narrow) QRS → 심실내 전도는 정상 → VT를 R/O 가능
       └ wide QRS ; ventricular pacemaker, aberrant conduction

② P
• 분당 횟수 (PP interval), 규칙성, 모양, axis
• P wave가 안 보일 때
  ┌ 앞의 T wave에 숨어 있음 (m/c)
  │ AF (너무 많아서 없는 것처럼 보임)
  └ 진짜로 없는 경우

③ P와 QRS의 관계
• 매 QRS 앞에 P가 있는지?, P:QRS = 1:1인지?, PR interval은 정상인지?

조기 수축

Origin	Atrium	AV junction	Ventricle
P wave	QRS 앞에 (모양은 정상)	대부분 QRS 뒤에	QRS에 선행 안함
QRS		정상 (aberration 없으면)	비정상(wide & bizarre)

2. Bradyarrhythmia (서맥성 부정맥)

(1) 양대 원인
┌ 동기능 부전 (sinus dysfunction)
└ 방실전도 장애 (AV conduction disorder)

(2) 형태
① bradycardia : 규칙적임
  ; sinus bradycardia, 3° AV block, blocked atrial bigeminy, 심한 hyperkalemia
② pause : 갑자기 나타남
  – 2° AV block, 심한 sinus arrhythmia (sinus arrest)
  – SA block : P wave 없음
  – nonconducted (blocked) APC : m/c
  – concealed conduction : 전기자극이 자극전도계의 일부에 불완전히 침투하여 다음 전기자극의
    전도를 지연/차단시키는 현상 (주로 AV node에서 발생)

3. Tachyarrhythmia (빈맥성 부정맥)

(1) tachyarrhythmia의 발생기전
① 자극 전달의 장애 : reentry (m/c)
  • 회귀(reentry)의 성립 조건
    (1) 전기생리학적 특성(conduction and/or refractoriness)이 다른 둘 이상의 구역(pathway)이
        서로 연결되어 closed loop를 형성
    (2) 한 pathway의 한 방향 전도 차단(unidirectional block)
    (3) 다른 pathway의 전도속도 지연(slow conduction)
    (4) 차단(block) 되었던 pathway의 reexcitation   → activation loop 형성
  • premature complexes, rapid stimulation (pacing)에 의해 유발/종료됨
  • reentry의 형태/예
    (1) fixed anatomical pathway 존재 → 대개 stable, monomorphic 양상
       – 대부분의 SVT (e.g., AF, Af, WPW, AVRT, AVNRT)
       – scar-related reentry : 구조적 심장질환에 동반된 sustained VT의 m/c 원인
       – verapamil-sensitive VT (LV fascicular VT)
    (2) functional (electrophysiologic) reentry ; AMI 이후의 VT, 유전적 ion 채널 이상에 의한
        VT (e.g., Brugada syndrome, long QT syndrome, catecholaminergic polymorphic VT)
          → 대개 unstable, polymorphic 양상

② 자극 형성의 장애
  ⓐ enhanced automaticity
   • sinus node 이외에도 atrial fiber, AV junction, Purkinje fiber 등에서 automatic pacemaker activity가 나타날 수 있다 (e.g., MI 이후의 AIVR)
   • 원인

내인성/외인성 catecholamines 증가
전해질 이상 (e.g., hypokalemia)
Hypoxia or ischemia
Mechanical effects (e.g., stretch)
Drugs (e.g., digitalis)

   • pacing에 의하여 유발되거나 종료되지 않음
  ⓑ triggered activity
   • early afterdepolarization (EAD) - phase 2 or 3에 발생
    ; TdP, long QT syndrome, bradycardia, hypokalemia, myocardial ischemia ...
   • delayed afterdepolarization (DAD) - phase 4에 발생
    ; digitalis 중독, AIVR (reperfusion VT), outflow tract VT (RVOT-VT, 운동유발 VT 등), hypercalcemia, familial catecholaminergic polymorphic VT ...
   • 흔히 pacing에 의하여 유발 가능

(2) QRS 분석

┌ **narrow QRS** (<120 ms) ⇨ sinus or atrial or AV junctional tachycardia (VT는 R/O 됨)
│   ↳ irregular tachycardia면 AF, AT/Af with variable AV conduction, MAT 등
└ **wide QRS** (>120 ms) ⇨ VT의 가능성을 먼저 생각

• VT와 aberrant ventricular conduction의 감별이 主 : V_1에서
  ┌ mono- or biphasic pattern → VT를 시사
  └ triphasic pattern → RBBB형 aberration
• SVT with aberrant conduction (functional branch block)
  - bundle branch나 심실이 불응기일 때 전기자극이 전달되면(e.g., tachycardia, premature contraction) 전도가 지연/차단되어 wide QRS (RBBB 모양이 m/c)가 생기는 것
  - 원인 ; premature atrial or junctional contraction, atrial tachycardia, Af, AF, nonparoxismal junctional tachycardia, PSVT
• vagal maneuver or adenosine의 시험적 투여
  ① narrow QRS tachycardia
    ┌ PSVT (AVNRT, AVRT) → tachycardia를 종료시킬 수 있음
    └ Af, AF, AT → transient AV block → underlying atrial rhythm 노출
  ② wide QRS tachycardia
    ┌ SVT with aberrant conduction → SVT를 종료시킴 or 선행 P파 노출
    └ VT (accessory pathway) → VT 종료 안됨 (arrest 유발 위험)
• AV dissociation, fusion, captured beat 등은 VT를 시사하는 중요한 소견!
→ 뒷부분 VT 부분 참조

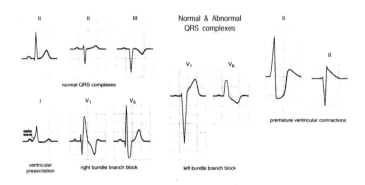

SA Node Dysfunction (동기능부전)

■ 분류/원인

Intrinsic	Extrinsic
Degeneration (fibrosis) - m/c	Drugs ; β-blocker, non-dihydropyridine CCB, digoxin, 항부정맥제(Ⅰ, Ⅲ),
CAD	acetylcholinesterase inhibitors (donepezil, rivastigmine - Alzheimer 치료제),
Pericarditis, myocarditis	adenosine, clonidine 등의 sympatholytics, lithium, cimetidine, amitriptyline,
Rheumatic heart dz.	phenothiazines, narcotics (methadone), pentamidine ...
CVDs ; SLE, RA, MCTD ...	Vagal stimulation ; vasovagal syncope, intubation
Senile amyloidosis	Carotid sinus hypersensitivity
Iatrogenic ; RTx, 수술, 외상	Hypothyroidism, advanced liver dz., hypothermia, typhoid fever, brucellosis,
Hereditary (rare)	severe hypoxia, hypercapnea, acidemia, sleep apnea, IICP ...

• 흔한 원인 ; 연령 증가에 따른 idiopathic degeneration (m/c), drugs
• 외인성 원인의 경우 원인 제거가 치료의 우선
• SA node dysfunction 환자의 1/3~1/2에서는 supraventricular tachycardia (대개 AF or Af)도 발생
  → chronic AF 발생 위험이 증가되는 경우 ; 고령, HTN, DM, LV 확장, 판막질환, 심실 pacing

■ 진단/평가 (SSS)

• Hx. & P/Ex., EKG, 24hr Holter monitoring (50~70% 진단, EKG 변화와 증상의 관련성이 중요)
• cardiac event recorder : 2~4주간 기록 가능, 증상 발생이 드물 때 24hr Holter보다 더 sensitive
• implantable loop recorder : 1년 이상도 기록 가능, 증상이 매우 드물게 발생할 때
• 운동 부하 검사 : 심박수 변동 부전(chronotropic incompetence) 진단 때
• 약물 부하 검사 (→ sinus rate↑) ; atropine, isoproterenol, adenosine … 일상적으로 쓰지는 않음
• EPS (invasive) : 비침습적 검사들에서 진단이 어려울 때만 드물게 사용 (∵ sensitivity 낮음)

1. Sinus bradycardia (동서맥)

- HR (동성 P파) : 60회/분 미만 (병적인 경우는 대개 40회/분 미만), 규칙적
- 증상 없으면 observation, 증상 있으면 치료
  ; atropine, isoproterenol / pacemaker (만성적이거나, 기저 심장질환이 있을 때)
- ACS 환자에서 (특히 RCA 침범시) SA nodal artery ischemia에 의한 sinus bradycardia
  발생 흔함 → 경과 관찰 or 일시적인 심박수 상승제(e.g., atropine) 투여

2. Sinus arrhythmia

- sinus cycle의 길이 (RR interval)가 주기적으로 변하는 것 (regularly irregular)
- 진단기준 ; [최대 RR − 최소 RR >120 ms] or $\dfrac{\text{최대 RR} - \text{최소 RR}}{\text{최소 RR}}$ >10%
- 가장 흔한 부정맥 (젊은이에서 호발), 정상적인 현상으로 봄
  - respiratory : 흡기시 RR interval 감소, 호기시 증가
  - nonrespiratory : 호흡과 관련 없음 (e.g., digitalis 중독)
- 대개 무증상이며, 치료할 필요 없음

3. Sinus pause (동휴지) or Sinus arrest (동정지)

- sinus에서 자극을 만들지 못한 것, 대개 3초 이상의 동정지를 병적인 것으로 봄
- P파 및 QRS군이 모두 없고, 동정지 동안의 RR (PP)간격은 방실(AV)전도장애 와는 달리
  정상 RR 간격의 배수가 안된다 (RR 간격 불규칙)
- 치료 ; 증상 없으면 observation, 증상 있거나(SSS) 3초 이상이면 pacemaker

4. Sinoatrial (exit) block (동방차단)

- 분류 (AV block의 분류 방식과 동일함)
  ① 1st-degree SA exit block
    - SA node에서 atrium으로의 전도 시간이 길어진 것
    - EKG에서는 나타나지 않고, EPS를 시행해야 진단 가능
  ② 2nd-degree SA exit block
    - SA 자극의 일부가 atrium으로 전도되지 못하는 것
    - EKG에서 간헐적으로 P파 및 QRS군이 모두 사라지고, 차단기 동안의 PP (RR) 간격은
      정상 PP 간격의 배수임
      - type Ⅰ : RR 간격이 점차 짧아지다가 pause 발생
      - type Ⅱ : RR 간격이 일정하다가 pause 발생
  ③ 3rd-degree SA exit block
    - P파가 완전히 사라지거나 ectopic pacemaker 존재
    - EKG에서는 sinus arrest와 구별할 수 없고, EPS 필요
- 대개 일시적으로 발생하며, 증상이 없으면 치료할 필요 없음

5. Sick sinus syndrome (SSS)

- 정의 ; EKG상 동서맥, 동정지, 동방차단 등의 SA node dysfunction이 "증상"을 동반한 것
  (dizziness, syncope, confusion, fatigue, hypotension, exertional dyspnea 등)
- 치료 목표 ; 증상 완화 (∵ SA node dysfunction은 사망률을 증가시키지 않음)
- 치료 ; permanent pacemaker (DDD가 효과적, chronotropic incompetence가 있으면 DDDR)
- 일부에서는 cardioactive drugs 사용 시에만 증상이 나타날 수 있음
  (e.g., cardiac glycosides, β-blocker, CCB, amiodarone, 기타 항부정맥제)
  → 일단 drugs를 중단하고, temporary pacemaker를 삽입한 후 F/U

- **빈맥서맥증후군(tachycardia-bradycardia syndrome)**
  : paroxysmal atrial arrhythmia (e.g., AT, Af, AF) 뒤에 SSS 발생
  or tachyarrhythmia와 bradyarrhythmia가 교대로 반복되는 것
  ⇨ 치료 ; pacemaker + 빈맥 치료를 위한 RFA or 항부정맥제

6. Chronotropic incompetence (심박수 변동 부전)

- 운동을 해도 심박수가 증가되지 않은 것
- 정의 : 운동시 최대 심박수가 최대 예상 심박수(220-age)의 85% 미만 or 100회/분 미만
  or 같은 연령 집단보다 -2SD 미만
- exercise test : chronotropic incompetence와 resting bradycardia를 감별하는 데 도움

c.f.) Sinus tachycardia (ST)

- 대부분 이차적인 원인에 대한 생리적 반응으로 발생 ; 발열, 불안, 운동, 저혈압, 심부전,
  volume depletion, thyrotoxicosis, anemia, hypoxemia ...
- HR는 대개 100~200회/분 (점진적으로 시작되고 종료됨), P wave는 정상
- 치료 ; 원인 교정 (e.g., CHF → β-blocker, ACEi, ARB 등이 도움)

ATRIAL ARRHYTHMIA

1. Atrial premature contraction/beat/depolarization (APC/APB/APD, 심방 조기수축)

- 비정상 모양의 P파(ectopic P)가 예정보다 일찍 나타나는 것
- 정상인에서도 24hr Holter 상 60% 이상에서 발견됨

- nonconducted (blocked) APC : APC가 너무 일찍 발생되어 전도가 안된 것
  (→ sinus pause or SA block과 감별해야)
- aberrant conduction : 심실내 전도로 중 일부가 불응기에 있어서 QRS군이 비정상 모양을 한 것
  (→ VPC와 구별해야!)

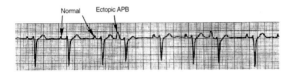

Normal   Ectopic APB

- ┌ coupling interval (연결간격) : 조기박동과 바로 앞 정상박동과의 간격 (R-R')
  └ pause (휴지간격) : 조기박동과 그 다음 정상박동과의 간격 (R'-R)
- ┌ compensatory pause (보상성 휴지간격) : coupling interval과 pause의 합(R-R' + R'-R)이
  │   정상 심주기 (R-R)의 딱 2배 → VPC
  └ noncompensatory pause (비보상성 휴지간격): 정상 심주기의 2배 이하인 경우 → APC

- 치료
  ① 증상 없으면 (대부분) → 치료할 필요 없음 (경과관찰)
  ② 증상(심계항진)이 있거나 PSVT를 유발하면
    - 유발인자 제거 (alcohol, smoking, adrenergic stimulants 등)
    - mild sedation, β-blocker, class ⅠC 항부정맥제(구조적 심장질환 존재시엔 금기)
    - 자주 재발하면 catheter ablation

2. Atrial tachycardia (AT, 심방빈맥)

- 원인 (대부분 고령에서 발생) ; digitalis 중독, 심한 심폐질환, CKD, hypokalemia,
  hypomagnesemia, theophylline, adrenergic drugs ...
- 심방 내의 ectopic pacemaker에 의해 발생한 빈맥 (동성 P파와 모양이 다른 P'파 발생)
  - 구조적 심장질환을 동반하지 않은 focal AT는 대부분 심방의 특정 위치에서 유래함
  - 12 leads EKG 상 P'파의 모양으로 위치 추정 가능 (→ catheter ablation 치료에 중요)
- atrial rate는 대개 150~200회/분
- P'파는 대개 선행 T or QRS에 감추어져 안 보인다
- focal AT의 발생기전 ; automatic, triggered, micro-reentrant 등

	Automatic AT*	Reentrant AT**
AT 시작시의 P파 모양	이후의 P파와 동일	이후의 P파와 다름
Adenosine에 대한 반응	AV block, AT 느려지며 종료됨	AV block, AT 느려지거나 종료 안 됨
Programmed 심방 자극	AT 유발 안됨	AT 유발됨

* Automatic AT : 점차 빨라지면서 AT 시작(warming-up 현상) & 느려지면서 종료(cooling down 현상) 보임,
  isoproterenol infusion에 의해 AT 유발됨

** Focal microreentrant AT // macroreentrant AT의 m/c 형태는 atrial flutter (Af, AFL) (→ nonfocal AT)
- 둘의 감별은 어려울 수 있음
- 대개 focal AT는 slow, 구조적 심장질환 동반 드물, P파 사이는 isoelectric baseline을 보임
- AFL (At)는 대개 isoelectric baseline을 보이지 않음, 심방 수술 병력이 있으면 반드시 AFL을 의심

• atrial tachycardia with block : atrial rate가 빨라지면 AV 전도의 장애가 생겨 Mobitz type I
  2nd-degree AV block 발생, 약 1/2은 atrial rate가 불규칙하여 Af와 감별이 어려울 수 있음,
  특히 digitalis toxicity에서는 AT with variable AV block이 특징
• multifocal atrial tachycardia (MAT) : atrial rate 100~150회/분, P파의 모양이 다양 (3가지 이상)
  & PP 간격 완전히 불규칙 (irregularly irregular), 대개 심한 만성 폐질환 환자에서 발생
• 치료 : digitalis가 원인이 아닌 경우에는 AF/Af와 비슷
  ① 원인 질환의 교정이 중요 (e.g., digitalis or theophylline 중단, KCl, Mg 투여 등)
  ② rapid ventricular rate시엔 ventricular response 억제 (rate control)
    ; AV node 억제제(digitalis, β-blocker, CCB 등)
  ③ 항부정맥제 ; procainamide, flecainide, propafenone, sotalol, amiodarone 등
  ④ 약물치료에 반응 없으면 cardioversion (MAT엔 효과×)
  ⑤ catheter ablation : focal AT의 90% 이상 완치 가능, MAT는 일부만 효과적
  * 항혈전치료 : AF/Af와 달리 대개는 필요 없지만, AF 고위험군에서 심방확장(LA 직경 >5 cm)
    and/or paroxysmal AF 동반 병력이 있으면 고려

3. Atrial fibrillation (AF, 심방 세동/잔떨림)

┌ 치료가 필요한 부정맥 중 가장 흔하다! (우리나라 성인 인구의 약 0.7%)
└ 인구 고령화에 따라 유병률 증가 추세 (60세 이상의 1%, 70세 이상의 5%)

(1) 발생기전
  ① initiation (triggering) : 폐정맥 입구 (LA와의 접합부) 및 그 주변에서 한 개 이상의 ectopic
    "driver(s)" (automatic, triggered, or microreentrant foci)가 발생하여 빠른 리듬 방출(wavelet)
    ⇨ focal activation theory ··· paroxysmal AF (→ catheter ablation 치료가 효과적)
  ② maintenance : 심방 전체의 multiple macroreentrant circuits에서 fibrillation을 지속적으로 만듦
    ⇨ multiple wavelets theory ··· persistent AF (→ Maze 수술이 효과적)
  ③ remodeling : chronic substrate fibrosis ··· permanent AF로

(2) 원인
  ① 정상인에서 ; emotional stress, 수술 후, 운동, 급성 알코올중독 ...
  ② 심폐질환자에서 ; acute hypoxia, hypercapnea, metabolic/hemodynamic derangement ...
  ③ persistent/permanent AF (대개 심혈관 질환에서 발생) ; rheumatic heart dz., nonrheumatic
    mitral valve dz., ASD, 고혈압, 심근병증, 만성 폐질환 ...
  ④ thyrotoxicosis
  • 노화에 따른 심방 근육의 재형성(remodeling)이 원인, 약 1/3은 유전자이상도 발견됨(e.g., Pitx2)
  • 4대 유발요인 ; HTN (m/c), MS, IHD, hyperthyroidism
  • 판막질환이나 다른 기존 심질환이 있는 AF 환자는 mortality 2배

(3) 특징

- atrial rate는 350~600회/분 정도로 매우 '불규칙', 뚜렷한 (원래의) P파는 안보이며,
  대신 무질서하게 발생한 흥분파(atrial f wave)가 나타남
  - fine AF : f wave의 크기 <1 mm (작아서 안보이는 경우가 흔함)
  - coarse AF : f wave의 크기 ≥1 mm
- ventricular response (rate)는 보통 100~160회/분 (∵ concealed conduction),
  <u>irregulary irregular</u>, QRS 모양은 대개 정상
- ventricular response의 결정 요인 ; AV node의 불응기 및 전도율
- regular ventricular rhythm을 보일 때 (e.g., digitalis 중독이 흔한 원인)
  - slow (30~60 회/분) → complete AV block을 시사
  - rapid (≥100 회/분) → AV junctional or ventricular tachycardia 의심
- Af (atrial flutter)로 전환될 수도 있음 (특히 quinidine or flecainide 등의 항부정맥제 사용시)
  : atrial rate는 느려지지만 concealed conduction의 영향이 감소하여 ventricular response는
    오히려 증가 가능

심방세동(AF)의 분류	
처음 진단된 AF	증상/중증도에 관계없이 병원에서 처음 진단된 AF
발작성(paroxysmal) AF	7일 (보통은 48시간) 이내에 자발적으로 종료된(정상 동율동으로 전환된) AF
지속성(persistent) AF	7일 이상 AF가 지속되고, 동율동 전환을 위해 pharmacologic or electrical cardioversion이 필요한 경우
장기간 지속성(long-standing persistent) AF	1년 이상 지속된 AF
영구적(permanent) AF	Cardioversion 치료에 반응 없는 long-standing persistent AF (c.f., surgical or catheter ablation으로는 완치 가능)

(4) 임상양상

- S_1의 크기가 변화, JVP에서는 *a* wave가 없음
- pulse deficit (말초동맥의 박동수 < 심박동수)
- echo. ; LA 확장 (LA 직경 >4.5 cm이면 치료해도 sinus rhythm으로의 전환 및 유지가 어렵다)
- 증상 : 무증상, 심계항진(palpitation), 맥박이 불규칙한 느낌 등
- AF에 의한 morbidity의 원인
  ① 과도한 ventricular rate → 저혈압, pul. congestion, angina, 빈맥매개심근병증 등 유발 가능
  ② AF 종료 뒤의 pause → syncope
  ③ 심방수축이 CO에 기여하지 못함 : CO↓ → fatigue
  ④ 심계항진(palpitation)에 따른 불안
  ⑤ 심방내 혈류 불규칙/정체 → 심방내 혈전 형성↑ (특히 LA appendage)
    → systemic embolization ; cardioembolic stroke의 m/c 원인
- <u>CVA (stroke) 발생의 위험인자</u> ★
  - CVA or TIA의 과거력 (m/i)
  - 75세 이상, HTN, DM, CHF, renal failure, rheumatic heart dz. (e.g., MS)

- 심초음파 소견 ; LV dysfunction (EF <35%), 심한 LAE (>5.0 cm), LA thrombi,
  LA appendage velocity <20 cm/s, complex aortic atheroma
  ⇨ 이런 고위험군에서 chronic or paroxysmal AF 지속시 항혈전치료(antithrombotic Tx) 필요

(5) Acute AF의 치료

① 유발인자의 교정 (e.g., 발열, 폐렴, 알코올중독, thyrotoxicosis, CHF, PE, pericarditis)

② 혈역학적으로 불안정 ⇨ 긴급 DC cardioversion (TOC)

③ 혈역학적으로 안정된 경우

  (a) 심박수 조절(rate control) 먼저! … 심실반응(ventricular rate)을 감소시킴
- LVEF ≥40% ⇨ β-blocker or CCB (verapamil, diltiazem) : 작용이 빨라 선호됨
  → 조절 잘 안되면 digoxin 추가
- LVEF <40% or CHF (acute pul. edema or cardiogenic shock)
  ⇨ β-blocker (저용량) and/or digoxin (CCB는 심근 수축력 저하 위험)
  *혈역학적 불안정 or 심한 LVEF 감소에는 amiodarone도 가능 (동율동전환도 고려)
- AV node의 불응기를 증가시키고 전도를 지연시킴
- 초기에는 느슨하게 HR를 조절하는 것이 무난함 : initial resting HR target <110 bpm

  (b) 동율동(sinus rhythm)으로의 전환 (cardioversion, rhythm control)
- 항부정맥제(pharmacologic cardioversion) ; flecainide, dofetilide, propafenone, ibutilide
  (CAD, HF, LVH 등의 구조적 심장질환 존재시엔 amiodarone) 등이 효과적
  - digoxin과 sotalol은 동율동 전환에 권장 안됨
  - 항부정맥제에 의해 concealed conduction이 감소되면 AV node를 통한 전도가 증가되어
    ventricular response↑ 위험 → 항부정맥제 투여 전 반드시 AV node의 불응기를 먼저
    증가시켜야 됨 (β-blocker, CCB, digoxin 등으로)!
- DC cardioversion (200 J) : 매우 효과적, 항부정맥제 실패시 or primary therapy로도 유용
  (→ 실패하면 internal cardioversion)
  - Ix ┌ 혈역학적으로 불안정 (심부전시에는 가장 효과적)
        └ 24시간 동안의 약물치료에도 반응 없을 때
  - AF가 2일 이상 지속된 경우 ⇨ 3주 이상 anticoagulation (INR 2~3 유지) 시행 후 or
    TEE로 LA thrombus를 R/O하 뒤에 시행
  - C/Ix ; digitalis 중독, 1년 이상 지속된 AF, large LA, sick sinus syndrome, advanced
    heart block 등 (→ DC cardioversion 치료에 대한 반응이 불량함)
- cardioversion 이후 1~2%에서 embolism 발생 (pharmacologic, DC 모두 비슷함)

■ 뇌졸중(stroke)/Systemic Embolism 예방 (anti-thrombotic therapy) ★
- AF가 2일 이상 지속되었거나 발생 시기를 모르는 경우 필요함
  ┌ 동율동 전환(cardioversion) 시행 전 3주 이상 INR 최소 1.8 이상 (2~3 권장) 유지
  └ 동율동 전환 후에도 최소 4주 이상 필요, 그 뒤 증상이 없으면 중단 가능
- AF 발생 2일 미만이면 (안전하게는 24시간 이내) 항혈전치료 없이 cardioversion 가능
- 응급 cardioversion시 3주 anticoagulation 치료 or TEE를 시행 못했으면 heparin 투여 권장
- TEE상 LA thrombus가 없으면 2일 이상 지속된 AF라도 anticoagulation 필요 없이 바로
  cardioversion 가능

- nonvalvular AF 환자에서 뇌경색 위험도 예측 : <u>CHA_2DS_2-VASc</u> ★

위험인자	점수
CHF, LV dysfunction (EF≤40%)	1
HTN (>140/90 mmHg)	1
Age ≥75세	2
DM	1
Stroke, TIA, TE의 병력	2
Vascular dz.의 병력 (MI, PAD 등)	1
Age 65~74세	1
Sex - Female	1

CHA_2DS_2-VASc score	Stroke 발생위험	권장 치료
0	0.2%/yr	항혈전치료 필요 없음
1	0.6%/yr	
2	2.2%/yr	(여성) (남성)
3	3.2%/yr	경구항응고제 : NOAC or warfarin (INR 2~3)
4	4.8%/yr	
5	7.2%/yr	
6~9	>9%/yr	

* Sex 위험인자를 제외하면 남녀 모두에서) 위험인자 2개 (or 2점) 이상시 반드시 경구항응고제 치료 권장!
* 위험인자 1점 1개인 경우는 논란 : 개인 특성/선호도 및 추가 검사소견 등을 고려하여 권장 (뇌경색↓ vs 출혈↑)
  ⇨ No Tx. or Aspirin or Anticoagulation
  (e.g., troponin, BNP, 심초음파상 좌심방/좌심실 확장 등)

- <u>NOAC (new oral anticoagulant)</u> = non-vitamin K antagonist
  ┌ oral direct thrombin inhibitor ; **dabigatran** (신기능저하 or 고령이어도 감량해야)
  └ oral factor Xa inhibitor ; **rivaroxaban, apixaban, edoxaban**
  - vitamin K antagonists (warfarin)보다 출혈(특히 뇌출혈 등의 major bleeding) 부작용과
    약물상호작용이 적고, 채혈을 통한 PT monitoring이 필요 없어 우선적으로 권장됨
  - NOAC 간의 효과는 비슷함 / 신기능 저하시 감량해야 → 정기적인 신기능검사 필요
    (신장으로의 배설 정도는 dabigatran 80%, rivaroxaban 33%, apixaban 27%, edoxaban 50%)
- valvular AF (moderate~severe MS or mechanical valve), C_{Cr} <30 mL/min, severe LC 환자
  → vitamin K antagonist (warfarin) 권장 (판막질환에서는 NOAC보다 더 효과적이고 부작용 적음)
- 항혈소판제(aspirin + clopidogrel) : 항응고제보다 혈전예방 효과는 부족하면서 출혈 위험은 동일
  → 경구항응고제가 불가능하거나 거부하는 환자에서만 고려 (NOAC의 도입으로 극히 드묾)

■ **동율동(sinus rhythm) '유지'를 위한 장기 약물 요법 (AF 재발 방지)** ★

구조적 심장질환이 없거나 경미할 때 (e.g., mild LVH)	Flecainide, Propafenone, Pilsicainide, Sotalol, Dronedarone ⇨ 반응 없으면 Amiodarone
구조적 심장질환이 있을 때	CAD (EF 정상, CHF 無) : 일부 class I 항부정맥제는 사망률을 증가시킴 ⇨ Sotalol, Dronedarone ⇨ Amiodarone
	LVH (LV wall 두께 >14 mm) : ventricular proarrhythmia 위험 증가 ⇨ Amiodarone
	CHF and/or EF<40% : 많은 항부정맥제가 사망률을 증가시킴 ⇨ Amiodarone

- 항부정맥제는 부작용이 많으므로 안전성을 먼저 고려 & 세심한 관찰 및 조절 필요
- 장기간 치료해도 항부정맥제의 종류에 관계없이 1/2 이상에서는 AF 재발
- 동율동(sinus rhythm) 유지는 장기 생존율을 증가시키지만, 항부정맥제에 의한 동율동 유지
  (rhythm control) 효과는 rate control & anticoagulation과 비슷함
- 항부정맥제가 효과 없으면 전극도자절제술(catheter ablation) 고려

(6) Chronic (or persistent) AF의 치료

※ 동율동(sinus rhythm)으로의 전환이 어려운 경우

⎾ long-standing rheumatic heart dz. (1년 이상)
⎿ markedly enlarged atrium

→ 동율동 전환은 포기하고 AV node (AVN) 작용 약물로 심실반응을 조절(rate control)

① 심박수 조절(심실 반응 감소, rate control) ; β-blocker, CCB, digoxin
   • AF with slow ventricular response의 경우는 AVN 작용 약물을 쓰면 안되고, pacemaker 삽입
   • 약물치료로 심실반응이 조절되지 않거나 증상이 지속되는 경우
     ⇨ His bundle/AV junction catheter ablation (→ complete heart block 만듦)
        & permanant pacemaker 삽입
   • rate control 치료시 반드시 chronic anticoagulation도 병행!

② 비약물적 치료 : ablation therapy
   • Ix ; recurrent symptomatic AF, 초기 rhythm control에 실패한 뒤 rate control이 어려운 AF,
     장기간 약물 복용을 원치 않는 환자 등
   • 전극도자절제술(RF catheter ablation, RFCA)
     – 폐정맥 차단술 : paroxysmal AF에서 효과적 (더 심한 AF에서는 재발률↑)
     – 최근엔 폐정맥동 전체와 LA 후벽을 포함시키는 선형절제술 → 50~80%에서 AF 완치 가능
     – Cx (사망률 0.1%) ; cardiac tamponade (m/c 사인), pulmonary vein stenosis,
       cerebral thromboembolism, vascular injury, atrioesophageal fistula ...
   • surgical ablation (Cox-MAZE Ⅳ procedure)
     – Ix ; 다른 open heart surgery 예정 (∵ cardiopulmonary bypass 필요), RFCA 실패 환자
     – 폐정맥-LA 차단 및 RA/LA에 multiple scars를 만들어 (모든 macroreentry 회로 차단)
       심방에서 fibrillatory waves의 전파를 막음 → 75~95%에서 AF 완치 가능

* paroxysmal AF – chronic AF와 치료 및 예후는 비슷함

4. Atrial flutter (Af, AFL, 심방 조동/된떨림)

(1) 개요

• 원인 ; septal defects, pulmonary emboli, MS/R, TS/R, HF, 이전의 atrial ablation, 심장수술,
  노화 등에 의한 심방 확장, thyrotoxicosis, alcoholism, pericarditis 등 AF의 원인과 비슷
• AF보다는 짧게 지속되며, 1주일 이상 지속되면 AF로의 전환이 흔함
• classic/typical Af는 삼첨판륜(tricuspid annulus)과 IVC 사이의 협부(cavotricuspid isthmus)를
  포함하는 심방중격과 우심방벽 사이의 unifocal **macro**reentry에 의해 발생 → saw-tooth 모양
  (약 80%는 반시계방향 Af, 20%는 시계 방향)
• left Af도 발생할 수 있지만 right (classic) Af보다는 훨씬 드묾
• systemic embolization 위험은 AF와 비슷하므로 예방조치(항응고제 치료) 필요!

(2) 특징
- 톱날(saw-tooth) 모양의 F wave (동일하게 반복되는 wave)
- F파 (atrial rate)는 대개 260~300회/분 정도로 '규칙적' (평균 300회/분)
  - 대개 inferior leads (II, III, aVF)에서 잘 보임
  - lead V_1에서는 coarse AF와 Af가 비슷해 보일 수 있음
    (Af가 훨씬 규칙적인 모양이며, 다른 leads를 보면 AF를 확인 가능)
- 심실에는 AV block에 의해 2:1 (m/c, 130~150회/분) ~ 4:1의 비율로 전달
- QRS는 대개 규칙적이며 정상 모양
- 1:1 방실전도(rapid ventricular response) 발생시 (e.g., 운동시) PSVT등과 감별이 힘들지만,
  carotid sinus massage, verapamil or adenosine 주사시 2:1 이상으로 방실전도가 감소
  (심박수 감소)되므로 감별 가능
  (adenosine : 일시적인 AV block 일으킴 → underlying atrial rhythm 노출 → AF, Af의 진단이
  불확실할 때 유용 / 대개 Af를 종료시키지는 못하고 AF를 유발할 수 있으므로 치료에는 사용×)
- AF보다 심박수(ventricular response)가 빠르기 때문에 환자는 더 힘들어함

(3) 치료 : AF와 비슷
① 증상이 경미하고 환자 상태가 안정된 경우
  (a) rate control (먼저!) ⋯ 일반적으로 AF보다 심박수 조절은 어려움
    - CCB (verapamil, diltiazem), β-blocker (e.g., esmolol), digitalis, amiodarone 등
    - 동율동 전환(rhythm control)이 어렵거나 유지가 힘든 상태에서는 rate control만 시행
  (b) rhythm control (cardioversion) : ibutilide, dofetilide 등의 항부정맥제 → 60~90% 성공
    - but, QT 간격을 연장시켜 torsades de pointes 부작용 발생 위험
    - 만약 (a)보다 먼저 사용하면 AV conduction을 촉진하여 1:1 ventricular response 발생 위험
    - 대개 cardioversion이 더 효과적이지만, 환자가 원하지 않거나 불가능할 때 항부정맥제 고려
② 빨리 sinus rhythm으로 전환해야할 때 (혈역학적 불안정 or 심한 증상)
  (a) synchronized DC cardioversion (50~100 J) : 불안정한 환자가 아니라도, 효과가 좋아
    항부정맥보다 선호됨 → 성공률 매우 높지만, 재발률도 높아 이후 catheter ablation도 필요.
  (b) 신속심방조율(rapid atrial pacing) : Af 속도의 115~130% 정도로 빠르게 조율
    ⎡ 심장수술 후에 Af 발생시, AMI에서 Af 재발시
    │ permanent pacemaker or ICD를 가지고 있는 경우
    ⎣ digitalis 중독(→ cardioversion 금기)이 의심될 때
③ antithrombotic therapy도 AF와 동일하게 시행
④ 재발 방지 (장기 유지 치료)
  (a) 협부(cavotricuspid isthmus, CTI) catheter ablation (TOC) : 성공률 높음(90~100%)
  (b) flecainide, propafenone, sotalol, dofetilide, amiodarone 등의 항부정맥제 (AF와 비슷)
    : 재발률(>80%/yr) 및 독성/부작용 위험 높음

AV JUNCTIONAL ARRHYTHMIA

1. AV junctional premature complex/beat (JPC, JPB)

- His bundle에서 발생 (정상 AV node는 automaticity 없음)
- APC나 VPC보다 드물지만, 심장질환이나 digitalis 중독 등과의 관련은 더 흔함
- QRS군은 정상 (→ supraventricular origin 임을 의미)
- ectopic P파는 관찰 안됨 (retrograde P 파는 QRS 뒤에 나타날 수도 있음)
- 보통 compensatory pause를 보임 (R-R' + R'-R = R-R ×2)
- 증상 없으면 경과관찰, 증상이 있으면 APC와 같이 치료

2. Junctional tachycardia (JT)

- AV junction에서 focal automatic rhythm 발생, HR는 60~140회/분, regular, narrow QRS
- retrograde P 파가 관찰될 수 있음 (digitalis 중독 때는 retrograde conduction 없음!)
- EKG 상 PSVT (AVRT, AVNRT) 와 감별이 어려울 수 있으나,
  vagal maneuver로 PSVT는 종료되지만 junctional tachycardia는 종료 안됨
- 기전 ; automaticity or triggered activity (reentry는 아님)
- 원인 ; digitalis 중독(m/c), myocarditis, inf. wall MI, valve surgery, acute rheumatic fever,
  acute resp. failure, catecholamine excess ...
- 대부분 일시적으로 발생, digitalis 중독 이외에는 대개 저절로 회복됨
- nonparoxysmal junctional tachycardia ; 주로 digitalis 중독 때 발생, HR 70~130회/분
  - PSVT처럼 갑자기 발생/소실되는 것이 아니라, 서서히 발생/소실됨 (warm-up & cool-down)
  - intermittent AV dissociation이 흔히 관찰됨
  - HR가 100회/분 이하인 경우 accelerated junctional rhythm이라고도 부름
- rapid & paroxysmal junctional tachycardia ; 젊은 성인에서 흔히 운동과 관련되어 발생 가능
- 치료
  ① 원인제거(e.g., digitalis 중단) → 대부분 정상으로 돌아옴
  ② abnormal automaticity에 의한 경우 β-blocker, 항부정맥제(ⅠA or ⅠC) 시도 가능
  ③ abnormal automaticity에 의한 JT가 지속되면 catheter ablation 고려 (but, AV block 위험)

3. Paroxysmal supraventricular tachycardia
(PSVT, 발작성 심실상성 빈맥/발작 심실위 빠른맥)

- 빈맥의 대부분은 회귀(reentry) 기전에 의해 발생 (e.g., PSVT, VT, Af)
- PSVT의 EKG 소견
  ① narrow QRS (모양은 정상)
  ② regular rhythm (120~250회/분) ; A:V activity = 1:1 (AR=VR)
  ③ P wave : 안보이거나, 보일 땐 inverted P' wave로 대개 QRS 뒤에 나타남
     (retrograde atrial activation, short RP' interval)
  ④ 시작과 종료가 돌연

c.f.) SVT에선 사실 ST, AT, AF, Af, AVNRT, AVRT 등이 모두 포함되므로 PSVT란 용어는
　잘못된 용어로 볼 수 있지만, 통상적으로 AVNRT와 AVRT를 PSVT라고 부름

(1) AV nodal reentrant tachycardia (AVNRT)

- 서양에서 PSVT의 m/c 원인 (50~60%), 우리나라는 30~40%, 남<여, 10~30대에 호발
- 대개 구조적 심장질환과 관련 없음
- 증상 : 심계항진, 실신, 저혈압, 심부전 등
- 대부분 APC에 의해 유발 → PR 간격이 연장되면서 PSVT가 시작됨
- retrograde P' wave는 QRS에 가려서 <u>안 보이는</u> 경우가 많다
　(∵ 심실수축과 fast pathway를 통한 retrograde 심방수축이 거의 동시에 발생)
- EPS (electrophysiologic study)
　- atrial pacing → <u>AH interval 연장</u>되다가 (jump 현상) atrial echo beat 발생 → PSVT 발생
　- ventricular pacing → fast (β) pathway를 통한 retrograde conduction 잘 됨 (VA time↓)
　- ventricular pacing시 차이
　　⎡ concentric retrograde atrial activation → 대개 AVNRT (∵ AVN에서 양심방으로 전파)
　　⎣ eccentric retrograde atrial activation → AVRT (∵ AP가 좌측에 위치 → LA부터 수축)

■ AV nodal reentry의 기전 (microreentry)

- AV node에 2개의 pathway 존재
　⎡ α pathway : slow conduction, shorter refractory period (삼첨판의 후중격부와 관상정맥동 입구 사이에 위치)
　⎣ β pathway : fast conduction, longer refractory period (심방중격의 전상부에 위치)
① 정상 : 심방으로부터의 자극은 β pathway로만 심실로 전달 → 정상 PR
② APC : β 에서 blocked, α (slow pathway)를 통해서만 심실로 전달 → PR 연장
③ more APC : β 에서 blocked, α 에서 더욱 지연 → PR 더 연장
　* retrograde impulse → β 를 통해 심방으로 빨리 전달 → atrial echo beat (P') 발생
④ more APC : β (fast pathway)를 통한 <u>retrograde</u> conduction과 reentry 발생 → typical (slow-fast) AVNRT
* 드물게(5~10%) 역방향 reentry도 발생 (α 로 retrograde conduction) ; atypical (fast-slow) AVNRT

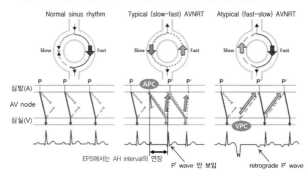

(2) AV reentrant tachycardia (AVRT)

- 우리나라에서 PSVT의 m/c 원인, 95%는 O-AVRT
- AV bypass tract (AP; accessory pathway)을 통해 역방향 전도(retrograde conduction) & AV node를 통해 순방향 전도 발생(orthodromic macroreentry, O-AVRT)
  * PSVT는 WPW syndrome에서 발생하는 것과 같은 모양이나, AP를 통한 antegrade conduction은 발생하지 않는 것이 차이점
- APC or VPC에 의해 유발되며, VPC에 의해 PSVT가 유발되면 거의 AVRT로 진단 가능
- retrograde P' wave는 대개 QRS 뒤에 나타남, RP' 간격 < P'R 간격 ("short RP tachycardia")
  (∵ 심실이 수축된 뒤에 retrograde 심방수축 발생)
- 때로는 AP를 통한 전도가 매우 느린 경우도 있음 → long retrograde conduction
  → long RP 간격 (long RP tachycardia)

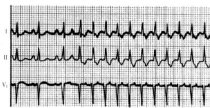

Orthodromic AVRT에 의한 PSVT (PSVT 시작 전의 APC의 PR 간격은 정상임)

- 대부분의 bypass tract (AP)은 좌측 외벽(LA→LV 연결)에 존재 (>50%)
  → PSVT or ventricular pacing시에 eccentric atrial activation (LA가 먼저 수축됨) 발생
- 기타 AP의 위치 ; 후중격(20~30%), 우측외벽(10~20%), 전중격(5~10%)
  ⌐ manifest AP (WPW syndrome) : AP를 통해 anterograde & retrograde conduction 모두 가능
  ⌐ concealed AP : AP를 통해 retrograde conduction만 발생 (PSVT 때만 AP가 발현됨)

■ 조기흥분증후군(Preexcitation syndrome) ; WPW (Wolff-Parkinson-White) syndrome

- AV bypass tract (AP, Kent fiber)을 통해 전방향전도(antegrade conduction)가 발생하여 심실이 조기에 수축되는 것 (antidromic macroreentry)
  (c.f., AP로 전방향 전도만 일어날 때는 preexcitation, AP로 전방향 및 역방향 전도가 모두 가능하면서 빈맥의 병력이 있으면 WPW syndrome이라고 함)
- 원인 ; 선천성 기형(e.g., Ebstein's anomaly, MVP), cardiomyopathy ...
- WPW 자체는 증상이 없으나, tachyarrhythmia 발생시 임상적으로 문제
- 10~36%에서 빈맥성 부정맥 발생 (PSVT 80%, AF 15%, Af 5%) : 고령일수록 증가
  - 유발인자 : APC, VPC
  - PSVT : 대개 정상 AV system을 통해 antegrade conduction이 되고, AP를 통해서는 retrograde conduction이 일어남 (orthodromic AVRT)
    (드물게 약 5%에서는 반대의 양상을 보임 → antidromic AVRT, wide QRS tachycardia)

- AF or Af : AP를 통해 심방자극이 빨리 전달되어 빠른심실반응(심하면 VF) 발생 위험
- 특징 ┌ short (<0.12 s) PR (∵ AP를 통한 빠른 anterograde conduction)
  ├ delta wave (∵ AP에 인접한 심실근육이 조기에 흥분되어 발생)
  ├ wide QRS (∵ 정상 전도 + AP를 통한 전도가 합쳐져서 발생)
  └ secondary ST-T wave changes
- 표준 12-leads EKG로도 AP의 위치 예측 가능

lead V₁에서 delta wave & QRS	(+) ⇨ 좌심실(LV)	Posteroseptal	II, III, aVF에서 (−) delta wave & QRS
		Lateral	I, aVL, V₅, V₆에서 isoelectric or (−)delta
	(−) ⇨ 우심실(RV)	Posteroseptal	II, III, aVF에서 (−) delta wave & QRS
		Right free wall	Left axis
		Anteroseptal	Inferior axis

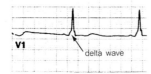

delta wave

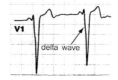

delta wave

- EPS (확진) ; AP의 위치 및 역할 확인 (AVRT or AF inducibility), AF/Af시 VF 발생위험 평가, 치료방법 결정 등에 이용
- 증상과 빈맥의 병력이 없으면 <u>observation</u>, 대부분 예후 좋음 (1% 미만에서만 PSVT 발생)

(3) PSVT의 치료

① <u>vagal stimulation</u> : AV node의 전도를 지연/차단, 빈맥 초기에 효과적
  (carotid sinus massage, Valsalva maneuver, squatting, upside-down position,
  gag reflex (구역질), diving reflex, eyeball pressure (안구압박) 등)
  → 약 80%에서 PSVT 종료됨 (c.f., 심실에서 발생하는 빈맥에는 효과 없음)
  - 저혈압시엔 phenylephrine (IV)도 같이 투여
  - carotid sinus massage → digitalis 중독증엔 금기 (∵ VF 유발)
② <u>adenosine</u> : vagal stimulation 실패시 first choice!, 반감기 매우 짧고, 부작용 적음
③ 2nd-line agents ; <u>verapamil, diltiazem</u> (1세 미만 소아에서는 금기!) or _β_-blocker
④ temporary pacemaker : 약물로 빈맥이 종료되지 않거나 재발이 반복될 경우
⑤ 혈역학적으로 불안정한 경우엔 반드시 DC cardioversion (100~200 J)

* digitalis는 작용시간이 느리므로, 급성 PSVT시에는 금기!

* 저혈압시에는 (−) inotropic 효과가 있는 verapamil, _β_-blocker, disopyramide 등의 사용은 피함
  (→ adenosine or DC)

* isoproterenol, _β_-agonist, atropine (vagolytic) 사용시에는 증상 악화됨!

■ WPW + AF/Af with rapid ventricular response

: ventricular rate가 250~300 bpm을 넘으면 의식소실, VF, arrest 위험

① 혈역학적 불안정 ⇨ DC cardioversion

② 혈역학적 안정시 ⇨ procainamide, ibutilide, amiodarone 등 (procainamide가 가장 효과적)
  – AP의 전도를 느리게 함 (but, AVN의 전도를 빠르게 하여 심실반응을 증가시킬 위험도 있음)
  – 효과 없으면 즉시 cardioversion 시행

③ 회복 후엔 반드시 EPS 뒤에 catheter ablation 시행 (성공률 95% 이상)

* AV node에 작용하는 digitalis, verapamil, adenosine, β-blocker IV 등은 금기!! ★
  (∵ AV node는 억제하고, AP의 불응기는 감소시킴 → AP를 통한 anterograde conduction 증가
  → VF 발생위험 증가) [c.f., oral verapamil에서는 안 나타남]

• EKG 소견 : fast, irregular RR interval, abnormal wide QRS complex

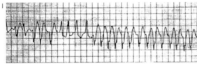

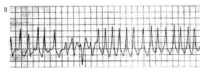

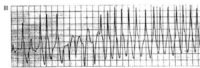

Atrial fibrillation & multiple accessory pathways

* polymorphic VT (PMVT)와의 감별
  – PMVT : baseline EKG와 상이하며, normal EKG가 거의 관찰되지 않음, regular rhythm
  – WPW + AF : maximal preexcitation 때의 EKG와 비슷하고, normal EKG가 wide QRS
    사이에서 비교적 많이 보임

(4) PSVT의 재발 방지

① drugs : 임상상황 및 약물의 부작용 등을 고려하여 선택
  • antegrade slow pathway에 작용하는 약물 (더 선호됨) ; β-blocker, CCB, digitalis
  • fast pathway (AP)에 작용하는 약물 ; class ⅠA (quinidine, procainamide, disopyramide) or
    ⅠC (flecainide, propafenone)

② pacemaker
③ radiofrequency <u>catheter ablation</u> (TOC) : AVNRT 95% 이상, AVRT 90% 이상을 완치 가능
 - AVNRT에서는 slow pathway를, AVRT에서는 accessory pathway를 절제함
 - 만약 실패하면 surgical ablation 고려

c.f.) Sinus node reentry tachycardia (sinoatrial nodal reentrant tachycardia, SANRT)

- sinus node 인접 심방조직과 sinus node의 microreentry로 발생한 focal AT의 일종
- AVNRT나 AVRT보다 드묾, 대부분 무증상이며 기저 심장질환을 가진 경우가 많음
- HR 100~150 bpm, P wave 모양은 sinus rhythm 때와 동일, PR interval은 연장 (intraatrial reentry : P wave 모양 변화, PR interval 연장)
- 치료는 다른 PSVT와 비슷함 (catheter ablation의 성공률은 낮다)

Carotid sinus massage의 영향	
Sinus tachycardia	massage중엔 서서히 느려지고, massage후엔 서서히 빨라짐
PSVT	영향 없음 or 약간 느려지다가 갑자기 종료됨 (sinus rhythm으로 전환)
Nonparoxysmal SVT	영향 없음 or AV block, ventricular rate 감소 or 점진적 감소
Atrial flutter	AV block (ventricular rate 감소) or 영향 없음 or AF
Atrial fibrillation	AV block (ventricular rate 감소) or 영향 없음
Ventricular tachycardia	영향 없음 or AV dissociation

* 기타 vagomimetic methods ; Valsalva maneuver, 찬물에 얼굴 담그기, edrophonium 투여 등

VENTRICULAR ARRHYTHMIA

1. Ventricular premature contraction/beat/depolarization (VPC/VPB/VPD, 심실조기수축)

(1) 특징

- 예정된 sinus-conducted QRS보다 먼저 발생하는 ventricular ectopic beats
- 부정맥 중 m/c, 정상 성인의 60% 이상에서 24hr Holter상 관찰됨
- 발생이 증가되는 경우 ; 구조적 심장질환 (e.g., IHD, 판막질환, idiopathic cardiomyopathy), drugs (e.g., digitalis), hypokalemia, 고령 ...
- wide (>0.14 s) & bizarre QRS, 모양은 대개 RBBB or LBBB와 비슷
- P파 선행 안함 (↔ APC with aberrant conduction과의 차이)
- 대부분의 VPC (=PVC)는 심방으로 retrograde conduction 되지 않는다!
  → 완전한 보상성 휴지기(fully <u>compensatory pause</u>)를 관찰 가능!
- interpolated VPC : VPC가 원래의 rhythm에 영향을 안미치고, 정상 QRS군 사이에 나타난 것 (R-R' + R'-R = 2RR)

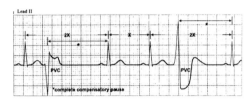

┌ bigeminy : VPC가 동성 QRS군과 교대로 나타나는 것
│ trigeminy : 2개의 동성 QRS군 뒤에 VPC가 나타나는 것
│ couplet (pair) : 2개의 VPC가 연속으로 나타나는 것
└ VT : 3개 이상의 VPC가 연속으로 나타나고 HR는 100회/분 이상일 때

- ventricular parasystole : coupling interval은 불규칙하고, VPCs 간의 간격은 일정한 것, multifocal VPCs에서 흔함
- multiform (polymorphic, multifocal) VPC : QRS군의 모양이 다양하게 나옴
- R-on-T (very early cycle) VPC : 심근허혈이나 QT간격 연장시 등 때 발생하면 VT or VF로 진행할 위험이 높으며, 나쁜 예후 인자임

c.f.) CHF : proarrhythmia를 일으킬 수 있는 m/i 위험인자

(2) 임상양상
- MI 환자에서는 80%에서까지 관찰됨
  - frequent (>10/hr), complex (multiform), R-on-T 등의 경우 사망률 증가
  - but, 심실기능부전처럼 강력한 위험인자는 아니며, VPC 자체가 직접 치명적 부정맥 (VT or VF)의 원인인지도 확실치 않음
- 심장질환이 없는 경우는 VPC가 있어도 사망률/이환율이 증가하지 않음
- 증상 : 심계항진이나 목의 박동 (∵ VPC 뒤의 정상보다 큰 박동 때문 → canon *a* wave), 심장이 멈춘 것 같은 느낌 (∵ VPC 뒤의 long pause 때문)
- CO 감소에 의한 어지러움이나 실신은 드물다!

(3) evaluation
- EKG에서 우연히 발견된 경우 구조적 심장질환 R/O 위해 심초음파(or CMR) 시행
- 운동에 의해 증상이 발생하거나 CAD 위험군인 경우는 exercise stress test도 시행

(4) 치료
■ 구조적 심장질환이 없는 경우
- 증상이 없으면 치료 필요 없음! (모양이나 횟수에 관계없이)
- 지속적인 증상이 있을 때 → 증상 조절이 치료 목표
  - chronic β-blocker therapy
  - β-blocker에 반응이 없으면 amiodarone or catheter ablation 고려

■ 구조적 심장질환이 있는 경우
- 심부전(심실기능저하) 환자에서 frequent VPC, nonsustained VT는 사망률 증가와 관련

- 대부분 항부정맥제로 VPC를 조절해도 예후(생존율)에는 차이 없음!
  - 오히려 QT prolongation & TdP 같은 심각한 부정맥을 초래할 위험이 있음
  - AMI 후 VPC를 없애기 위한 or VF를 예방하기 위한 항부정맥제 투여는 오히려 사망률을
    증가시킬 수 있기 때문에 권장되지 않음
- SCD의 위험이 높은 환자 (EF <40% & nonsustained VT)
  - amiodarone으로 VPC를 억제하면 SCD 감소 효과 (but, 생존율 향상은 없음)
  - EPS & ICD (implantable cardioverter/defibrillator) 권장 → 생존율(5YSR) 향상됨

2. Ventricular tachycardia (VT, 심실빈맥) - Monomorphic VT

- 급성 심장사(SCD)와 관련, 구조적 심장질환에서 잘 동반됨
- 원인 ; chronic IHD, AMI (특히 hypoxia or acidosis 동반시), cardiomyopathy, MVP, CHD,
  digitalis toxicity, prolonged QT syndrome ...

  ┌ sustained VT : 30초 이상 지속 or 혈역학적 불안정으로 치료 필요
  └ nonsustained VT : 30초 이내에 자연 종료됨, 대개 증상이 없고, 심장질환이 없어도 발생 가능

- 발생기전 (→ 앞부분 참조)
  (1) reentry ; scar-related reentry (m/c), spiral wave reentry
  (2) triggered activity ; early afterdepolarization, delayed afterdepolarization
- 특징
  - 3개 이상의 VPCs가 연속으로 나타남
  - 심박수는 100~250회/분, 대부분(90%) 매우 규칙적(regular rhythm)
  - P파는 대부분 보이지 않으며, 드물게 역행전도도 나타남
  - QRS ; wide & bizarre (모양은 previous VPC와 같음)
  - 모든 precordial lead에서 일정한 QRS pattern (e.g., all (+) or (−) deflections)
  - RBBB 형태 + sup. QRS axis (LAD), LBBB 형태 + 심한 LAD

VT	RBBB 형	LBBB 형
QRS duration (V₁)	>140 ms	>160 ms
QRS 앞부분의 활성화 지연	R 시작 ~ S 최하점 >100 ms	V₁₋₂의 R wave >40 ms
비전형적인 QRS 모양	V₆에서 deep S (R/S ratio <1) V₁에서 mono or biphasic	V₆에서 Q wave notched S downslope

  - AV dissociation, fusion beat, capture beat → VT를 강력히 시사!

* Aberrant intraventricular conduction을 동반한 SVT (wide QRS SVT)와의 감별이 중요
  ① 구조적 심장질환 존재 (m/i) → VT
  ② 간헐적인 canon *a* waves, S₁ 크기의 변화 → AV dissociation (VT)
  ③ EKG 소견
    - leads Ⅱ, Ⅲ, aVF에서 upright P wave 확인됨 → SVT
    - sinus rhythm 때와 tachycardia 때의 QRS 모양이 동일 → SVT
    - sinus rhythm 때 infarction pattern (Q wave) → VT
    - 매우 불규칙적인 wide, complex, bizarre tachycardia
      → AV bypass tract을 통해 전도되는 AF (WPW + AF)

- QRS >0.2 s → preexcitation에서 더 흔함
- coupling interval 규칙적, compensatory pause → VT
④ verapamil or adenosine의 시험적 투여 → PSVT를 종료시킴
(but, VT 환자에서는 arrest를 유발할 수 있으므로 매우 위험함!)

■ VT의 치료/예후

(1) VT의 단기 치료
- 비지속적이고 증상이 없으면 <u>observation</u> (예외 ; congenital long QT syndrome은 치료 필요)
- 구조적 심장질환이 있지만 혈역학적으로 안정시 : <u>amiodarone</u>, <u>procainamide</u>, <u>lidocaine</u>, sotalol
  - amiodarone이 작용 시작은 느리지만 효과는 가장 좋은 편 (but, 서맥 및 저혈압 발생 위험)
  - 심실성 빈맥은 항부정맥제의 성공률이 낮고(<30%), survival 향상 효과는 없음
    (→ 반응 없거나 재발하면 한번 더 투여) ⇨ 반응 없으면 DC cardioversion
- 혈역학적으로 불안정하거나(e.g., 저혈압, 현기증, 실신), ischemia, CHF, CNS hypoperfusion
  등의 존재시 ⇨ 즉시 DC cardioversion (≥100 J) or overdrive pacing + ICD
- 제세동기가 없을 때는, 발견 즉시 가슴을 때리면(thump version) VT가 종료될 수도 있지만
  취약기에 심장 자극이 되면 오히려 VT 가속 or VF 초래 가능하므로 제세동기는 필수
- 반드시 원인 질환에 대한 고찰과 치료도 병행되어야 됨

(2) VT의 장기 치료 (재발 방지 및 SCD의 예방)
- <u>ICD</u> (implantable cardioverter/defibrillator) : 가장 효과 좋지만, 비용과 거부감이 문제
- 약물요법 : <u>ICD에 보조적으로</u> or ICD의 금기/환자가 싫어할 때 ICD 대신
  ↳ ICD의 개입(shock) 횟수를 감소시켜, 삶의 질 개선 효과
  - EPS (programmed stimulation)를 통해 효과적인 항부정맥제를 선택할 수도 있지만
  - <u>amiodarone</u> or sotalol의 경험적 사용이 더 효과 좋다!
  - β-blocker : 거의 모든 환자에게 투여 (prior MI, HF, LV dysfunction 환자 포함)
    → VT 재발 방지 및 survival 향상(항부정맥제 중 유일) 효과
- catheter ablation (RFCA) : ICD 대신 고려 가능 (초기 성공률은 70~90%, 25~50%에서 재발)

(3) 예후
- 기저 심장질환과 관련, AMI 후 6주 이내 sustained VT 발생하면 예후 나쁨 (1년 내 75% 사망)
- AMI 후 nonsustained VT가 발생하더라도 사망률 3배 증가
  (but, nonsustained VT와 SCD와의 인과관계는 불확실)
- 심장질환이 없는 환자의 uniform VT는 예후 좋고, SCD 위험도 매우 낮다

3. Idiopathic VT (특발성 심실빈맥)

: 구조적 심장질환 없이 monomorphic VT가 발생하는 것 (VT의 약 10%)
  ↳ 모든 심장관련 검사에서 정상 (but, MRI에서는 구조적 이상이 발견될 수 있음)

(1) Outflow tract (adenosine-sensitive) VT (유로출 심실빈맥)
- m/c idiopathic VT (80~90%), 남<여, 30~50대에 발생, 예후 좋음!(SCD와는 거의 관련 없음)
- 약 80%는 <u>우심실 유출로(RVOT-VT)</u>, 약 20%는 좌심실 유출로(LVOT-VT)에서 발생

• 기전 : catecholamine cAMP-mediated delayed afterdepolarizations (DADs), triggered activity
  → vagal maneuver, adenosine, β-blocker, CCB로 종료됨 (일반적인 VT와의 차이점)
• 운동, 스트레스, 카페인, 호르몬(e.g., 생리, 임신, 폐경) 등에 의해 심계항진(VT) 유발
• EKG : 비지속적인 VT burst and/or frequent VPCs
  − inferior leads (Ⅱ, Ⅲ, aVF)에서 large monophasic R waves
  − RVOT-VT : V₁에서 LBBB 형태의 QRS와 inferior (negative) axis
  − LVOT (aortic cusp)-VT : V₁에서 RBBB 형태의 QRS와 superior (positive) axis
• acute Tx : vagal maneuver, IV adenosine, CCB (verapamil), β-blocker
  (혈역학적으로 안정하므로 대개 응급 약물 치료는 필요 없음)
• chronic Tx
  − CCB or β-blocker로 흔히 VT 예방 가능 (class ⅠA, ⅠC, sotalol 등도 효과적)
  − catheter ablation : 90% 이상 완치 가능
• EPS : 진단이 불확실하거나 catheter ablation 예정일 때에만 시행

(2) Fascicular (verapamil-sensitive) VT (섬유속 심실빈백, idiopathic LV tachycardia)
• 2nd m/c idiopathic VT (10~15%), idiopathic left VT중 m/c, 남>여, 15~40세, 예후 좋음
• LV post. Purkinje system의 macro-reentry에 의해 발생
• EKG : narrow RBBB 형태의 QRS와 left superior axis
• rapid atrial or ventricular pacing에 의해 유발 가능 (때때로 운동, isoproterenol에 의해서도)
• acute Tx. : IV verapamil로 쉽게 종료됨 (vagal maneuver, adenosine, β-blocker는 효과 없음!)
• chronic Tx. : 증상이 경미하면 verapamil, 심하면 catheter ablation (90% 이상 완치)

4. Polymorphic VT (PMVT)

⌐ QRS의 모양 및 크기가 다양하게 나타나는 VT
└ monomorphic VT보다 more dynamic and/or unstable process 임
  (대개 혈역학적으로 불안정하여 쉽게 VF로 진행)

(1) PMVT with normal QT

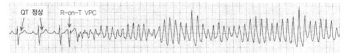

① 허혈성 심질환에서 발생된 경우
  • "R-on-T" VPC에 의해 시작됨, reentry가 기전
  • 치료 (TdP와는 완전히 다름!)
    − acute ischemia (ACS)시는 항부정맥제보다는 revascularization (PCI, CABG)이 효과적!
    − 항부정맥제 ; β-blocker, amiodarone, lidocaine, sotalol ...
② catecholamine 증가 상태에서 발생된 경우 (e.g., 운동)
  • short-coupled VPCs에 의해 시작됨, triggered activity가 기전, 치명적
  • 치료 : β-blocker, implantable defibrillator (ICD)

(2) Torsade de Pointes (= PMVT with prolonged QT, pause dependent)

- 특징 : QRS군이 base line을 중심으로 크기가 변화하면서 회전하는 것
  - PMVT 발생 전에 marked <u>QT prolongation</u>이 선행 (pause dependent)
  - 대부분 "R-on-T" VPC에 의해 PMVT가 시작됨

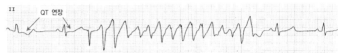

- acquired long QT syndrome

QT interval↑ & Torsade de Pointes 원인 ★
전해질 이상 ; <u>hypokalemia, hypocalcemia, hypomagnesemia</u>
항부정맥제 ; class IA (quinidine (m/c), procainamide, disopyramide), class III (amiodarone, sotalol, ibutilide, dofetilide, almokalant), 일부 class IC (e.g., flecainide)
항정신성 의약품 ; phenothiazines (e.g., chlorpromazine), thioridazine, droperidol, haloperidol, lithium, mesoridazine, pimozide, trifluoperazine, sertindole, zimeldine, ziprasidone, TCA (e.g., imipramine, doxepin, amoxapine, nortriptyline, amitriptyline)
마약성 ; cocaine, metadone, levomethadyl
항히스타민제(H₁-antagonists) ; astemizole, diphenhydramine, terfenadine, hydroxyzine
항생제 ; macrolides (e.g., EM, azithromycin, clarithromycin), quinolones (e.g., levofloxacin, moxifloxacin, gatifloxacin), ampicillin, TMP-SMX, clindamycin, pentamidine, chloroquine, fluconazole, ketoconazole, 항바이러스제(e.g., amantadine), 일부 antimalarials ...
GI stimulants ; cisapride, metoclopramide, domperidone
기타 drugs ; albuterol, salmeterol, thiazide, furosemide, octreotide, vasopressin, probucol, tacrolimus, vandetanib, arsenic trioxide, organophosphates ...
심장질환 ; 심근허혈, myocarditis, MVP, 심장이상, <u>심한 서맥</u> (특히 3도 AV block), stress cardiomyopathy
내분비질환 ; hypothyroidism, hyperparathyroidism, pheochromocytoma, hyperaldosteronism
CNS 장애 ; 출혈, 뇌압, 외상 등
영양 장애 ; 식욕부진(anorexia nervosa), 굶주림, 고단백 유동식, gastroplasty & ileojejunal bypass, celiac dz.

c.f.) Digitalis overdose 때도 polymorphic or bidirectional VT가 발생할 수 있음

- 기전 : <u>early afterdepolarization</u> (LQTS), transmural reentry (TdP 지속화에 주로 관여) 등
- EKG상 warning sign
  ① marked QT prolongation (보통 >0.6초), ② abnormal T wave, ③ prominent U wave
- LQTS 기준 - Bazett's formula **[QTc = QT / √RR]**에서 QTc >460ms (남), >480 ms (여)
- 치료 (acquired LQTS)
  ① 원칙 : 원인을 찾아 제거 (→ 대부분의 발작은 자연히 종료됨)
      예) 전해질이상 교정, QT 연장시키는 약물 중단
  ② <u>magnesium sulfate</u> IV (Mg^{2+} 정상이라도 투여) - 가장 먼저!
  ③ Mg^{2+}이 효과 없으면 HR을 올려 QT interval을 줄이고 VPCs 억제 (→ 원인 교정 시간을 범)
    - atrial/ventricular <u>overdrive pacing</u> (temporary pacemaker)
    - β-agonist (isoproterenol) IV : 부정맥을 악화시킬 수도 있으므로 주의 깊게 투여

  * QT interval을 연장시키는 class IA, class III, 일부 class IC 항부정맥제등은 TdP을 더욱
    악화시킬 수 있으므로 금기
  * 자연 종료 흔하므로 defibrillation 시행 안함 (∵ 오히려 TdP 재발 or true VF로 진행 위험↑)

(3) Congenital long QT interval syndrome (LQTS)

- 기전 : 세포내 calcium 축적으로 인한 early afterdepolarization (triggered activity)
- 원인 : cardiac ion (e.g., K, Na, Ca) channels의 mutations
  - LQT1 (m/c, _KCNQ1_ 유전자변이) ; broad T wave (→ long QT), 운동(특히 수영)/흥분
    등에 의해 심실빈맥 유발, 남성의 80% 이상이 20세 이전에 cardiac event 발생
  - LQT2 (_KCNH2_ 변이) ; notched & bifid T wave, 수면/흥분/소음 등에 의해 빈맥 유발,
    여성의 경우 출산 후 (e.g., 수유시) cardiac event 위험이 증가하므로 주의
  - LQT3 (_SCN5A_ 변이) ; late-onset peaked biphasic T or asymmetric peaked T wave,
    주로 수면/휴식 중 심실빈맥 발생, 예후 가장 나쁨 (특히 남성)

  ┌ Romano-Ward 증후군 (AD 유전)
  └ Jervell-Lange-Nielsen 증후군 (AR 유전) - congenital deafness

- 임상양상 : <u>recurrent syncope</u>, ventricular arrhythmias (TdP, VF), SCD
- EKG ; QT prolongation, TdP, T-wave alternans, notched T-wave
- 치료 : <u>β-blocker</u> (propranolol, nadolol), ICD (가족력이 있거나 고위험군은 예방적 ICD 시행),
  left cardiothoracic sympathetic denervation (LCSD), 격렬한 운동은 금기
  (c.f., LQT3 type ; β-blocker가 효과 없고, 운동이 제한되지 않음, LCSD 효과 좋음)

(4) Brugada syndrome (BrS)

- RV outflow tract (RVOT) epicardium 부위의 inward sodium current 감소 때문
- 원인 유전자 ; 대부분은 모름, cardiac sodium channel (_SCN5A_) gene mutation (18~30%)
- AD 유전, 동양의 젊은 남성에서 호발, 구조적 심장질환 없음! (echo., MRI, biopsy 등 정상)
- 특히 <u>수면(휴식)</u> 중 심한 부정맥(PMVT, VF)/실신 or <u>SCD</u> 발생
- EKG 소견 (환자 상태, 시간에 따라 정상 ~ Brugada pattern 등 유동적인 변화를 보임)
  - V$_{1-3}$ 중 2개 이상에서 <u>coved ST elevation</u> & T-wave inversion (→ pseudo RBBB 모양)
  - Brugada pattern의 유발인자 ; <u>fever</u>, pain, Na-blocker, β-blocker, TCA, lithium, alcohol...
    (└ cardiac arrest or SCD도 유발 가능)
  - 비특이적이면 sodium channel blocker (procainamide, flecainide, ajmaline)로 유발검사!
    (but, polymorphic VF 발생 위험이 있으므로 반드시 defibrillator 갖추고 검사)
  (c.f., hyperkalemia : 일시적 Na channel 차단에 의해 Brugada-like EKG pattern 가능)
- recurrent VT의 acute Tx ; isoproterenol, quinidine
- <u>ICD</u>가 치료 및 예방에 m/g, 가족들도 EKG screening 필요.

c.f.) 유전자 이상이 밝혀진 부정맥 관련 질환(예) ★
  ① congenital LQTS (long QT syndrome), short QT syndrome
  ② Brugada syndrome
  ③ catecholaminergic PMVT (CPVT) ; ryanodine receptor (_RyR2_) gene mutation
  ④ arrhythmogenic RV dysplasia (ARVD)
  ⑤ hypertrophic cardiomyopathy

■ **Arrhythmogenic RV dysplasia/cardiomyopathy (ARVD/ARVC)**

• 병인 : 심근세포의 desmosomal proteins 및 adherens junction 구성 성분의 mutations
  → apoptosis, fibrogenesis, adipogenesis → impaired RV function & arrhythmogenicity↑

• sporadic (더 흔함) or <u>familial</u> (30% 이상, 대부분 AD 유전)

• 건강해 보이는 소아~성인에서 심실 부정맥의 중요 원인, 남:여 = 2~3:1

• 임상양상 (4 phases)

  ① 초기 ; 대개 무증상이나 cardiac arrest or SCD로 처음 나타날 수 있음 (특히 <u>운동선수</u>)

  ② 부정맥기 ; 대개 청소년~젊은 성인 때 시작, palpitation, syncope ...

  ③ diffuse RV dz. ; 중년 이후 시작, Rt-sided HF로 나타날 수 있음 (LV 기능은 대개 보존)

  ④ 말기 ; LV 침범 및 biventricular HF 발생

• EKG 소견

  - sinus rhythm 때 ; lead V_{1-3}에서 T-wave inversion & complete/incomplete RBBB,
    <u>Rt. precordial leads</u> (V_1, V_{3R}, V_{4R} 등)에서 delayed RV activation에 의한 QRS widening
    & terminal notching ("epsilon wave"), S-wave prolongation

  - <u>VT</u> 때 (다양한 형태) ; V_1의 <u>LBBB</u> pattern, V_{1-6}의 poor R-wave progression이 전형적
    ↳ monomorphic VT

• 영상검사

  - 심초음파 ; RV enlargement, RV wall motion abnormalities, RV apical aneurysm

  - MRI (선호) ; RV의 fatty replacement, RV free wall thinning, fibrosis 증가, WM 이상 등
    (LV 쪽 병변도 흔히 발견됨)

• 조직검사 ; 심근 내 섬유-지방세포 침윤(fibrofatty infiltration) → RV free wall (but, 천공 위험)

• 치료 (진행성 질환, 지속적인 VT 발생시 예후 나쁨)

  - 항부정맥제 ; amiodarone, β-blocker, sotalol

  - ICD (m/g) ; 항부정맥제에 반응 없거나 복용 어려울 때 (but, RV 벽이 얇아 천공 위험)

  - catheter ablation ; mappable sustained VT/Vf에서 고려, 진행성 질환이라 완치는 어려움

  - 격렬한 운동 금지, 심부전시 일반적인 심부전 치료, 일부는 교감신경차단술

  - anticoagulation ; AF, 심한 심실 확장, 심실 aneurysm 등 존재시 시행

  - 심장이식 ; 심부전이 심하거나, 심실 부정맥이 도저히 조절되지 않을 때

ARVD 환자에서 SCD의 위험인자
어릴 때 발병, 실신 병력, 심정지 or 혈역학적으로 불안정한 VT의 병력, 좌심실 침범 ARVD2 (*RyR2* mutation ; polymorphic VT, 교감신경자극에 의한 청소년기 심장돌연사) Naxos disease 환자 QRS dispersion↑ (최대 QRS - 최소 QRS ≥ 40 ms) S wave upstroke ≥0 ms

5. Ventricular flutter & fibrillation (Vf/VF, 심실조동/세동)

• QRS 군, ST 분절, T 파 등의 구분이 불가능해 짐

  ┌ VF : 크기, 모양, 속도가 다양하고 전반적으로 불규칙한 파형

  └ Vf : 150~300회/분 정도의 규칙적이고 크기가 큰 sine wave 형태 (rapid VT와 구별 어려움)

- 심실 내의 macroreentry가 주된 기전
  - ischemic VF : 대개 R-on-T 현상에 의해 유발된 rapid VT가 VF로 진행
  - nonischemic VF : 대개 coupled VPC로 시작된 단기간의 rapid VT가 VF로 진행

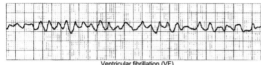

Ventricular flutter (Vf)

Ventricular fibrillation (VF)

- 원인 ; 허혈성심질환(m/c), 항부정맥제(특히 QT간격↑ & TdP를 일으키는 약물),
  심한 hypoxia or ischemia, 빠른 심실반응을 동반한 WPW + AF, 전기적 충격
- 심박출량이 없는 상태로 급격히 의식이 소실되고, 치료하지 않으면 3~5분 이내에 사망
  (SCD의 약 3/4이 VT or VF 때문)
- 치료 ; 즉시 defibrillation (최소 200 J부터)
- 재발 예방 ; ICD (m/g), amiodarone, catheter ablation 등
- 예후 ; AMI 후 2일 이내에 발생한 primary VF는 예후가 좋으나,
  AMI와 관계없이 발생한 VF는 예후 나쁘다

■ VF or pulseless VT에 의한 cardiac arrest 시의 응급 치료 ★

① defibrillation (200 J, 200~300 J, 360 J) 3회 (충전 중에는 CPR)
  - arrest 발생 5분 이내면 즉시 defibrillation, 5분 이상 지났으면 60~90초간 CPR 먼저 시행
  - CPR (Compression → Airway → Breathing) : 심장마사지 30회 이후 인공호흡 2회
② 실패하면 intubation, CPR 계속, IV line 확보, epinephrine 1 mg IV (or vasopressin 40 U),
  defibrillation 반복
③ 실패하거나 의식이 회복되지 않으면 epinephrine 증량, ABGA 시행
  - NaHCO₃는 routine으로는 투여하지 않는다 (지속적인 acidosis가 있으면 1 mEq/kg 투여)
④ VT/VF 지속/재발되면 amiodarone 투여
  - 금기 등으로 amiodarone을 사용하지 못하거나 반응이 없을 때는 lidocaine
  - acute coronary syndrome 초기의 VF 때에도 alternative로 lidocaine 가능
⑤ calcium gluconate는 routine으로는 투여하지 않는다
  (Ix. ; acute hyperkalemia, known hypocalcemia, CCB overdose)
⑥ hypomagnesemia가 의심되거나 TdP가 보이면 magnesium sulfate 투여
  (일부 resistant VF/Vf에도 효과적)

6. VT storm

- external cardioversion/defibrillation or ICD shock 치료가 자주 필요한 VT가 반복되는 것
  (정의상은 24시간 이내에 2번 이상 발생하는 것이지만 대부분 훨씬 자주 발생함)
- long QT interval이 없는 recurrent polymorphic VT → active IHD or fulminant myocarditis
  → IV lidocaine or amiodarone, 즉시 coronary artery 평가 or endomyocardial biopsy 등 고려
- QT prolongation & TdP → QT 연장시키는 원인 교정 & 응급 pacing
- polymorphic VT storm에서는 IV β-blocker 치료도 반드시 고려
- recurrent monomorphic VT → IV lidocaine, procainamide, amiodarone 등의 경험적 투여
  (procainamide와 amiodarone이 효과는 더 좋지만, recurrent or incessant VT 유발 위험)
- 재발 및 항부정맥제의 부작용을 방지하기 위해서는 VT 초기에 catheter ablation도 고려

7. Accelerated idioventricular rhythm (AIVR)

→ 7장 급성 심근경색 편 참조

- slow sustained VT와의 감별이 어려울 수 있음
- AIVR을 시사하는 소견 ; acute infarction or myocarditis에서 발생,
  심박수의 가속(warm-up) 시기 및 주기(cycle-length) 변동 등이 뚜렷
- VT를 시사하는 소견 ; chronic infarction or cardiomyopathy에서 발생, programmed stimulation
  에 의해 유발, 전도가 매우 느린 만성 병적인 심근에 의한 large macroreentrant circuit ...

■ External DC Cardioversion & Defibrillation

- ■ DC energy
  - AF : 200~400 J, Af : 50~100 J
  - reentry PSVT : 75~200 J
  - VT : 100~400 J (∵ unifocus)
  - VF : 200~400 J (∵ multifocus)

- ■ 적응증
  ① 혈역학적 장애(e.g, 저혈압)을 동반한 모든 부정맥
     (sinus tachycardia 제외)
  ② 약물에 의한 동율동 전환(pharmacologic cardioversion)이 실패했을 때

- ■ 금기
  ① digitalis 중독 (∵ ventricular arrhythmia 유발 위험)
  ② repetitive, short-lived tachycardia
  ③ multifocal atrial tachycardia
  ④ Large LA & longstanding AF, AF & advanced block
  ⑤ 갑상선기능항진증
  ⑥ 가까운 시일내 심장수술 예정인 경우

┌ cardioversion : QRS와 동기화된 전기충격(countershock)
└ defibrillation : 비동기적인 (asynchronously) countershock → VF/Vf 시에만
  (∵ QRS파가 감지되지 않으므로)

■ **이식형 심실 제세동기 (ICD, implanted cardioverter/defibrillator)**

(1) 적응증 (class I) ★

① VF or hemodynamically unstable sustained VT로 인한 cardiac arrest에서 생존한 환자
   (일시적이거나 교정 가능한 원인이 아닐 때)

② 구조적 심장질환과 관련된 spontaneous sustained VT

③ 원인을 모르는 syncope 환자가 EPS에서 syncope을 동반한 hemodynamically significant
   sustained VT or VF가 유발됨

④ MI 40일 이후에 LVEF <35% & NYHA functional Class II / III

⑤ nonischemic dilated cardiomyopathy에서 LVEF <35% & NYHA functional Class II / III

⑥ MI 40일 이후에 LVEF <30% & NYHA functional Class I

⑦ MI 이후 nonsustained VT 환자가 LVEF <40% & EPS에서 VF or sustained VT 유발됨

(2) 효과

① 부정맥의 재발과 SCD 예방

② back-up pacing으로 bradyarrhythmia로 인한 SCD 예방

전도 장애 (Conduction disturbances)

■ **원인**

① 운동선수 (→ chronic 1st degree AV block), carotid sinus hypersensitivity, vasovagal syncope

② AMI (특히 inferior), coronary spasm (특히 Rt. coronary artery)

③ 약물 ; digitalis, β-blocker, CCB, adenosine, lithium, 항부정맥제(I, III)

④ 감염 ; endocarditis, viral myocarditis, acute rheumatic fever, infectious mononucleosis,
   Chagas dz., toxoplasmosis, syphilis, Lyme dz. ...

⑤ 기타 ; SLE, RA, MCTD, scleroderma, sarcoidosis, amyloidosis, hemochromatosis

⑥ 종양/외상 ; mesothelioma, catheter ablation, 판막수술 ...

⑦ 선천성
   ┌ 비유전성 ; SLE 산모에서 태어난 아기, 선천성심장병(TGA, ASD, VSD 등)
   └ 유전성 ; Holt-Oram syndrome (AD 유전; 상지형성장애, ASD, AV node의 전도장애)

⑧ degenerative dz.
   ┌ Lev's dz. : fibrous cardiac skeleton을 침범
   └ Lenegre's dz. : 전도계(conducting system)를 침범
   - 성인에서 isolated chronic heart block의 m/c 원인
   - 대개 bundle branch block을 동반한 AV block을 일으킴
   - HTN, AS, MS : 전도계의 degeneration을 직접 일으키거나 악화시킴

1. AV Block (방실전도장애)

```
┌ AV node ; 1st, 2nd (type I), 3rd
└ His-Purkinje system ┌ His bundle ; 3rd
                      ├ Bundle branches ; 2nd (type II), 3rd (trifascicular)
                      └ Purkinje fibers
```

(1) 1st degree AV block (prolonged AV conduction)

- PR 간격만 연장 (>0.2초), 대개 일정한 크기로
- level of block
  ① AV node → normal (narrow) QRS, PR 간격 ≥0.24초
  ② His-Purkinje system → wide QRS, PR 간격은 상대적으로 정상
  - but, wide QRS는 모든 level의 block에서 나타날 수 있음
- EPS에서만 정확한 block 부위를 알 수 있음
- 대부분 증상이 없고 예후 양호, 성인에서는 특별한 치료 필요 없다

(2) 2nd degree AV block (intermittent AV block)

: 심방자극 (P wave)의 일부가 심실로 전도되지 못하는 것

① Mobitz type I (Wenckebach block)
  - PR 간격이 점차 길어지다가.. 심실전도 차단, 정상(narrow) QRS
  - 원인 (AV node 장애) ; inf. wall & RV infarct, drugs (digitalis, β-blocker, CCB),
    심장수술, vagal tone이 증가된 정상인 ...
  - 심실반응이 충분하고 증상이 없으면 치료할 필요 없다 (chronic heart block으로의 진행 드묾)

② Mobitz type II
  - PR 간격이 일정하다가.. 갑자기 심실전도 차단, wide QRS
    (narrow QRS → intra-His 장애 → complete heart block으로의 진행↑)
  - 원인 (His-Purkinje system 장애) ; anteroseptal infarct, 퇴행성 질환
  - 2:1 AV block 시에는 Mobitz type I 과 감별 어려울 수 있음 → EPS, 다음 표 참조
  - advanced (high-grade) AV block : 연속적으로 2개 이상의 P파가 전도 안 되는 것
    (2개 이상의 P파 뒤에 QRS군이 나타남)
  - paroxysmal AV block ; advanced 2nd or 3rd degree AV block이 갑자기 발생된 것
  - type I에 비해 드물고, 예후 나쁨 (complete AV block으로 진행 잘함)
    → permanent pacemaker 치료 필요

(3) 3rd degree (complete) AV block

- 심방자극(P파)이 전혀 심실로 전도되지 않는 것
- 심방과 심실은 각각 따로 조율 → P파와 QRS는 해리(dissociation)됨
  (PR interval은 파악할 수 없고, RR interval은 대개 동일)
- 심박수(VR)가 40회/분 이하면 complete AV block을 가장 먼저 생각!

• escape rhythm

① His bundle의 분지부 상부 (AV nodal block)에서 기원

→ 정상적인 narrow QRS (idiojunctional rhythm), 매우 규칙적인 리듬

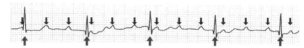

② His bundle 이하의 block

→ idioventricular rhythm (wide QRS, HR <40회/분) → pacemaker (permanent) 필요

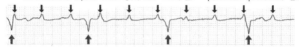

• escape focus (block 부위)가 낮을수록 HR가 느려지고, QRS는 넓어지고, 예후는 나쁨
(→ pacemaker 필요)

Block 부위 ★		AV node	His bundle 이하 (⇨ Pacemaker 필요)
Escape rhythm	Heart rate (bpm)	40~55	<40
	QRS duration	정상(narrow)	Wide
	Stability	대개 stable (asystole 드묾)	흔히 unstable (asystole 증가)
	Atropine, isoproterenol, 운동 등(sinus rate↑)에 대한 반응	Escape rate 증가 (AV node의 전도 항상)	His-Purkinje 전도 약화 (rate 증가 없거나 감소)
	Carotid sinus massage (vagal stimulation)	Escape rate 감소 (AV node의 전도 약화)	Rate 영향 적거나 증가
	전도되는 P wave의 PR interval	>0.3 sec	≤0.16 sec
AMI와의 관련		Inferoposterior	Anteroseptal
Compromised arterial supply		RCA (90%), LCX (10%)	LAD의 septal perforators

* His bundle 이하 block시엔 일부 retrograde conduction도 관찰될 수 있음!

(4) 치료

① 가역적인 원인이 존재하면 교정

② <u>증상이 있는 2nd/3rd AV block</u> ⇨ 바로 pacemaker! (temporary or permanent)

- 증상이 없더라도 HR (escape rhythm) 40회 이하, asystole 3초 이상, LV dysfunction 등이
동반되었으면 pacemaker 치료 (→ 뒤의 pacemaker 부분 참조)

- <u>증상이 없는 3rd AV block</u> ⇨ <u>EPS</u>를 시행해서 치료방침 결정

③ pacemaker 사용 전에 응급으로 사용할 수 있는 drugs

- vagolytic agents (e.g., atropine) : AV node 장애 시에 유용

- catecholamines (e.g., isoproterenol) : 모든 block에 사용 가능

- AMI 환자에서는 isoproterenol 금기 (→ transcutaneous pacing을 선호)

* Stokes-Adams 증후군 : transient asystole or VF ; 의식상실, 실신, 현기증 (→ pacemaker)

2. Intraventricular conduction disturbance

┌ complete : QRS 폭 ≥0.12초
└ incomplete : QRS 폭 0.10~0.12초   • QRS vector는 보통 block된 쪽을 향한다!

(1) Right bundle branch block (RBBB)

① QRS duration ≥0.12초
② V_1에서 rSR' or rsR' (토끼 귀 모양, Rabbit → RBBB)
③ V_6에서 deep, slurred S wave (qRS)
• 원인 ┌ congenital ; ASD 등
      └ acquired ; valvular heart dz., IHD 등
• 구조적 심장질환이 없는 정상인의 경우 LBBB보다 RBBB가 더 흔히 관찰됨

(2) Left bundle branch block (LBBB)

① QRS duration ≥0.12초
② V_1에서 (−) deep, wide QS or rS wave
③ V_6에서 large positive monophasic R wave (or rsR', RsR') (q, S wave 無)
            (→ LVH와 혼동될 수)
④ QRS-T discordance   ┐→ echo. 시행!
   ┌ V_1에서 ST elevation (→ AMI와 혼동될 수) ┘
   └ V_6에서 ST depression, T wave inversion
   – LBBB 환자에서 AMI가 발생한 경우 EKG로 진단이 어려운데, 이 normal QRS-T
     discordance의 loss시 AMI를 의심할 수 있음
• 원인 ; IHD (특히 좌심실 기능장애 동반시), 고혈압성 심질환, aortic valve dz., cardiomyopathy
• RBBB와 달리 대부분 구조적 심장 질환에서 발생, overt cardiac dz. 발생 위험과 cardiac
  mortality 높음 (순전히 LBBB만 있는 경우는 예후 좋음) ⇨ LBBB 발견시 심초음파 시행!

(3) Hemiblock (fascicular block)

(LAH: left anterior hemiblock, LPH: left posterior hemiblock)

* RBBB와 LBBB의 감별은 V_1이 가장 좋다; RBBB: (+) deflection, LBBB: (−) deflection

- hemiblock의 특징
  ① block된 쪽으로 small Q → R, 안 된 쪽으로 small R → S
  ② axis deviation이 심하다   ③ QRS duration은 정상

■ AV dissociation

- 심방과 심실이 서로 다른 pacemaker에 의해 독립적으로 조율되는 것 : P와 QRS의 간격이 불규칙
  ┌ complete AV block에서 발생
  └ 일차적인 전도장애 없이 발생 ; isorhythmic AV dissociation, interference AV dissociation
- 전도장애(heart block) 없이 발생하는 경우

  (1) isorhythmic AV dissociation
    - 심한 sinus bradycardia에 대한 반응으로 AV junctional or ventricular escape rhythm 발생
    - 심방R$_{rate}$ (P rate) ≒ 심실R (QRS rate) (complete AV block은 심방R > 심실R)
    - 치료
      ① sinus bradycardia의 원인 제거 (e.g., digitalis, β-blocker, CCB)
      ② sinus node 가속 (→ P rate↑) : vagolytic agents (e.g., isoproterenol, atropine)
      ③ pacemaker (escape rhythm이 느리고 증상이 있으면)

  (2) interference AV dissociation
    - lower (junctional or ventricular) pacemaker가 항진되어 정상 sinus rhythm을 초월한 것
    - 심방R (P rate) < 심실R (QRS rate)
    - 원인 ; VT, myocardial ischemia/infarction, accelerated junctional/ventricular rhythm
       (digitalis intoxication), cardiac surgery ...
    - 치료 ; 항부정맥제 및 원인의 교정

심박조율기 (Pacemaker)

1. 개요

(1) temporary pacing
- 대개 int. jugular or subclavian vein을 통해 RV apex에 삽입
- 목적/적응증
  ① permanent pacemaker 사용 전에 임시적으로 필요시
  ② 일시적인 원인(e.g., ischemia, drugs)에 의해 발생한 bradycardia or AV block 치료
  ③ 일시적인 원인에 의해 발생한 TdP의 심박수를 85~100회/분으로 억제할 때
- 부작용
  ① 삽입 부위의 감염 ┐ 2일 이상 pacing wire 유치시 발생위험↑
  ② thromboembolism ┘
  ③ 심장 파열, 기흉
- 응급 상황에서는 transcutaneous ventricular pacing도 사용 가능

(2) permanent pacing의 적응

	class I ★	class IIa
SA node dysfunction (SND)	증상이 있는 서맥 or 증상이 흔한 동정지 증상이 있는 chronotropic incompetence 꼭 필요한 약물로 인해 유발된 증상이 있는 서맥	증상과 서맥과의 관련성이 불확실한 심박수 40회/분 미만의 SND 원인 불명 실신 환자가 EPS에서 심한 SND가 발견 또는 유발된 경우
AV block	3도/고도 AV block 환자가 아래 중 1개 이상을 동반시 　(a) AV block에 의한 증상(HF 포함) or 심실부정맥 　(b) 증상이 있는 서맥을 일으키는 약물 치료가 필요시 　(c) 3초 이상의 asystole 또는 escape rate <40회/분 　(d) 5도 이상의 동정지를 동반한 무증상 AF 　(e) AV junction의 catheter ablation 이후 　(f) 수술 후 발생한 AV block이 호전되지 않을 때 　(g) 전도계를 침범할 수 있는 신경근육질환 　　(e.g., myotonic dystrophy, Kearns-Sayre synd., 　　Erb dystrophy, peroneal muscular dystrophy) 증상을 동반한 2도 AV blcok 무증상의 3도 AV block: 심비대/좌심부전 환자에서 　평균 ventricular rate >40회/분 (any block site) 　or AV node 이하의 block 운동유발성 2/3도 AV block (ischemia 없을 때)	무증상의 3도 AV block: 심비대 없는 환자 에서 평균 ventricular rate >40회/분 무증상의 His 이하 부위의 type II AV block 　(EPS로 발견됨) Pacemaker syndrome과 비슷한 증상 or 　혈역학적 불안정을 보이는 1/2도 AV block 무증상의 narrow QRS type II 2도 　AV block (*isolated RBBB를 포함한 　wide QRS 발생시엔 class I 적응이 됨)
만성 Bi- or trifascicular block	Advanced 2도 AV block or 간헐적인 3도 AV block Type II 2도 AV block 교대성 BBB	원인(e.g., AV block, VT)을 찾지 못한 실신 무증상의 EPS상 HV interval ≥100ms EPS상 pacing에 의해 infra-His block 유도
AMI 이후	His 이하 부위의 3도 AV block or 교대성 BBB를 동반한 His 이하 부위의 지속적인 2도 AV block BBB를 동반한 일시적인 2/3도 infranodal AV block 지속적이고 증상이 있는 2/3도 AV block	[class IIb] AV node level의 지속적인 2/3도 AV block 　(증상에 관계없이)

- **기타 class I 적응**
1. 지속성 pause-dependent VT에서 빈맥 발생 예방을 위해
2. 자동으로 빈맥을 발견/종료시키기 위해 조율하는 pacemaker
   (1) 조율(pacing)에 의해 종료되는 증상이 있는 재발성 SVT (약물과 catheter ablation 실패 후)
   (2) 증상이 있는 재발성 sustained VT에서 automatic defibrillator system의 일부분으로
3. Carotid sinus hypersensitivity & neurocardiogenic syncope
   (1) Carotid sinus 자극에 의해 발생되는 재발성 syncope
   (2) Carotid sinus를 살짝만 압박해도 3초 이상의 asystole 발생시
4. 심장이식 이후 발생한 부적절한 or 지속적 증상을 동반한 서맥이 호전될 기미가 안 보일 때

* class I : 널리 인정되는 적응증 / class II : 논란이 있지만 긍정적인 면이 우세한 적응증

- endocardial leads (subclavian, axillary, cephalic veins 등을 통해 leads를 심장 내에 삽입/고정)
  - atrial pacing → RA appendage
  - ventricular pacing → RV apex
- epicardial leads의 적응 (개흉술 후 leads를 심근외벽에 고정)
  ① 정맥을 통한 삽입이 불가능할 때
  ② 심장수술 등으로 흉부를 절개하였을 때
  ③ endocardial leads를 제대로 위치시키기 어려울 때 (e.g., 혈관 기형)

2. Pacing modes

예) Single-chamber atrial P.   Single-chamber ventricular P.   Dual-chamber Pacemaker

심방에서 자발 P wave를 탐색
하다가(sensing), P wave가
감지되지 않으면 심방에서
전기 자극 발산(pacing)

심실에서 자발 QRS wave를 탐색
하다가(sensing), QRS wave가
감지되지 않으면 심실에서
전기 자극 발산(pacing)
→ wide QRS complex

심방에서 자발 P wave가 감지되지 않으면
전기 자극 발산 / 설정된(programmed)
PR interval (AV interval) 이후로 심실에서
QRS wave가 감지되지 않으면 심실에서
전기 자극 발산 → wide QRS complex

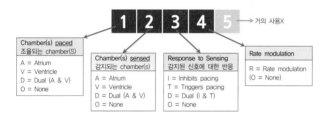

* 가장 흔히 쓰이는 모드 ; VVIR, DDDR
  (R: 운동 등의 생리적 변화에도 반응하여 HR를 조절, physiologic pacing)

(1) VVI
• 장점 ; 크기가 작고, 간단하며, 저렴하고, 수명이 길다
• 단점 ; AV synchrony를 유지할 수 없어 심박출량 감소, AF 및 embolism의 위험
• 금기 ; pacemaker syndrome을 가진 환자

(2) AAI
┌ AV conduction이 정상인 (e.g., PR <0.24초, 각차단 無, HR 120~140 이상에서 1:1 방실전도)
└ symptomatic sinus node dysfunction (SND) 환자에 사용 가능
  ↳ 드물지만 AV 전도장애를 동반할 수 있으므로, 대개는 DDD(R)를 사용함
                                                            ↓
  ① 변형 AAIR pacing with backup ventricular pacing : AAIR 모드에서 AV block이
     감지되면 DDDR로 자동 전환, AV block이 없으면 다시 AAIR로 자동 전환
  ② AV delay management (AVdm) : 불필요한 RV 조율(pacing) 방지를 위해
     (∵ RV pacing에 의한 부작용↓, 배터리 수명↑) AV interval의 수동 최적화 or
     AV hysteresis 프로그래밍 (자발 심실박동이 감지되면 설정한 값만큼 다음 pacing을 늦춰
     자발 박동을 더 오래 기다림 → pacemaker 개입을 최소화하여 자발 박동의 회복 유도)

(3) DDD
• 장점 ; AV synchrony를 유지할 수 있으며, 신체생리(혈역학)에 가장 적합
• 단점 ; crosstalk (pacemaker에서 나오는 심방자극이 심실감지기에서 감지되어 심실자극이
  억제됨), pacemaker-mediated tachycardia 발생 가능

- 금기
  ① chronic Af or AF
  ② chronotropic incompetence 환자 (→ VVIR or DDDR 모드로)
  ③ retrograde VA conduction을 가진 환자 (∵ pacemaker-mediated tachycardia 발생 위험)
- 간헐적인 atrial tachyarrhythmia 환자는 자동으로 DDI or VVI로 전환되는 기능이 있는
  DDD pacemaker를 사용해야 됨

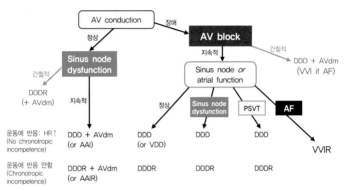

*AVdm (AV delay management) : AV interval 조절 or hyteresis를 통한 불필요한 RV pacing 방지

3. 부작용

(1) Pacemaker syndrome
- VVI, DDD 모드(ventricular pacing)에서 AV synchrony 상실시 발생 가능
- 발생기전
  ① atrium이 ventricular systole에 기여 못함
  ② TV가 닫힌 상태에서 심방이 수축 → vasodepressor reflex (cannon *a* wave에 의해 시작)
  ③ AV valve이 닫힌 상태에서 atrial contraction → systemic & pul. venous regurgitation
- 증상 ; 피곤, 어지러움, 실신, 목과 흉부의 고통스런 박동, JVP↑, CHF, BP↓
- 대책
  ① dual-chamber pacing (DDD)으로 바꿈 (AV conduction이 정상이면 AAI)
  ② ventricular demand pacemaker 사용자의 경우 escape rate를 paced rate보다 15~20 bpm
     느리게 reprogramming (i.e., hysteresis)

(2) Pacemaker-mediated tachycardia
- DDD 모드에서 발생 가능
- 발생기전 ; 심실의 조기수축 or 조율(pacing)된 심실자극이 역전도 되어 심방을 depolarization
  (negative P wave) → pacemaker에서 감지되어 다시 심실 자극 → endless-loop tachycardia

• 대책
① retrograde VA 전도를 일시적으로 차단할 수 있는 vagal maneuver
② 자석을 갖다 대어 일시적으로 pacemaker의 tracking을 마비시킴
③ 심방의 불응기를 길게 reprogram 또는 DVI, VVI 모드로 바꿈

전기생리학적검사 (electrophysiologic study, EPS)

1. 이용

① 부정맥의 진단과 electrophysiologic mechanism 파악
② tachycardia의 치료 (electrical stimulation or electroshock),
  myocardial ablation으로 further tachycardia 발생 예방
③ 치료의 효과 판정 ④ 급사 위험이 높은 환자의 발견

2. 전극카테터의 위치

① HRA (high RA) : 우심방 상부 (SVC와 RA의 경계부)
② HIS or HBE (His bundle electrogram) : 삼첨판고리 전중격부
③ RVA (RV apex) : 우심실 첨부
④ CS (coronary sinus) : 좌측 심장의 AV groove

3. 활용 예

(1) AV block

• atrial-His (AH) interval (정상 : 60~125 ms) - AV node의 conduction time을 반영
• AV block 환자에서 EPS (intracardiac ECG recording)의 적응증 ★
  (증상이 있는 2/3-degree AV block 환자는 바로 pacemaker로 치료하므로 필요 없고,
  아래 4그룹의 환자들에서 pacemaker 삽입 여부 결정위해 필요)
① AV block이 없고 BBB or bifascicular block을 보이는 syncope 환자
  - HV interval 연장시 (>100 ms) → permanent pacemaker
  - 다른 원인 확인위해 심방/심실을 포함한 완전한 EPS 시행
② 2:1 AV conduction 환자
  - ECG에서는 Mobitz type I (intranodal), II (infranodal)의 전형적인 소견을 감별하기
    어려우므로 전도장애의 부위를 파악하기 위해 EPS 시행
  - infranodal (infra- or intra-His bundle) block의 소견 (→ pacemaker 치료)
    ┌ conducted P wave의 PR interval ≤0.16 s
    │ atropine or exercise에 대한 반응 : 악화
    │ carotid sinus massage에 대한 반응 : 호전
    └ retrograde conduction 존재

③ BBB를 동반한 Wenckebach (Mobitz type I) block 환자

　: PR interval의 최대 변화가 50 ms 이하일 때 intra- or infra-His block 시사 → pacemaker

④ 증상이 없는 3rd-degree (complete) AV block 환자

　- junctional pacemaker의 stability를 평가

　- exercise/atropine/isoproterenol 등에 대한 반응이 안 좋거나, ventricular pacing에 의해 junctional recovery time이 연장되면 ⇨ pacemaker 치료!

(2) intraventricular conduction disturbance

- His-ventricular (HV) interval (정상 : 35~55 ms)
  - His-Purkinje system의 conduction time을 반영
  - complete AV block 발생 예측에 high specificity (80%), low sensitivity (66%)
- long HV interval (>55 ms) → trifascicular block 발생 위험↑, 구조적 질환 존재↑, 사망률↑
- very long HV interval (>80~90 ms) → AV block 발생 위험 증가
- 적응증 ; 증상(syncope)이 bradyarrhythmia나 tachyarrhythmia와 관련이 있어 보이지만 원인이 밝혀지지 않은 환자 (→ 실제 원인은 AV block 보다 심실 tachyarrhythmia인 경우가 많다)

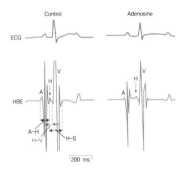

< EPS의 예 >

정상 및 adenosine 투여 후 HBE
(His-bundle electrogram)

A : atrial deflection
H : His-bundle spike
V : ventricular deflection
A-H (atrial-His) interval
H-V (His-ventricular) interval
H-S : total ventricular conduction time

* adenosine 투여 후에 A-H interval이 연장된 것이 관찰됨

* PR interval = A-H + H-V

(3) sinus node dysfunction

- 예 ; slow sinus rate, sinus pause (arrest), sinoatrial block 등
- 적응증 ; SA node dysfunction 증상이 있지만, EKG (24hr)에서 arrhythmia가 발견되지 않을 때
- SNRT (sinus node recovery time) ⇧ : overdrive atrial pacing (suppression) 후 정상 sinus rhythm을 회복하기까지의 시간 (pause) [정상 <1500 msec]
  - secondary pause : pacing 후 처음에는 normal sinus cycle이 나타나고, 이후에 secondary pause가 발생하는 것 → sinoatrial exit block에서 호발
- cSNRT (corrected SNRT) ⇧ = SNRT - intrinsic sinus cycle length (msec) [정상 <525 msec]
  - spontaneous sinus rate가 SNRT에 영향을 미치므로
  - intrinsic sinus cycle length = 60000/HR
  * SSS의 경우 대개 SNRT ≥2000 msec, cSNRT ≥1000 msec

- SACT (sinoatrial conduction time) ⇧ [정상 45~125 msec]
  - SACT와 SNRT 각각은 sensitivity 약 50%
  - SACT + SNRT 측정시 sensitivity 65%, specificity 88%
- IHR (intrinsic heart rate) ⇩ [정상 IHR = 118.1 - (0.57×age)]
  - autonomic blockade (atropine + β-blocker) 뒤 HR 측정
  - asymptomatic sinus bradycardia 환자의 분류에 이용
    - primary sinus node dysfunction : IHR 감소
    - autonomic imbalance : IHR 정상
- SA node dysfunction은 다른 장애(e.g., AV 전도장애)도 동반되어 있는 경우가 흔하므로 해석에 주의가 필요함

(4) tachycardia

- EKG에서 aberrant conduction을 동반한 SVT와 VT가 감별이 어려울 때 도움
  - SVT : HV interval이 정상 (normal sinus rhythm 때와 동일) or 증가
  - VT : HV interval 감소 or His deflection이 not clear
    - VT에서 HV interval이 일관되게 감소된 경우
      ① ventricle-origin activation에 의한 His bundle의 retrograde conduction (e.g., PVC, VT)
      ② accessory pathway를 통한 conduction (preexcitation syndromes)
    - VT에서 HV interval이 정상 or 약간 증가된 경우 (유일)
      ; bundle branch reentry (His activation은 retrograde direction)
- 적응증
  ① symptomatic, recurrent, or drug-resistant SVT or VT 환자에서 치료 방법 선택을 위해
  ② tachyarrhythmia가 드물게 발생하는 환자에서 정확한 진단을 위해
  ③ wide QRS tachycardia에서 aberrant conduction을 동반한 SVT와 VT의 감별
  ④ 비약물적 치료 예정시 (e.g., electrial devices, catheter ablation, 수술)
  ⑤ cardiac arrest 이후에 생존한 환자의 평가
  ⑥ prior MI 환자에서 sustained VT 발생 위험 평가
  - long QT syndrome과 TdP는 적응이 아님

■ 항부정맥제 (antiarrhythmic agents)

1. 분류 (Vaughn-Williams)

• 작용 부위에 따라 크게 두 범주로 나눌 수 있음

(1) AV node blocking drugs : 칼슘전류에 의존적인 AV node에 주로 작용

⇨ class Ⅱ, class Ⅳ, adenosine, digoxin

(c.f., amiodarone은 class Ⅲ이지만 AV node의 전방향 전도에도 영향을 미침)

(2) membrane-active antiarrhythmic drugs : 빠르게 반응하는 조직에 주로 작용

(심방, 심실근, accessory pathway 등의 전도에 고루 영향)

⇨ class Ⅰ, class Ⅲ

• but, 대부분의 항부정맥제는 다양한 작용 기전을 가지고 있음

Class Ⅰ	Local anesthetic or membrane-stabilizing activity
	: fast-response action potential을 가지는 조직의 inward Na^+ current를 block하여 depolarization phase의 maximal velocity (V_{max})를 감소시키고 심장 내 전도를 느리게함
	  A. ↓ V_{max} & ↑ 불응기(action potential duration)
	    – Ix ; SVT, VT/VF, symptomatic VPC의 예방
	    – 예 ; Quinidine, Procainamide, Disopyramide, Ajmaline
	  B. ↓ 불응기(action potential duration)
	    – Ix ; VT/Vf, symptomatic VPC의 예방
	    – 예 ; Lidocaine, Phenytoin, Tocainide, Mexiletine
	  C. ↓↓ V_{max}
	    – Ix ; life-threatening VT or VF, refractory SVT
	    – 예 ; Flecainide, Encainide, Propafenone, Moricizine, Pilsicainide

Class Ⅱ	β-blockers : SA node의 automaticity↓, AV node의 불응기↑ & 전도속도↓
	(상심실성 빈맥 및 교감신경계 항진에 의한 부정맥에 유용)
	  – Ix ; SVT/VF의 예방
	  – 예 ; Propranolol, Esmolol, Nadolol, Acebutolol

Class Ⅲ	Fast-response action potential을 가지는 조직의 outward K^+ current를 block하여 repolarization phase를 지연시켜 action potential duration (불응기) 연장
	  – Ix ; Aiodarone: refractory VT, SVT/VT, VF 예방; Sotalol: VT; Bretylium: VF, VT
	  – 예 ; Amiodarone, Dronedarone, Bretylium, Sotalol, ibutilide, Dofetilide, Almokalant

Class Ⅳ	Slow CCB : slow-response action potential을 가지는 조직의 전도속도 감소 & 불응기 증가
	  – Ix ; SVT
	  – 예 ; Verapamil, Diltiazem만 항부정맥제로 쓰임

Class Ⅴ	분류 안 되는 것
	  – Ix ; SVT 등
	  – 예 ; Digoxin, Adenosine

2. 부작용

	Proarrhythmic Cx	Nonarrhythmic Cx
Quinidine		설사, N/V, cinchonism, 혈소판감소
Procainamide	Long QT & TdP, Af에서 1:1 심실반응, 구조적심장질환자에서 일부 심실빈맥↑	Lupus 양상, A/N, neutropenia
Disopyramide		항콜린작용, 심근수축력↓
Lidocaine	Sinus node depression, His-Purkinje block	Dose-related CNS toxicity ; 어지러움, 혼돈, 섬망, 경련, 혼수
Mexiletine	부정맥 악화, 서맥, 저혈압 (드물)	떨림, 말더듬, 어지러움, 감각이상, 복시, 안구진탕, 혼돈, 불안, N/V
Flecainide	Af에서 1:1 심실반응, 구조적심장질환자 에서 일부 심실빈맥↑, 동성 서맥	미각이상, 소화불량, N/V
Propafenone		심근수축력↓
Amiodarone*	동성 서맥, AV block, defibrillation의 불응기↑↑, 드물게 TdP	떨림, 말초신경병증, 폐독성, 간독성, 갑상선이상(hypo/hyperthyroidism)
Sotalol	Long QT & TdP, 동성 서맥	저혈압, 기관지수축
Dofetilide, Ibutilide	Long QT & TdP	구역
Digoxin	고도 AV block, 가속접합부율동, 심방빈맥	A/N/V, 색각이상(yellow vision)
Adenosine	모든 부정맥 발생 가능하나 비교적 안전	기침, 홍조, 호흡곤란, 저혈압

- bretylium, sotalol, dofetilide, procainamide, disopyramide, flecainide 등은 신장으로 배설되므로, 신기능 장애시 용량↓

*Amiodarone
 - Ix ; 다양한 supraventricular & ventricular tachyarrhythmia (e.g., PSVT, AF/At, VT, VF)
 - cardiac arrest에서 defibrillation으로 VT/Vf가 종료되지 않을 때에도 사용 (lidocaine보다 권장됨)
 - 동율동 유지에 가장 효과적인 편
 - 부작용이 많음!
   (1) hepatotoxicity (15%) → 소화기내과 II-3장 참조
   (2) hyperthyroidism (1~2%), hypothyroidism (2~4%) → 내분비내과 4장 참조
   (3) pulmonary toxicity (<3%) : 심장 외 부작용 중 가장 심각
     - 위험인자 ; 고령, 고용량, 투여전 diffusing capacity (DLco)↓
        (투여기간과는 관계가 적은 편이며, 드물지만 저용량에서도 발생 가능함)
     - 임상양상 ; 호흡곤란, 마른기침, 발열 등 / PFT는 restrictive pattern, diffusing capacity↓
     - 기전 ; hypersensitivity reaction, widespread phospholipidosis
     - 폐 독성이 의심되면 즉시 amiodarone 중단 (사망률 10%)
     - 투여 전 PFT, CXR 시행 → 첫 1년은 3개월 마다, 이후에는 6개월 마다 F/U
   (4) 임신 중 안전성은 모름, 다른 대체약물이 없을 때에만 사용 가능

*Dronedarone
 - noniodinated derivative of amiodarone, amiodarone과 비슷하지만 rapid sodium current를 더 강력히 억제함
 - Ix ; AF/At의 동율동 전환 및 유지
 - 부작용
   (1) 심부전 악화 (→ NYHA class III or IV 환자는 금기), QT 연장 (부정맥 유발은 드물)
   (2) GI intolerance (e.g., nausea, diarrhea)
   (3) iodine이 없으므로 amiodarone보다 폐 및 갑상선 부작용은 적음
   (4) 임신부엔 금기(pregnancy category X)

3
심부전

개요

- 심부전 : 여러 원인에 의한 심장구조/기능의 이상으로 전신 조직에서 필요한 만큼의 충분한 혈류를 공급하지 못하는 병태생리학적인 상태

  (과거에는 대부분 부종을 동반하므로 울혈성 심부전[congestive HF, CHF]이라 하였으나, 이뇨제등의 발달로 울혈을 동반하지 않는 경우가 많으므로 그냥 심부전으로 부름)

- 유병률 약 1.6% (연령에 따라 급격히 증가, 70세 이상의 6~10%), 고령화와 의료발달로 증가 추세

- 남≒여 (우리나라: 남<여) ⋯ 여성의 수명이 길기 때문

- Cardiac output (C.O) = stroke volume (SV) × heart rate (HR)

  * <u>stroke volume의 결정인자</u>

  ① myocardial contractility

  ② preload ; 확장기말 심실용적(VEDV)

  ③ afterload : 수축기동안 심실벽에 발생되는 긴장(systolic wall stress)

  $$= \frac{심실내압력 \times 심실크기(직경)}{2 \times 심실벽두께} \quad (\text{LaPlace's law})$$

  - 임상에서 afterload의 예측에는 수축기 동맥압이 유용
  - afterload가 증가된 경우 CO 감소 또는 혈압의 상승을 의미

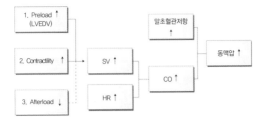

• 심부전의 원인/병인

Systolic dysfunction (수축 장애) → EF 감소	허혈성 심근손상 or 기능장애 ; CAD, hypoperfusion (shock) 만성 압력 과부하 ; HTN, obstructive valve dz. 만성 용적 과부하 ; regurgitant valve dz., 심장내 L-to-R shunt, 심장외 shunt 비허혈성 확장심근병증 ; familial/genetic, toxin/drug, infection, infiltration 등
Diastolic dysfunction (이완 장애) ; restricted filling, stiffness↑ → EF 정상/보존★	병적 심근비후 ; primary (HCM), 2ndary (HTN) 노화, 허혈, 섬유화 제한심근병증 ; infiltration (e.g., amyloidosis, sarcoidosis), storage dz. 등 Endomyocardial disorders
기계적 이상	심장내 ; valve dz., 심장내 shunt, 기타 선천성 질환 심장외 ; 폐쇄성(e.g., coarctation, supravalvular AS), L-to-R shunt (PDA)
Rate & rhythm의 장애	서맥성 부정맥 ; sinus node dysfunction, 전도 장애 등 빈맥성 부정맥 ; ineffective rhythm, chronic tachycardia 등
Pulmonary heart dz.	Cor pulmonale, 폐혈관질환 등
High-output states	대사성 ; thyrotoxicosis, beriberi 등 과도한 혈류 요구 ; chronic anemia, systemic AV shunt 등

– Myocardial failure (m/c) ; ischemic heart diseases
– Afterload의 증가 ; acute hypertensive crisis, severe pul. embolism ...
– Preload의 감소 ; severe MS, severe TS, HCM, 제한심근병증, constrictive pericarditis ...

* 원인 질환 : 거의 모든 심장질환에서 발생할 수 있음 (HTN은 75%에서 동반됨)
  ① 허혈성심질환/관상동맥질환 (m/c, 60~75%)
  ② 심근병증 (2nd m/c)
  ③ 기타 ; 고혈압성, 판막성, 선천성 심질환

• 만성 심부전의 악화(acute decompensation) 원인

치료의 중단, 과도한 활동, 무분별한 식사, 음주, 고지대
약물(cardiac depressant) ; CCB, β–blocker, 항부정맥제, doxorubicin, cyclophosphamide, anti-TNF Ab ...
수분/염분저류(e.g., estrogen, androgen, steroid, NSAIDs), Volume overload (e.g., 수혈, 수액 투여)
감염, 발열, 빈혈, 갑상선중독증, 임신
부정맥, 감염성 심내막염, 심근염
HTN의 악화, MR/TR의 악화
심근 허혈/경색
폐색전증 (→ pulmonary HTN)

* arrhythmia가 HF를 유발하는 기전
  ① tachyarrhythmia → ventricular filling time ↓ → diastolic HF
     (IHD 환자에서는 ischemic myocardial dysfunction도 유발)
  ② AV dissociation → atrial pump 기능 (atrial kick) 소실 → atrial pr. ↑
  ③ abnormal intraventricular contraction → 심실 수축의 부조화
  ④ HR 감소(e.g., complete AV block, 심한 서맥) → CO ↓

심부전의 보상기전(병태생리)

- 보상기전 자체가 심부전을 더욱 악화시킬 수 있음
- 긍정적인 면과 부정적인 면이 공존
  - 초기에는 긍정적인 면이 우세하여 CO 유지에 도움 (→ 증상 발생 지연)
  - 말기에는(심근수축력이 더욱 감소하면) 부정적인 면이 우세해짐

1. Frank-Starling mechanism

- preload (VEDV)가 증가할수록 심근의 수축력은 증가됨 (→ CO↑)
- 초기에는 salt & water retention 등으로 preload를 증가시켜 CO를 유지하지만,
  진행되면 폐울혈 및 전신부종 등의 증상을 일으킴

c.f.) preload에 영향을 미치는 인자
  ① total blood volume
  ② blood volume의 distribution ; body position, intrathoracic pressure, intrapericardial pressure,
    venous tone, skeletal muslce의 pumping action
  ③ atrial contraction

2. Compensatory hypertrophy (ventricular remodeling)

① eccentric hypertrophy (심장확대) → systolic failure
  - volume overload에 의해 발생 (e.g., valvular regurgitation)
  - wall thickness/ventricular cavity size ratio 변화 없음
② concentric hypertrophy (심장비대) → diastolic failure
  - pressure overload에 의해 발생 (e.g., AS, untreated HTN)
  - wall thickness/ventricular cavity size ratio 증가
③ hypertrophy & dilatation : MI 뒤 경색 부위는 압력에 의해 늘어나고(stretching), 비경색 부위는
  pressure & volume overload에 의해 hypertrophy가 발생되는 형태
- 초기에는 심근의 양을 증가시켜 각 심근세포의 부담(wall stress)을 감소시킴
- hypertrophy가 부족하면, 심실이 확장되어 wall stress는 더욱 증가되는 악순환에 빠지게되고, 또한
  심한 hypertrophy는 ventricular filling을 어렵게 하며 myocardial ischemia도 일으킬 수 있음

■ Ventricular Remodeling

- 심장 손상 and/or 비정상적인 혈역학 부하에 의해 LV mass, volume, shape, composition 등이
  변하는 것 → 심장의 모양이 구형으로 변하고 (LVEDV↑), 심실벽이 얇아짐(wall thinning)
- LV dilation
  (1) afterload 증가 → functional afterload mismatch → stroke volume↓에 기여
  (2) papillary muscles tethering → functional MR → 혈역학 부하 더욱 증가

- end-diastolic wall stress ↑
  (1) subendocardial hypoperfusion → LV function 악화
  (2) oxidative stress ↑ → free radical generation-sensitive genes 활성화↑ (e.g., TNF, IL-1β)
  (3) stretch-activated genes 지속적 활성화 (e.g., angiotensin II, endothelin, TNF) and/or
      hypertrophic signaling pathways의 stretch 활성화
- myocyte biology의 변화 ; hypertrophy, myocytolysis, β-adrenergic desensitization,
  excitation-contraction coupling, myosin heavy chain gene expression, cytoskeletal proteins
    ↳ Ca²⁺ (심근 수축/이완의 중심 조절자) cycling proteins ; ryanodine receptor 2 (RyR2),
      L-type Ca²⁺ channel, sarcoplasmic/endoplasmic reticulum Ca²⁺ ATPase 2a
      (SERCA2a), phospholamban complex 등 → 기능 or 유전자발현 이상 → 심근수축 장애
- remodeling은 심장간질의 변화도 동반함(→ myofibrils 방향 변화, progressive fibrosis)
  ⇨ ejection 효율↓ (forward CO↓) ; 특히 transmural MI에서 현저하게 발생

3. 혈류의 Redistribution

┌ vital organ (뇌, 심장 등)으로 blood flow를 더 많이 가게 함
└ non-vital organ (근육, 피부, 신장 등)으로의 blood flow는 감소
- 중요한 보상기전으로 작용 / 초기에는 운동시에만 뚜렷하지만, 진행되면 평상시에도 나타남
- 수분 축적 (신혈류↓), 미열 (피부혈류↓), 피로 (근혈류↓)
- adrenergic-induced vasoconstriction 때문
  (but, vasoconstriction에 의해 afterload가 증가되면 CO은 더욱 감소 가능)

4. 신경호르몬 및 cytokines의 변화

① 교감신경계의 활성화 : 혈중 norepinephrine (NE) ↑↑
- 초기에는 HR와 심실수축력을 증가시켜 CO↑
- 말기에는 afterload↑ (말초혈관저항↑), 부정맥, 직접적인 심독성(에너지 소비 증가와
  Ca²⁺ overload에 의한 심근세포의 손상↑) 등을 일으킴
- 혈중 NE 농도가 높을수록 예후는 나쁘다!
- chronic severe HF에서는 myocardial β-receptors와 cardiac NE stores는 감소됨
  - 일반적으로 β₁-receptor가 down-regulation되며, β₂-receptor는 큰 변화 없음
  - β-adrenergic receptor kinase 1 (βARK1 = G protein-coupled receptor kinase 2 [GRK2])
    발현은 증가됨 → β₁- & β₂-receptors desensitization에 모두 기여

② renin-angiotensin-aldosterone (RAA) system의 활성화
┌ angiotensin II ↑ → vasoconstriction
└ aldosterone ↑ → Na⁺ retention, edema 악화, 교감신경계 활성화,
                   심근/혈관/혈관주위 섬유화, arterial compliance↓
- 국소 심근조직 내에서도 항진되어 angiotensin II는 직접 심장독성을 일으킴
  (→ cardiac hypertrophy↑ & ventricular remodeling)

③ arginine vasopressin (AVP, ADH) ↑ : 강력한 vasoconstrictor, 신장에서 free water 재흡수↑

④ endothelin & TNF-α
- endothelin ↑ (매우 강력한 vasoconstrictor) → afterload ↑↑
- 혈중 & 심근내 TNF-α ↑ → 심실 기능장애를 일으킴
- endothelin or TNF-α antagonists → LV 기능↑ (but, 예후 향상은 없음)

⑤ vasodilator peptides ↑
- ANP (atrial natriuretic peptide), BNP (brain natriuretic peptide) 등이 대표적
- 작용 ; sodium 배설↑ (소변양↑), 혈관저항↓, renin-angiotensin 분비↓
- 다른 신경호르몬 활성화에 의한 sodium 저류와 혈관수축을 완화하는 유리한 작용을 하지만 효과는 부족함
- 혈중 ANP, 특히 BNP의 상승은 나쁜 예후와 관련

Vasodilators	Vasoconstrictors
ANP, BNP	Endothelin 1
Bradykinin	Renin, angiotensin II
Nitric oxide (formerly EDRF)	Thromboxane A₂
Prostaglandins (PGE₂, PGI₂), Prostacyclin	Vasopressin (AVP, ADH)
Eicosanoids, Kinins, Adenosine	Oxygen-free radicals
EDHF (endothelium-derived hyperpolarizing factor)	Neuropeptide Y, Urotensin II

심부전의 형태

* 심부전의 형태를 구분하는 것은 임상적으로 (특히 초기에) 유용하나, 말기로 갈수록 구분은 사라짐

1. Systolic v/s Diastolic HF

(1) Systolic HF (= HF with reduced EF, HFrEF)
- 정상적으로 수축하여 충분한 혈액을 내보내지 못하는 것 (CO↓) : EF <40%
  → weakness, fatigue, exercise tolerance 감소, 기타 hypoperfusion의 증상
- arterial-mixed venous oxygen difference 증가
- 예 ; acute massive MI (cardiogenic shock) or PE, idiopathic DCM, chronic HTN ...
- 대부분의 HF 환자는 systolic HF와 diastolic HF가 공존 (e.g., chronic IHD)

(2) Diastolic HF (≒ HF with preserved EF, HFpEF)
- 심실이 정상적으로 이완(relaxation) 및 filling되지 못하는 것
  → 좌/우 심실의 이완기 압력 증가에 의한 증상 발생
- 정의 : EF ≥50%이면서 HF의 증상/징후를 보이는 것
  (EF로는 나타나지 않는 systolic dysfunction 동반도 많음)
- 남<여, 특히 고령의 HTN 여성에서 흔함, 예후는 systolic HF (HFrEF)보다 좋음 (입원시엔 비슷)
- 위험인자 ; HTN (→ LVH & fibrosis), 고령, CAD, DM, 수면관련 호흡장애, CKD, 비만 ...
  - 노화 ; myocytes↓ (apoptosis), fibrosis↑, vascular compliance↓

　　－ 허혈성심질환 ; subendocardial fibrosis 또는 acute/intermittent ischemic dysfunction 때문
　　　(↳ 치료의 발달로 infarct size↓ → LV remodeling↓ → HF with preserved EF 증가)
・<u>LV의 크기는 대개 정상, LA는 확장됨</u> (∵ diastolic filling 제한)
・심실 이완에는 ATP가 중요 ; 심근 허혈로 인해 ATP 농도가 낮아지면 심실 이완 속도 감소
・HF 환자의 15~30%는 systolic dysfunction은 없는 '순수한' diastolic dysfunction만 가짐

① ventricular relaxation 장애 – 대부분의 심장질환에서 초기의 장애
　(resting시 LVEDP 증가는 없고, 운동시 dyspnea가 생길 수 있음)
　; LVH, HCM, myocardial ischemia/infarction
　⇨ tachycardia 예방이 중요한 치료 목표 (∵ HR↑ → diastolic filling time↓ → LVEDP↑)
② restrictive filling (LV compliance↓ → ventricular inflow에 대한 저항↑
　& ventricular diastolic capacity↓ → resting LVEDP↑)
　; constrictive pericarditis, restrictive / hypertensive / hypertrophic cardiomyopathy
　⇨ LA pr. (preload)를 줄이는 것이 치료 목표 (e.g., diuretics)
③ myocardial fibrosis & infiltration
　; dilated / chronic ischemic / restrictive cardiomyopathy, subendocardial fibrosis

	Systolic HF	Diastolic HF
LV hypertrophy	++	++++
LV dilation	++	–
LA enlargement	++	++
EF 감소	++++	

* LVEDP (= mean LA pr. = PCWP)
　┌ 정상 : 12 mmHg
　├ >18 mmHg → congestion 시작
　└ >20 mmHg → pul. edema

* CO (cardiac index)의 정상 범위 : 2.2~3.5 L/min/m^2

■ Ejection fraction (EF)이 보존된/정상인 경우 (HFpEF)
　: 전체 HF 환자의 약 50% 차지
① diastolic dysfunction : HFrEF보다 약간 적지만, 점점 증가 추세
② cardiomyopathies with preserved EF, pericardial dz., right HF (e.g., pul. HTN, RV infarct)
③ high-output HF
④ acute AR
⑤ episodic or unrecognized systolic dysfunction ; intermittent ischemia, arrhythmia,
　　severe HTN, alcoholic cardiomyopathy (일부에서 금주시 빨리 EF 회복) ...

2. Low v/s High Output HF

(1) Low-output HF
　・대부분 안정시 CO이 정상 하한치 정도는 유지됨 (운동시에는 정상적인 CO 상승이 없음)
　・예 ; IHD, HTN, dilated cardiomyopathy, valvular disease, pericardial disease...

(2) High-output HF
　・CO이 정상 범위의 상한치 or 증가 : cardiac index 2.5~4.0 L/min/m^2

- arterial-mixed venous oxygen difference 정상 or 감소 (정상 : 35~50 mL/L)
- 예 ; AV fistula, thyrotoxicosis, anemia, beriberi, Paget's disease, myeloma, psoriasis, 신장질환,
  간질환, 비만, 임신, polycythemia, carcinoid syndrome, fever 등

3. Acute v/s Chronic HF

(1) Acute HF
- 심장기능이 정상이었다가 갑자기 HF 발생하는 것
- 저혈압과 폐부종이 주 증상 (말초 부종은 없음)
- 예 ; 판막 파열 (e.g., AMI, 외상), 감염성 심내막염, acute MR, aortic dissection ...

(2) Chronic HF
- 비교적 장기간에 걸쳐 서서히 증상이 악화되는 경우
- 호흡곤란, 전신부종 등은 흔하나, 혈압은 말기 이전까지는 잘 유지됨
- 예 ; dilated cardiomyopathy, multivalvular heart dz. ...

4. Right v/s Left-sided HF

(1) Right-sided HF (RHF)
- 폐울혈에 의한 증상은 드물고, 말초부종, 울혈성 간비대, 전신 정맥확장 등이 주로 나타남
- 예 ; RV infarction, PS, chronic pul. embolism, primary pul. HTN,
  cor pulmonale (e.g., COPD) ... (but, left-sided HF가 m/c 원인!)

(2) Left-sided HF (LHF)
- 폐울혈에 의한 dyspnea, orthopnea, rales 등이 주 증상
- 예 ; AR, ischemic heart dz. ...

* RHF의 가장 중요한 원인이 LHF이므로 이 둘의 차이는 뚜렷하지 않으며, HF가 수개월~수년
  지속되면 좌우의 구분은 사라짐
  (이유) ① LHF → 2ndary pul. HTN → RHF
  ② salt & water retention
  ③ 좌우심실의 muscle bundles, wall, septum은 연속적
  ④ HF에서의 생화학적 변화는 좌우심실에 다 영향을 미침

■ 임상양상/분류

1. 폐울혈에 의한 증상

- **호흡곤란**(심부전의 m/c 증상) ; 초기에는 운동시 호흡곤란으로 시작
  → 점차 적은 운동시에도, 말기에는 휴식시에도 호흡곤란 발생
- **기좌호흡**(orthopnea) : 누워 있으면 호흡곤란이 심해지고 앉으면 호전됨

- paroxysmal nocturnal dyspnea (PND) : 밤에 자다가 심한 호흡곤란, 천명, 기침 등이 발생하는 것
  - cardiac asthma : PND에 기관지수축을 동반된 것
  - orthopnea와는 달리 앉아도 증상이 지속됨
- Cheyne-Stokes respiration (periodic or cyclic respiration)
  (∵ respiratory center의 arterial PCO_2에 대한 sensitivity 감소로)
- acute pulmonary edema (폐울혈이 진행되어 매우 심해진 상태)   → 뒷 부분 참조
  ; 극심한 호흡곤란, rales, bloody sputum 등이 발생
- pleural effusion (hydrothorax) : 대개 양측성으로 발생하지만, 단측성인 경우 오른쪽에서 더 흔함
- **rales** (moist, inspiratory, crepitant) : 수분저류 정도보다는 HF 진행 속도를 반영,
    chronic HF에서는 드묾

2. 전신울혈에 의한 증상

- <u>RHF</u>에서 보다 잘 나타나나, 심한 LHF에서도 나타남
- 말초부종 : 중력을 받는 부위에 호발 (↔ 신장질환의 부종과 차이)
  ; 다리의 pitting edema (특히 pretibial, ankle) / 저녁에 가장 심함, 이뇨제 치료시에는 드묾
- 울혈성 간비대(tender, pulsating), 비장비대, 복수
  → advanced HF를 시사 (특히 constrictive pericarditis, TV dz.에서 심함)
- 황달(bilirubin↑), 간효소↑ … 급성 간울혈일수록 심함

3. 기타 증상

- <u>fatigue</u>, weakness, reduced exercise capacity (∵ CO 감소 때문)
- 식욕부진, 오심, 복통, 복부팽만감 (∵ 장관벽 부종 및 간울혈 때문 … RHF)
- 뇌동맥경화 노인에서는 심한 HF시 의식장애 발생 가능 : 착란, 집중/기억 장애, 두통, 불면증, 불안
- nocturia (흔하며, 불면증을 일으키기도 함), 심한 만성 HF 환자에서는 우울증과 성기능장애도 흔함
- 심인성 악액질(cardiac cachexia)
  - chronic severe HF에서 심한 체중감소와 함께 발생, poor Px.
  - 원인 ① cytokines (e.g., TNF) ↑
         ② 호흡근의 운동량↑, 심근의 O_2 요구량↑ → metabolic rate↑
         ③ 울혈성 간비대에 의한 식욕부진/오심/구토 등, digitalis 중독
         ④ 장관 정맥 울혈에 의한 intestinal absorption 장애
         ⑤ protein-losing enteropathy

4. 청진 소견

- 심부전의 원인 질환에 의한 소견도 청진 가능
- S_3 ; 심한 LV dysfunction에 특이적인 소견이지만, EF가 감소되고 LV filling pr.가 증가된
       일부 환자에서만 들림
- S_4 ; HF에 비특이적이며, 대개 <u>diastolic dysfunction</u>시 들림
- 심실 확장 → 2ndary MR (TR) → systolic ⑩ : advanced HF에서 흔함

┌ MR의 ⑩ : apex에서 잘 들림
└ TR의 ⑩ : 흉골좌연 하부에서 잘 들림
• 폐울혈 → 양측 폐야 하부의 흡기시 수포음
 (cardiac asthma에서는 호기시 wheezing도 동반 가능)

5. 기타 진찰 소견

• systolic BP : 초기에는 정상/증가, 말기에는 대개 감소 (∵ 심한 좌심실부전)
• diastolic BP 증가 (∵ generalized vasoconstriction)
• CO↓ (HFrEF) ⇨ pulse pr.↓, pulsus alternans (교대맥), displaced LV apical impulse
  (심첨박동point of maximal impulse 전위 [좌하로] : HF에 특이적인 편이지만, 흔하지는 않음)
• 전신 정맥압 (CVP) 상승 ⇨ 경정맥 확장 (JVP↑) : HF에 특이적인 편이지만, 흔하지는 않음
• abdominojugular (hepatojugular) reflux : 복부에 압력을 가하면 JVP 상승 → HFrEF 시사
• skin ; (CO↓ →) cold, pale, diaphoretic (∵ 교감신경계 활성화 때문)
• urine ; 소변량 감소, SG↑, sodium 농도↓, albumin (+)
  – prerenal azotemia도 발생할 수 있음
• severe, acute HF ; systolic hypotension, sinus tachycardia, Cheyne-Stokes respiration

6. 검사

(1) routine lab. ; CBC, electrolytes, BUN, Cr, LFT, UA 등
  (일부 필요한 환자에서는 DM, dyslipidemia, 갑상선관련 검사 등도 시행)
(2) EKG ; 동성 빈맥(예후와도 관련), 심방 부정맥(AF 등), LVH or RVH, Q wave (IHD),
  PR↑ (infiltrative cardiomyopathy), QT↑ (전해질 이상, 심근질환, 약물 등 → TdP 위험) ...
(3) chest X-ray ; cardiomegaly (약 1/2에서), pul. congestion, Kerly B line, pleural effusion 등
(4) 영상검사 (LV 기능 평가)
 • 심초음파 (필수) ; HF의 정확한 진단 및 치료방침 결정에 중요
   – 좌심실의 용적 및 기능 평가, HF의 원인 질환, 판막 상태 확인 등에 유용
   – LVEF ; 2D echo.에서 modified Simpson's rule로 많이 측정, 3D echo.가 더 정확
   – doppler echo. (color, TDI) ; LV mechanics (diatolic dysfunction)의 정량적 평가!

구조적 이상	LAE: LAVI (LA volume index) >34 mL/m²
	LVH: LVMI (LV mass index) >115 g/m² (여성 >95)
기능적 이상	평균 E/e' ratio ≥13 (정상: <8) … 좌심방 압력(LVEDP)을 반영!
	평균 e' velocity <9 cm/s (정상: >8)
	E/A ratio <1 (relaxation 이상), >2 (restrictive filling) (정상: 1~2)
	IVRT >90 (relaxation 이상), <60 (restrictive filling) (정상: 70~90 msec)

 • 심초음파 F/U이 필요한 경우 ; 임상양상의 의미 있는 변화 or 사건, 심장 기능에 영향을 미칠 수
   있는 치료를 받은 경우, 기구치료의 대상자인 경우 등
 • 심초음파가 불충분한 경우 MRI, CT, 핵의학검사(SPECT, PET, ventriculography) 등 고려
   – MRI ; 심장 구조 + 기능 파악에 유용 (LV 크기/용적 평가의 gold standard)
   – 핵의학검사 ; 동반 허혈성심질환(IHD) 진단 및 동면(생존 가능) 심근 진단에 유용
                                                            → 1장 참조

(5) biomarkers
  • BNP (B-type natriuretic peptide) or N-terminal pro-BNP (NT-proBNP) ↑
        ↳ ≥35 pg/mL   ↳ ≥125 pg/mL
    – 심근세포에서 합성되어 wall stress가 증가되면 분비됨, EF 감소하면 더욱 많이 증가
    – HF 진단 (dyspnea의 D/Dx), severity 판정, 예후 예측, 약 용량 결정, 치료효과 판정에 유용!
    – 치료를 받지 않은 환자에서 BNP가 정상이면 HF를 R/O할 수 있음! (NPV 높음)
    – HF 외에 증가되는 경우 : 고령, 여성, 신부전, CAD, 심근질환 (LVH 포함), 판막/심장막질환,
        심근염, 독성/대사성 심근 손상 (CTx. 포함), 심장수술, cardioversion, AF, PE, pul. HTN,
        심한 폐렴, 폐쇄성 수면 무호흡, LC, anemia, bacterial sepsis, severe burn, ARNI 복용 ...
        (c.f., 모든 종류의 CAD 환자에서 BNP는 독립적인 예후인자임)
    – HF 환자에서 BNP가 낮은 경우 ; 안정되고 증상이 없는 HF, 치료받은 HF, 비만,
        급격히 진행된 폐부종(1~2시간 이내), 좌심실 위쪽 원인에 의한 HF (acute MR, MS)
  • 심근 손상 표지자 ; troponin T & I (명확한 CAD 없어도 HF 환자에서 상승 가능) → poor Px.
  • 심근 섬유화 표지자 ; soluble ST-2, galectin-3 → HF 환자의 입원율과 사망률 예측에 유용,
        BNP에 더해 HF 진단에 추가적인 유용성을 보임
  • but, HF의 치료방침 결정을 위한 biomarkers의 연속적인 측정은 권장되지 않음!
(6) exercise test (treadmill or bicycle) ; 심장이식을 고려하는 경우 시행
      (peak oxygen uptake [V_{O_2}] 14 mL/kg/min 이하면 내과적 치료보다는 심장이식이 생존율↑)

CHF 진단의 Framingham Criteria ★

Major criteria	Minor criteria
발작성 야간 호흡곤란	운동시 호흡곤란
수포음(rales)	야간 기침
심비대(cardiomegaly)	말초(전신) 부종
급성 폐부종(acute pulmonary edema)	간비대(hepatomegaly)
경정맥 확장	Pleural effusion
정맥압 증가 (>16 cmH₂O)	Vital capacity 정상보다 1/3 감소
제3 심음 (S₃ gallop)	Tachycardia (≥120 회/분)
Hepatojugular reflux (+)	5일간 치료 후 4.5 kg 이상 체중 감소

* HF의 진단을 위해서는 major 2개 or major 1개 & minor 2개 이상 만족

ACC/AHA stage		NYHA functional classification		
		Class	신체 활동의 제한	증상 발생
A	HF 고위험군, 구조적심질환이나 증상은 없음	I	없음	심한 활동시
B	구조적심질환은 있지만, HF 증상/징후는 없음			
C	구조적심질환이 있고, 과거 또는 현재 HF의 증상 존재	II	약간 제한됨	일상적인 활동시
		III	심하게 제한됨	일상보다 적은 활동시
D	특수한 치료가 필요한 refractory HF	IV	모든 활동이 제한됨	휴식시에도

NYHA IIIa: 휴식시 호흡곤란 없음, IIIb: 최근에 휴식시 호흡곤란 발생

(ACC: American College of Cardiology, AHA: American Heart Association, NYHA: New York Heart Association)

★ LVEF에 따른 분류 ⇨ 치료방침 결정!

	ACC/AHA guideline (2013)		ESC guideline (2016)	
	LVEF(%)		LVEF(%)	
HFrEF	≤40%	Systolic HF	<40%	
HFpEF	≥50%	Diastolic HF	≥50%	NP↑(BNP >35 pg/mL and/or NT-pro BNP >125 pg/mL) + 아래 중 하나 이상
HFpEF, borderline	41~49	Borderline or intermediate group	HFmrEF 40~49	(1) 구조적심질환 (LVH and/or LAE) (2) 이완기장애 (E/e' ≥13 & mean e' <9 cm/s)
HFpEF, improved	>40	과거에 HFrEF였다가 호전됨		

(ESC: European Society of Cardiology, HFrEF: HF with reduced EF, HFpEF: HF with preserved EF, HFmrEF: HF with mid-range EF)

* 현재 HFrEF는 치료방침도 있고 약물에 의한 survival 연장 효과가 증명되었지만,
  HFpEF는 survival 연장 효과가 증명된 약물이나 확립된 치료방침이 없음!

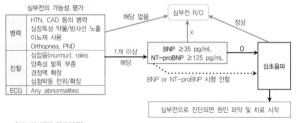

〈심부전 진단 알고리즘〉

치료

1. 심부전 치료의 구성 요소

(1) 일반적인(비약물) 치료
(2) 기저질환(원인)의 교정
(3) 유발인자의 제거
(4) 심기능 악화의 예방
(5) 울혈성 심부전 상태의 치료

* 치료 목표(원칙)

① excessive sodium & water retention의 조절
② cardiac workload (preload & afterload)의 감소
③ myocardial contractility의 향상

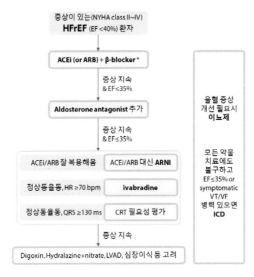

* ACEi or β -blocker 중 어느 것을 먼저 시작하냐는 중요치 않음 (결과 동일)
　둘 다 목표 용량까지 시기적절하게 잘 증량하는 것이 더 중요함 (약 2주 간격으로 증량 권장)
* 용량을 늘릴수록...
　┌ ACEi : 입원율 감소 (survival 향상은 없음)
　└ β -blocker : 용량과 비례하여 심장기능 향상, 입원율 및 사망률 감소 (but, 약 1/4만 최대 용량 도달 가능)

심부전의 ACC/AHA/HFSA "stage"에 따른 치료

Stage A	Stage B	Stage C	Stage D
HF 고위험군, No Sx	구조적 심질환, No Sx	구조적 심질환, Sx 有	Refractory end-stage HF

일반적인(비약물) 치료 ; HTN 치료, dyslipidemia/metabolic syndrome 치료, 금연, 절주, 규칙적인 운동
(stage Ⅲ 부터는 염분섭취 제한도)

ACEi (or ARB, ARNI)*

β –blocker* (or ivabradine*)

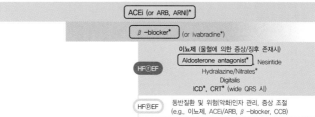

이뇨제 (울혈에 의한 증상/징후 존재시)
Aldosterone antagonist*, Nesiritide
Hydralazine/Nitrates*
Digitalis
ICD*, CRT* (wide QRS 시)

HF①EF

HF⑫EF 동반질환 및 위험(악화)인자 관리, 증상 조절
(e.g., 이뇨제, ACEi/ARB, β –blocker, CCB)

지속적인 inotropic agents
VAD (ventricular assist device)
심장이식, 기타 연구중인 치료법

*Survival↑(사망률↓) 효과 증명된 것

(ACC: American College of Cardiology, AHA: American Heart Association, HFSA: Heart Failure Society of America)

Stage	NYHA classification	ACEi	ARB	β–blocker	이뇨제	Aldosterone antagonist	Digitalis	ICD	CRT (QRS >120)
B	무증상 LV기능이상 (class Ⅰ)	○	ACEi 금기시	Post-MI	×	Recent MI	AF	×	×
C	증상이 있는 HF (class Ⅱ)	○	○	○	수분저류시	Recent MI	AF, 더 심한 HF 에서 회복	○	×
	심한 HF (class Ⅲ~Ⅳ)	○	○	○	○ (병합요법)	○	○	○	○
D	말기 HF (class Ⅳ)	○	○	○	○ (병합요법)	○	○	×	○

2. 일반적인(비약물) 치료

- 염분(NaCl) 제한 : HF가 심해질수록 더 많이 제한
  - 대개 정제염(salt, NaCl) 5 g/day (≒ natrium [sodium] 2 g/day) 미만으로 제한
  - 수분 저류를 동반한 심한 HF의 경우 salt 1 g/day로 제한
  - HF 말기에 수분 배설 장애로 dilutional hyponatremia 발생시 염분 뿐아니라 수분 섭취도 제한
  - mild HF 환자는 염분 섭취 제한만으로도 증상의 호전 가능
- 수분 제한 : 말초부종을 동반한 급성 악화, hyponatremia 시에만 1.5~2 L/day로 제한
- 비만 환자는 체중 감량 (열량 섭취 제한 /but, 영양결핍이 발생되지 않도록 주의)
- 육체적 & 정신적 휴식 (but, absolute bed rest는 안 좋음)
- regular, isotonic exercise (예; 걷기, 수영, 실내 자전거 등) 적극 권장, 심한 운동은 금기
  → 효과 ; 증상↓, 운동능력↑, 삶의 질 향상

- 고혈압, CAD, DM, 고지혈증, 빈혈 등 동반질환의 치료, 금연, 알코올 제한
- NSAIDs (COX-2 inhibitors 포함) 사용 제한 (∵ 신부전 및 수분저류 위험 증가)
- <u>고혈압</u>/협심증 동반시 치료제로 ^{non-DHP}CCB (verapamil, diltiazem) 사용은 금기! (∵ 심근 수축력↓)
  → ^{2/3세대DHP}CCB (amlodipine, felodipine)는 사용 가능 (심부전 사망률 감소 효과는 없음)
- 항부정맥제 대부분은 HF의 사망률을 증가시킴 (예외 ; amiodarone, dofetilide)
- influenza 및 pneumococcal vaccination
- 운동과 심장재활(cardiac rehabilitation) 치료 → 심실기능과 삶의 질 개선, 사망률 감소

3. 이뇨제

: 과다 축적된 염분과 수분의 배설↑ → preload↓

┌ 울혈에 의한 심부전 증상을 호전/예방 (but, survival 연장 효과는 없다)
└ 수분 저류 (울혈에 의한 증상/징후)가 있는 모든 HF 환자에서 우선적으로 투여!

(1) Thiazide diuretics (e.g., hydrochlorothiazide, chlorthalidone)

- mild HF에는 단독으로 투여 가능, severe HF에서는 다른 이뇨제와 병용
- GFR이 정상의 50% 이상이어야만 효과적
- Cx. ① hypokalemia (→ digitalis intoxication 위험 증가)
  * 예방 ┌ K⁺-sparing diuretics 병용 (spironolactone, triamterene)
          └ intermittent dosage schedule, KCl 보충
  ② hyperuricemia, Na⁺↓, Cl⁻↓, Ca²⁺↑, Mg²⁺↓
  ③ glucose intolerance (hyperglycemia), hyperlipidemia (TG & cholesterol 5~10%↑)
  ④ skin rash, purpura, dermatitis ⑤ thrombocytopenia, granulocytopenia

(2) Metolazone

- thiazide와 작용 비슷하지만 더 강력함, 중등도의 renal failure 환자에서도 효과적
- thiazide와 metolazone은 loop diuretics의 효과를 증가시킴

(3) Loop diuretics

- furosemide (lasix), bumetanide, torsemide
- 매우 강력한 이뇨제, 특히 심한 HF 때 유용 (e.g., 난치성 HF, 폐부종)
  (Na⁺, K⁺, Cl⁻ 재흡수 억제 및 free water clearance↑)
- hypoalbuminemia, hyponatremia, hypochloremia, GFR↓ 환자에서도 효과적
- 난치성 HF에서는 IV로 투여하거나 다른 이뇨제와 병용
- Cx ; circulatory collapse, renal blood flow↓, prerenal azotemia, metabolic alkalosis, hypokalemia, hypocalcemia, hyperuricemia, hyperglycemia, weakness, bloody dyscrasia ...

(4) K⁺-sparing diuretics

- spironolactone : aldosterone의 경쟁적 억제제로, 이뇨 작용뿐 아니라 신경호르몬 억제제로서의 작용도 가짐 (low-dose는 이뇨 효과는 약하지만, advanced HF 환자에서 수명연장 효과는 있음)
- triamterene, amiloride : spironolactone과 신장에서의 효과는 비슷하지만, 기전은 다름
  (직접 distal tubule/collecting duct에 작용)
- 효과 ; Na⁺ diuresis, K⁺ retention

- loop and/or thiazide diuretics와 병용해야 가장 효과적 (hypokalemia 예방)
- C/Ix. ; serum K^+ >5 mmol/L, renal failure, hyponatremia

■ **이뇨제의 선택**
- mild~moderate HF → oral thiazides/metolazone or loop diuretics
  (hyperglycemia, hyperuricemia, hypokalemia가 없는 환자에서)
- severe HF → loop diuretics + thiazide/metolazone + K^+-sparing diuretics
- acute HF (특히 폐부종시) → IV loop diuretics
- K^+-sparing diuretics ; thiazides와 loop diuretics의 효과를 증가시킴
- spironolactone ; 심각한 secondary hyperaldosteronism을 동반한 HF

4. 활성화된 신경호르몬계의 억제

* renin-angiotensin-aldosterone system (RAAS) 및 교감신경계의 만성적인 활성화는
  ventricular remodeling, 심기능의 악화, 부정맥 등을 일으킴

(1) ACE inhibitor (ACEi)
- 약제 ; captopril, enalapril, lisinopril, ramipril, trandolapril ...
- 기전 (angiotensin I → angiotensin II로의 전환 및 kininase II 억제)
  ① angiotensin II에 의한 혈관수축 억제 → 혈관확장
  ② aldosterone 분비 감소 → Na^+ retention, myocardial fibrosis 감소
  ③ kininase II 억제 → <u>bradykinin</u> level↑ → PG, nitric oxide↑ (→ 심장보호 작용)
     (↳ nonproductive cough, angioedema 유발)
- 작용/효과 : 주로 local (tissue) renin-angiotensin system 억제에 의해
  ① 혈관확장 → preload, afterload 감소 → 심실벽 stress, 산소요구량 ↓
  ② ventricular remodeling 억제   ③ ventricular ischemia or arrhythmia 감소
  ④ 이뇨제와 함께 염분의 배설 촉진   ⑤ 운동능력 향상, 입원 감소
  ⑥ 심부전 환자의 증상 및 사망률 감소, survival 증가
  ⑦ 심부전이 없는 심실기능장애 환자에서 심부전 발생 예방
- 특히 MI, HTN, valvular regurgitation 등에 의한 systolic HF에서 효과적
- Ix. ; 특별한 금기가 없는 한 <u>모든</u> 심실기능장애 및 심부전 환자에게 사용!
- C/Ix. ; <u>임신, angioedema</u>, 신기능장애(Cr >3 mg/dL), hyperkalemia (K^+ >5.5 mmol/L),
         (절대 금기)   심한 저혈압(SBP <80 mmHg), bilateral renal artery stenosis
- Cx. ; <u>cough</u> (m/c, ~15%), <u>hyperkalemia</u>, hypotension, renal insufficiency, dysgeusia, rash,
        neutropenia, proteinuria, <u>angioedema</u> (<1%)...
- ACEi를 장기간 사용하면 angiotensin II level이 다시 상승되는 "escape" 현상이 나타날 수 있음

(2) Angiotensin Receptor Blockers (ARB)
- 약제 ; valsartan, candesartan, irbesartan, losartan ...
- angiotensin II의 나쁜 효과에 관여하는 type AT1 receptor를 직접 차단
- Ix. ; hyperkalemia와 신기능감소 <u>이외</u>의 부작용(cough, angioedema, leukopenia) 때문에 ACEi를
        사용할 수 없는 심부전 환자에서 사용 (모든 환자에서 ACEi 대신 우선 사용하자는 근거는 부족함)

- ACEi + β-blocker 사용 중인 class Ⅱ~Ⅳ HF 환자에서 2nd line Tx로도 사용 가능
  ★ hyperkalemia/신기능장애로 ACEi/ARB 사용 못하면 ⇨ hydralazine + isosorbide dinitrate
  (but, 사망률 감소 효과는 ACEi/ARB보다는 적음)
- C/Ix. ; 임신(절대 금기), Cr >3 mg/dL, hyperkalemia, 저혈압, bilateral renal artery stenosis
- ACEi처럼, β-blocker와 병용시 LV remodeling 억제, 증상 호전, 입원 감소, 수명 연장 효과
- 이미 ACEi + β-blocker를 투여 받는 환자에게 ARB 추가시 survival 이득은 없이 부작용 증가

(3) Angiotensin Receptor-Neprilysin Inhibitor (ARNI) : Entresto®
- dual inhibitor = valsartan (ARB) +
  sacubitril [neprilysin(neural endopeptidase, NEP)을 억제하여 natriuretic peptides 농도↑]
- HFrEF 환자에서 ACEi or ARB보다 더 입원율과 사망률을 감소시킴!
- ARB or ACEi를 대신하여 HFrEF 1차 치료제로 사용 가능
- Cx. ; hypotension, angioedema (ARNI 투여 최소 36시간 이전에는 ACEi를 중단해야)

(4) Aldosterone (mineralocorticoid) receptor antagonist (ARA, MRA, AA)
- spironolactone (nonselective), eplerenone (selective)
- RAAS의 활성화에 의해 생성된 aldosterone에 의한 부작용들(e.g., 염분 저류, 전해질 이상,
  endothelial dysfunction → myocardial fibrosis)을 감소시킴
- K^+-sparing diuretics보다는 neurohormonal antagonist로 생각해야 됨
  (단독으로는 이뇨 작용이 약하므로 대개 다른 이뇨제와 병용)
- advanced HF (NYHA class Ⅲ, Ⅳ) 환자에서 다른 약물 치료에 추가시 LV remodeling 억제,
  증상 개선, 입원율 및 사망률 더 감소 효과 (특히 SCD 크게 감소)
- Ix. ; class Ⅱ~Ⅳ HF & EF≤35% 환자에서 ACEi + β-blocker 등에 추가적으로 사용
- Cx. ; <u>hyperkalemia</u> (m/i), painful gynecomastia (10~15%, eplerenone은 드묾)
  ↳ 신기능저하시 발생↑, K^+-sparing diuretics 및 신독성약제(e.g., NSAID)와 병용 주의
- Cr >2.5 mg/dL (C_{Cr} <30 mL/min) or K^+ >5 mmol/L면 권장 안됨
  c.f. ; eplerenone은 간에서 같이 대사되는(CYP3A4) ketoconazole, itraconazole 등과 병용 금기
- ACEi, ARB, aldosterone antagonist 3가지 동시 사용은 안됨 (∵ hyperkalemia↑)

(5) non-ISA β-blockers
┌ metoprolol(지속형), bisoprolol, nebivolol (70세 이상) : selective β_1-blocker
└ <u>carvedilol</u> : nonselective β_1+β_2-blocker, weak α-blocker (이외 다른 β-blocker들은 효과 없음!)
  (↳ mild vasodilation과 antioxidant activity 효과도 가짐)
- 교감신경계의 활성화는 심부전 진행에 관여하는 중요한 기전이므로, β-blockers의 적절한 사용은
  HF에 의한 사망률을 감소시킴 (기전 ; <u>HR↓</u>, ventricular remodeling 억제, apoptosis↓ 등)
- Ix. ; 특별한 금기나 내성이 없는 한 모든 심실기능장애 및 stable HF 환자에서 사용
  (대개 ACEi, 이뇨제 등과 병용), 심한 HF시는 주의
- 저용량으로 시작하며, 2~4주 간격으로 증량 → 목표 용량까지 / 반응 없으면 최대한 고용량!
- C/Ix. ; asthma (COPD는 아님), 2/3도 AV block
- <u>relative C/Ix.</u> (주의 깊게 or 전문가 사용 가능)
  ① severe HF (e.g., NYHA class Ⅳ)
  ② 최근에(4주 이내) 증상이 악화되거나, 심한 수분저류 (폐부종, JVP↑, 복수, 말초부종) 환자

③ 증상을 동반한 저혈압 (systolic BP <90 mmHg)   ④ sinus bradycardia (<60 bpm)
⑤ 휴식시 허혈 증상이 있는 말초동맥질환   ⑥ IV inotropic agents 치료를 받고 있는 환자
- 만약 β-blocker 사용 환자에서 (+) inotropic agents가 필요한 경우에는 반드시
  phosphodiesterase Ⅲ inhibitor (milrinone)를 사용해야 됨
- β-blocker 사용 중 문제 발생시
  – 수분저류(e.g., 호흡곤란) → 이뇨제 추가/증량, β-blocker 감량/중단 (이뇨제 효과 없을 때)
  – 증상(e.g., 피곤)을 동반한 서맥(<50 bpm) → β-blocker 감량 (심하면 중단),
    다른 HR-slowing drugs (e.g., digoxin, amiodarone, CCB) 용량/필요성 재검토
  – 증상(e.g., 현기증, 어지러움)을 동반한 저혈압 → CCB, vasodilators, nitrates 등의 용량/필요성
    재검토, 수분저류 증상이 없으면 이뇨제나 ACEi의 감량도 고려

(6) ivabradine
- sinus node의 funny (I_f) K^+ channel에 작용하여 심장 수축력에는 영향 없이 <u>맥박수만</u> 감소시킴
- 관상동맥 확장 작용도 있음 → CO 유지, coronary flow↑ → 심장의 산소 요구량 감소 효과
- class Ⅱ~Ⅲ HFrEF, HR 70 bpm 이상 환자에서 입원율 및 사망률 감소가 증명되었음
  ⇨ ACEi + β-blocker + aldosterone antagonist 치료 후에도 HR 70 bpm 이상인 경우 투여
    (β-blocker보다 심박수 감소, 삶의 질 개선, 사망률 감소 등에 더 효과적임)
- Ix.(우리나라 보험) : 정상 동율동이 확인된 chronic HF 환자에서 LVEF ≤35%, HR ≥75 bpm이지만
  β-blocker를 쓸 수 없을 때 대신 or β-blocker 최대 용량에서도 HR 저하가 부족할 때 병용

5. 심근수축력 촉진제 (강심제, inotropic agents)

(1) Cardiac glycoside (Digitalis)
- 작용기전
  ① myocardial contractility↑ : (+) inotropic effect
    (Na^+, K^+,-ATPase 억제 → 세포내 Na^+↑ → 세포내 Ca^{2+}↑)
    – 다른 약물들과 달리 HR의 증가 없이 수축력을 증가시킴
  ② AV node의 전도 지연 → Af/AF에서 심실반응을 느리게 함
  ③ ectopic beat↑, reentry↑ : 고농도에서 (automacity & ectopic impulse activity↑)
- digitalis의 적응증
  ① ACEi, β-blocker, 이뇨제 등의 표준치료 이후에도 증상이 지속되는 HF 환자
  ② chronic IHD나 과도한 volume/pressure overload를 가진 hypertensive, valvular, or
    congenital heart dz.에 의해 심실수축력이 저하된 환자
  ③ <u>Af/AF를 동반한 symptomatic LV systolic HF 환자</u>
  ④ AV nodal reentry에 의한 PSVT의 예방
- 증상완화(입원기간↓, 재입원율↓)에는 도움이 되지만, survival 연장 효과는 없음!
- 효과가 적은 경우 ; 정상 sinus rhythm의 HF 환자, EF/수축기능이 정상인 환자(<u>HFpEF</u>),
  cardiomyopathy, myocarditis, MS, chronic constrictive pericarditis,
  AMI (∵ 이미 심근이 괴사), multifocal atrial tachycardia
- WPW syndrome에서 빈맥증(PSVT, Af, AF) 발생시는 금기 ★
  (∵ accessory pathway의 불응기를 감소시켜, VF 유발 위험)

- digoxin의 분포
  - 유일하게 경구로 투여 가능한 inotropic agent
  - 반감기 1.6일, 85%가 신장을 통해서 배설됨
  - plasma에는 투여량의 1%만 존재하고, 99%가 조직에 결합 (심장 내 농도는 plasma의 30배)
    → dialysis, exchange transfusion, cardiopulmonary bypass 등에 의해 효과적으로 제거 안됨
- 단점 : 치료효과와 독성을 보이는 혈중 농도의 차이가 적다
- digitalis 투여시 주의점
  ① 반드시 EKG monitoring   ② renal function test (∵ digitalis는 신장으로 배설)
  ③ PO가 IV보다 효과가 좋고, IM은 효과가 없다
  ④ hypokalemia, hypercalcemia시 독성위험 커지므로 전해질 검사 필요

■ Digitalis Intoxication

- 증상 : 2 ng/mL 이상에서 독성 발생 ⇨ 혈중 농도는 반드시 1 ng/mL 미만으로 유지!
  ① GI Sx. (anorexia, nausea, vomiting) - earliest Sx.
  ② 두통, 어지러움, 의식장애, 경련, 색각이상(yellow vision)
  ③ 부정맥 (1/2에서는 심장외 증상보다 선행)

  > (1) Automaticity↑ (세포내 calcium↑) → SVT, PVC 등
  > (2) AV conduction↓ (AV node의 vagal effect↑) → AV block 의 조합으로 발생

  - VPCs (m/c, bigeminy/trigeminy 형태로), VT (polymorphic/bidirectional VT 포함), VF
  - sinus/atrial arrhythmia ; sinus bradycardia, SA block, AT (with 2:1 AV block), AF, Af ...
  - 다양한 degree의 AV block ; 특히 nonparoxysmal atrial (or AV junctional) tachycardia
    with variable AV block이 특징

Digitalis Intoxication 유발인자 ★	
고령	Hypercalcemia (e.g., hyperparathyroidism)
AMI or ischemia	DC cardioversion
Renal insufficiency	혈중 digoxin 농도↑ 약물 ; quinidine,
Hypothyroidism (hyperthyroidism시는 digoxin 농도↓)	verapamil, amiodarone, flecainide,
Hypoxemia (e.g., COPD)	propafenone, spironolactone,
Hypokalemia (m/c) (e.g., 이뇨제 사용, 2° hyperaldosteronism)	omeprazole, itraconazole, TC, EM,
Hypomagnesemia	alprazolam 등

- 치료
  ① digitalis 사용 중단
  ② potassium (high-grade AV block, hyperkalemia 때는 금기), magnesium
  ③ 심실빈맥 → lidocaine, phenytoin, overdrive pacing 등
    - quinidine, procainamide, bretylium 등은 금기!
  ④ 심방빈맥 → β-blocker (심한 HF, AV block 때는 금기!)
  ⑤ AV block → atropine, pacemaker 등
  ⑥ digitalis antibody (purified Fab fragment) : severe intoxication 시
  * DC cardioversion : 심한 부정맥을 유발할 수 있으므로 가능한 사용하면 안 됨! (VF시는 씀)
- chronic digitalis intoxication : anorexia, N/V, HF 악화, 체중감소, cachexia, neuralgia,
  gynecomastia, yellow vision, delirium 등의 증상을 보임

(2) Sympathomimetic amines

β_1 : heart rate ↑, 수축력 ↑
β_2 : vasodilation
α : vasoconstriction

* 주로 β-receptor에 작용하는 것 → 심근 수축력 ↑
  ; isoproterenol, norepinephrine, epinephrine, dopamine, dobutamine
- HF시 dopamine, dobutamine이 가장 효과적 (continuous IV infusion)
- survival 연장 효과는 없고 부작용이 흔하므로 매우 제한적으로 사용됨
- intractable, severe HF (특히 가역적 요소가 있는 경우)에 유용
  → 단기간의 inotropic support가 필요한 경우 사용
  (e.g., 심장수술 후, AMI, shock, 폐부종, 심장이식 전단계)
- 가장 큰 문제점 - adrenergic receptors의 down regulation에 의한 반응 감소
  (계속 주입시 8시간쯤 후에 발생, 간헐적 투여로 예방)
- tachyarrhythmia 및 ischemia 유발 위험 (tachycardia에 의해 HF가 악화된 경우엔 증상을
  더욱 악화시킬 수 있으므로 금기!)

1) Dopamine

① low dose (<2 μg/kg/min) : dopamine receptor에 작용 → 신장/내장혈관 확장, Na^+배설↑
② moderate dose (2~4) : 심근의 β_1-receptor에 작용 → (+) inotropic & chronotropic 효과
③ high dose (≥5) : α-receptor에도 작용 → 말초혈관수축(전신혈관저항↑) → 동맥압 상승
- dobutamine보다 chronotropic & vasocontrictive effect 큼 (→ 빈맥과 부정맥을 더 잘 일으킴)
- BP와 coronary blood flow 유지 위해서는 moderate~large dose 필요 (특히 MI 뒤)
- 저혈압(systolic BP <60~80) 때문에 dobutamine을 사용할 수 없는 HF 환자에서만 사용

2) Dobutamine

- β_1 (主), β_2, α-receptors에 모두 작용, 용량 2.5~10 μg/kg/min
- 효과 : 강력한 inotropic 작용, 약한 chronotropic 작용, 말초혈관확장
  (동시에 CO은 증가되므로 심한 HF에서 혈압이 떨어지지는 않음)
- dopamine에 비해 chronotropic (빈맥) & vasocontrictive effect는 적음
  → systemic arterial pressure엔 별 영향 없다
- 저혈압이 없는 acute HF (특히 AMI에 의한) 때 유용!

3) Norepinephrine

- 주로 α-receptor에 작용, 강력한 vasoconstricter (주로 말초동맥), afterload를 크게 증가시킴
- 심한 저혈압(SBP <60 mmHg)이 동반된 중증 환자에만 일시적으로 사용

(3) Phosphodiesterase (PDE) 3 inhibitors ; milrinone, enoximone(유럽), amrinone

- bipyridines : noncatecholamine, nonglycoside agents
- phosphodiesterase Ⅲa 억제 → 심근 & 혈관평활근 cAMP↑ → (+) inotropic & 혈관확장 작용
  (dobutamine보다 혈관확장 작용이 커서 LV filling pr.를 크게 감소시킴, 저혈압 위험도 큼)
- severe HF의 혈역학적 이상을 교정할 수 있음 (IV로만 사용), β-blocker 사용 중에도 사용 가능
- 일시적인 증상의 호전뿐, 장기간 사용하면 오히려 사망률 증가
- milrinone (enoximone)이 amrinone보다 부작용이 적고 작용시간이 짧아 많이 쓰임

(4) myofilament Calcium sensitizer (e.g., levosimendan)
- 다른 inotropics와 달리 심근세포 내 Ca^{2+} 농도를 증가시키지 않으면서 수축력을 향상시킴
  (→ 심근 산소요구량 증가 및 심장리듬에 나쁜 영향 없음)
- (+) inotropic & 말초혈관확장 작용, dobutamine보다 부정맥 빈도는 낮고 혈역학적 효과는 우수
  - 심한 저혈압이 없는 low CO HF 치료에 가장 우수한 inotropic agent!
  - β-blocker 사용 중에도 사용 가능, 심한 저혈압 or shock 환자에서는 혈관수축제와 병용해야

(5) cardiac Myosin activators (e.g., omecamtiv mecarbil)
- 다른 inotropics와 달리 ejection 시간을 연장시켜 심근 수축력을 향상시킴 (산소요구량↑ 없음)
- 심기능 향상 및 증상 완화에 더 효과적일 수도 있지만, 아직 연구가 더 필요함

* 혈관확장작용 있는 inotropic agents ; dobutamine, low-dose dopamine, milrinone, levosimendan

6. 혈관확장제 (vasodilators)

- afterload/preload↓ → SV↑ → CO↑, O_2 소비↓
- subendocardial perfusion 유지, aortic pr. 유지, myocardial contractility 유지
- ACEi 치료에도 불구하고 systemic vasoconstriction을 보이는 HF 환자에서 유용
- vasodilators의 분류
  ① arterial vasodilator
    - 주로 afterload를 감소시킴 (SV↑) → systolic HF
    - phentolamine, phenoxybenzamine
    - hydralazine, minoxidil ; direct acting vasodilator
  ② venodilator ; nitrate (e.g., nitroglycerin, isosorbide dinitrate)
    - 주로 preload를 감소시킴 (LVEDP↓) → diastolic HF, CPE (cardiogenic pul. edema)
    - m/c 부작용은 두통 (경미하면 진통제로 치료, 자연 소실되는 경우가 흔함)
  ③ balanced vasodilator (combined arterio-venodilator)
    - afterload와 preload 모두 감소시킴 : pressure-volume curve를 왼쪽으로 이동
      → SV↑, LVEDP↓ (심내막하 심근관류 증가)
    - sodium nitroprusside : 대사산물인 cyanide 독성이 문제
    - isosorbide dinitrate/hydralazine 복합제 (BiDil®) : 미국 흑인 HF 환자에게만 허가됨
    - Nesiritide : recombinant hBNP (human B-type natriuretic peptide), 강력한 혈관확장 작용,
      일부에서는 이뇨 효과
    - ACE inhibitor (e.g., captopril)
- acute HF ; 작용 시작이 빠르고 지속시간이 짧은 약물을 IV로 투여
  ⇨ sodium nitroprusside, nitroglycerin, nesiritide 등이 효과적
- chronic HF ; 부작용등으로 ACEi/ARB를 사용할 수 없거나, ACEi/ARB에 반응이 없을 때
  ⇨ hydralazine + isosorbide dinitrate 병합투여(oral) / survival은 향상되나, ACEi보다는 효과 적음
  (미국 흑인 NYHA class Ⅲ~Ⅳ HFrEF 환자에서는 ACEi + β-blocker 등에 추가 권장)
- hypotension 때는 금기

7. 기타

(1) 항응고제/항혈소판제

- severe/advanced HF 환자는 embolism 위험 증가 (e.g., stroke, 폐색전증, 말초동맥색전증)
- embolism 발생 위험이 높은 HF 환자 ; AF, 혈전색전증 병력(e.g., stroke, TIA), 허혈성 심근질환 (최근의 large ant. MI or LV thrombus를 동반한 최근의 MI)
  ⇨ warfarin (INR 2~3 유지) or NOAC 투여 권장   (→ 앞 장 참조)
- 위험인자가 없는 정상 sinus rhythm의 HF 환자는 항응고제/항혈소판제 투여 권장 안됨!
- <u>aspirin</u> : 허혈성 심근질환에 의한 HF 환자에게 투여 권장 (ACEi 복용 여부에 관계없이)
  ↳ ACEi의 효과를 약화시킬 수 있음 (∵ PG 합성↓)
- clopidogrel 등의 다른 항혈소판제는 ACEi 약화 작용이 없어서 더 효과적일 것으로 예상되지만, HF 환자에서의 추가적인 효과는 아직 검증 안 되었음

(2) 기타 약물

- statins : 다른 적응증이 없으면 권장 안됨 (심부전의 예후와 관련 없음)
- <u>AVP (vasopressin) antagonists</u> (tolvaptan, conivaptan) : 다른 치료(수분제한, ACEi/ARB 등)에 반응 없는 severe hyponatremia (인지장애) 동반 심부전 환자에 사용 가능 (사망률엔 영향×)
- omega-3 (ω-3) polyunsaturated fatty acids (PUFAs, fish oil) : 심혈관질환에 의한 사망률 및 입원율 감소 효과 → (금기가 없으면) 심부전 환자에서 다른 치료에 보조적으로 사용 권장
  (c.f., 항혈소판제/항응고제와 함께 투여하면 출혈 위험 증가 주의)
- 미량영양소(micronutrient) 보충 : thiamine, coenzyme Q10 (CoQ10), L-carnitine, taurine 등이 HF 환자에서 심장기능을 호전시킨다는 일부 연구가 있지만, 일상적으로 권장은 안됨

(3) 부정맥의 치료/예방

- 부정맥의 유발요인
  ① 전해질 및 산염기 이상 (특히 diuretics-induced hypokalemia)
  ② digitalis intoxication
  ③ class I 항부정맥제(e.g., quinidine, procainamide, flecainide)
- amiodarone과 dofetilide를 제외한 대부분의 항부정맥제는 HF에서 (-)inotropic & proarrhythmic
- amiodarone : 대부분의 supraventricular arrhythmias (e.g., AF), asymtomatic VT에서 TOC
  - phenytoin과 digoxin의 농도를 높이고 warfarin과 상승작용 있으므로 주의
  - dronedarone은 (AF에는 효과적이지만) HF를 악화시켜 사망률을 증가시킴
- **심방세동(AF)** : m/c, HF의 15~30%에서 동반, HF 증상 악화 및 thromboembolic Cx. 위험
  - rate control에는 β-blocker가 선호됨 (∵ digoxin : 안정시에만 효과, 운동시에는 효과 없음)
  - rate control이 잘 안되거나 β-blocker를 사용하기 어려운 경우 rhythm control
    ; amiodarone이 안전 → 증상이 지속되면 catheter ablation (pul. vein isolation) 고려할 수
  - 가이드라인에 따라 뇌졸중 예방을 위한 항응고제도 사용
- advanced HF : VPC, asymtomatic VT 등이 흔함
  ↳ 약 1/2이 VF/VT에 의한 **SCD**로, 1/2은 pump failure로 사망
- 심실부정맥은 항부정맥제 단독으로는 치료 안 되고 위험 ⇨ ICD 삽입! (secondary prevention)
  (ICD 단독 or amiodarone and/or β-blocker와 병용)

HFrEF 환자에서 SCD 예방(primary prevention) ⇨ 심율동전환 제세동기(ICD)의 적응(우리나라) ⇨ 사망률 ↓

(1) 비허혈성 HF : 3개월 이상의 적절한 약물치료에도 증상이 지속되는 EF ≤35% NYHA class Ⅱ∼Ⅲ 환자
(2) 허혈성 HF : MI 발병 **40일 이후**, 적절한 약물치료에도 증상이 지속되는 EF ≤35% NYHA class Ⅱ∼Ⅲ 환자
  – NYHA class Ⅰ 환자는 EF ≤30% 여야
  – EF ≤40% + 비지속성 VT + EPS에서 혈역학적으로 의미있는 VF or 지속성 VT 유발되는 경우
* **예외** : 예상 생존 수명이 1년 이하이거나, 삶의 질에 문제가 될 때

(4) 심장재동기화 치료(cardiac resynchronization therapy, CRT)

- CRT-P : dual chamber/biventricular pacemaker (일반적인 pacemaker와 달리 dyssynchrony 개선이 목표) → RA, RV apex, LV (coronary sinus)를 조율하여 resynchronization
- EF 감소된 symptomatic (NYHA Ⅲ∼Ⅳ) HF 환자의 약 1/3에서 inter-/intraventricular conduction 이상 (QRS >120 ms) → 심실 수축의 부조화(ventricular dyssynchrony) → ventricular filling ↓, LV contractility ↓, MR duration/severity ↑ → HF 악화
- 효과 ; EF ↑, LV remodeling 역전, 운동능력 ↑, 삶의 질 향상, 입원 및 사망률 감소
  (QRS >150 ms이면서 전형적인 LBBB 모양일 때 CRT의 치료 효과가 가장 큼)
- Ix. (간략) : 3개월 이상의 적절한 약물치료에도 증상이 지속되는 EF ≤35% HF 환자에서 sinus rhythm & QRS >130 ms면 CRT 사용이 권장됨

HFrEF 환자에서 CRT의 적응(우리나라)

CRT-P (Pacemaker)
 : 3개월 이상의 적절한 약물치료에도 불구하고 증상이 지속되는 HF 환자에서 아래에 해당하는 경우
(1) Sinus Rhythm의 경우
  (a) QRS ≥130 + LBBB + EF ≤35% + NYHA class Ⅱ, Ⅲ, 거동 가능 Ⅳ
  (b) QRS ≥150 + non-LBBB + EF ≤35% + NYHA class Ⅱ, Ⅲ, 거동 가능 Ⅳ
(2) Permanent AF의 경우
  (a) QRS ≥130 + LBBB + EF ≤35% + NYHA class Ⅲ, 거동 가능 Ⅳ
  (b) EF ≤35% 환자에서 심박수 조절을 위해 방실결절차단술(AV junction ablation)이 필요한 경우
(3) 기존 pacemaker의 CRT upgrade or ICD 추가 : EF ≤35% + NYHA class Ⅲ, 거동 가능 Ⅳ 환자에서
  심조율 비율(pacing rate)이 40% 이상인 경우
(4) (다른 원인에 의한) pacemaker 적응 환자 : EF ≤40% + 심조율 비율 40% 이상으로 예상되는 경우
  (3개월 이상의 적절한 약물 치료가 없는 경우에도 인정 가능함)

CRT-D (Defibrillator)
 : CRT-P와 ICD 기준에 모두 적합한 경우에 인정하되,
 위의 (1)에 해당되면서.. NYHA class Ⅱ인 경우에는 QRS ≥130 ms + LBBB + EF ≤30%인 경우에 인정함

- 최근엔 ICD와 결합된 형태의 장비가 개발되어 (CRT-D, CRT-ICD), HF 환자에서 심장수축력 개선 및 VT/VF에 의한 SCD의 예방 효과도 있음 (→ CRT-P보다 사망률 더 감소)

심부전(HFrEF)에서 survival 연장 (사망률 감소) 효과가 증명된 약제/치료법 ★	
① ACEi, ARB, ARNI	⑥ ICD and/or CRT (biventricular pacing)
② β-blocker	⑦ 운동과 심장재활(cardiac rehabilitation) 치료
③ aldosterone antagonist	⑧ 심장이식
④ hydralazine + isosorbide dinitrate	(digitalis 등의 수축촉진제나 일반적인 이뇨제는
⑤ ivabradine	수명 연장 효과 없음!)

8. 기계적 순환 보조장치(mechanical circulatory support, MCS)

: 최대한의 약물치료에도 반응 없는 acute cardiogenic shock or ADHF 환자에서 심실 기능을
보조 or 대치하기 위해 고안된 기계적 장치들

(1) 적응/목적

① bridge to recovery (BTR) : 심실 기능이 회복될 것으로 예상될 때 temporary MCS를 사용
- 예 : AMI, acute myocarditis, postcardiotomy cardiogenic shock
- 만약 예상대로 심근이 회복되지 않으면 implantable MCS or 심장이식으로 진행해야 됨
 (bridge to bridge [BTB] or BTT application)
- C/Ix : 심근 회복이 어려워 보일 때, 심장이식이나 implantable MCS가 불가능할 때
② bridge to candidacy (BTC)/ bridge to decision (BTD) : 심장이식 등 치료방침 결정이 아직
불확실할 때, 환자 상태를 안정시킬 목적으로 temporary MCS를 사용
③ bridge to transplantation (BTT) : 심실 기능이 회복이 예상되지 않는, 심장이식이 예정된
환자에서 이식 전까지 심실 기능 유지를 위해 사용
- 예 : longstanding ischemic/valvular/idiopathic cardiomyopathy, severe AMI/myocarditis
④ destination therapy (DT) : 말기 심부전(chronic advanced HF) 환자에서 근치적 목적으로
(심장이식 대체) durable implantable MCS (e.g., HeartMate)를 사용하는 것

근치적(DT) 목적의 MCS 사용 적응[모두 해당해야]
1. 심장이식에 적합하지 않음
2. 심각한 기능 장애 : 지난 60일 중 45일 이상 NYHA class IIIb or IV 증상 발생
(가이드라인에 따른 최대 용량의 약물치료에도 불구하고)
3. LVEF <25%
4. IV inotropes 14일 동안 (or IABP 7일) 유지하지 않으면
최대산소소비량(peak exercise oxygen consumption, peak VO₂) ≤14 mL/kg/min
↳ 최대 심박출량과 비례

- 말기 심부전 환자의 삶의 질 및 생존율 향상에 (약물 치료보다) 큰 도움!
- 최근에는 부작용(e.g., CVA, 감염, 출혈, 기계고장)도 많이 줄어 사용이 증가하고 있음

(2) temporary MCS devices

- intra-aortic balloon pump (IABP)
 - femoral artery로 삽입 후 mild thoracic aorta에 거치함
 - "counterpulsation" : 이완기에는 풍선을 가스(helium)로 부풀리고, 수축기에는 가스를 뺌
 - 효과 : 이완기 혈압↓, afterload↓, 심근 산소 소모량↓, coronary artery perfusion↑, CO↑

IABP의 적응
AMI에 의한 cardiogenic shock associated
Revascularization 치료 전/후로 고위험 환자를 안정화 (PCI 중에도 사용 가능)
LV dysfunction (EF <40%); 폐색된 관상동맥이 심근의 40% 이상을 담당할 때
AMI의 기계적 합병증 : MR, VSD(R)
*Aortic insufficiency or Aortic dissection에서는 절대 금기임

- 연구 결과 AMI cardiogenic shock 환자에서 (revascularization 치료를 적절히 받은 경우)
 생존율 차이 없음 / AMI에 의한 기계적 합병증(e.g., VSR, MR)에서 수술 전 가교치료는 도움

- extracorporeal life support (ECLS) (= ECMO) : 심폐 bypass 순환 (혈액 산소화로 preload↓)
  - cardiogenic shock & oxygenation 장애에서는 venoarterial (VA)-ECMO가 choice
  - 심각한 심부전 환자에서 가교치료(BTR or BTD)로 사용시 생존율 향상 효과
- 경피적 심실보조장치(ventricular assist device, VAD) : LV의 부담↓ & forward flow↑
  ⇨ 심근 산소 소모량↓, coronary perfusion↑, 평균 동맥압↑, PCWP↓
  - TandemHeart paracorporeal VAD (pVAD) : LA의 혈액을 대동맥으로 펌프, LV support
  - Impella 2.5, CP, 5.0 (혈류량↑) : LV의 혈액을 체외 장치를 통해 대동맥으로 펌프, LV support
    (Impella RP : IVC의 혈액을 폐동맥으로 펌프, Rt-HF에 사용)
  - IABP 대비 사망률은 비슷하지만, CO (cardiac index) 향상 및 LV unloading 효과는 우수함
- CentriMag VAD : Rt, Lt, or biventricular support

(3) long-term durable MCS devices
- 말기 심부전 환자에서 장기간 사용(DT)을 목적으로 개발된 장치로 수술로 체내에 펌프 삽입
- 삽입형(implantable)/이식형 좌심실보조장치(left ventricular assist device, LVAD)
  - continuous flow pump (예전의 pulsatile VAD에 비해 구조가 간단하고 내구성이 우수함)
  - HeartMate II, III : LV apex → 인공혈관 → 펌프(심장주변) → 인공혈관 → 상행 대동맥
    (배터리와 컨트롤러는 체외에 위치)
  - HVAD : LV apex에 펌프 유입부 삽입 → 인공혈관 → 상행 대동맥 (배터리/컨트롤러는 체외에)
- Syncardia total artificial heart-temporary (TAH-t) : 양심실을 제거하고 인공심실을 이식

9. 수술/심장이식

- revascularization (HF 동반 IHD 환자에서는 PCI보다는 CABG가 완전 재관류율 높음)
  - 좌심부전에 angina가 동반된 환자에는 강추 (angina가 없는 경우에는 논란)
  - 관상동맥우회술(CABG) : LVEF ≤35% 이하 ischemic cardiomyopathy (multi vessel dz.)에서
    약물치료 대비 CABG가 심혈관 사망률, 전체 사망률, 입원율 등 감소
- 좌심실용적축소술/좌심실재건술(LV volume reduction, surgical ventricular restoration, SVR)
  - 좌심실 전벽 dysfunction이 주인 ischemic cardiomyopathy 환자에서 확장된 심실 구조를
    원래의 모양으로 재건하는 수술 (infarct 부위 제거, 가능한 곳은 CABG 시행, 필요시 MR 교정)
    → but, CABG 단독 시행 군보다 survival 향상 효과는 없음
  - nonischemic HF 환자에서는 장점보다 사망률이 높아 시행 안함
- 좌심실류 절제술(left ventricular aneurysmectomy) : akinetic aneurysmal segment 제거
- functional MR의 교정 : survival 향상되는 지는 불확실함
- 심장이식 : 가장 근본적인 치료, 고위험군에서 예후↑ (우리나라 1YSR 94%, 5YSR >84%)
  - 말기 HF에서, 운동부하 최대산소섭취량이 14 mL/min/kg 미만이어야 심장이식의 예후가 좋음
  - 적응 ① cardiogenic shock으로 강심제 or MCS가 필요한 말기 심부전 환자
    ② PCI/CABG가 불가능하고 어떠한 치료에도 반응하지 않는 협심증 환자
    ③ RFA 및 ICD에 반응하지 않는 악성 심실부정맥 환자

■ HFpEF (diastolic HF)의 치료

- 대개 EF 40~50% 이상인 환자, systolic HF (HFrEF)보다 전체 사망률은 낮지만, HF로 인해
  병원에 입원한 경우에는 재입원율/사망률 비슷함
- HFrEF와 달리 치료방침이 정립되어 있지 못하고, survival 연장 효과가 증명된 치료법은 없음!
- 치료
  ① HFpEF의 원인/동반 질환의 치료 ; IHD, HTN, dyslipidemia, DM → 각 질환별 지침에 따름
    - 철저한 혈압조절 (m/i) ; ACEi/ARB 우선, β-blocker와 CCB도 사용 가능
  ② HF 악화인자의 예방 및 빠른 치료 (e.g., tachycardia, AF)
  ③ HF의 증상 조절 ; 이뇨제(loop diuretics)-울혈에 의한 증상시 반드시 사용, ACEi/ARB, β-blocker,
    aldosterone antagonist 등
    (↳ EF ≥45%, BNP↑ or 1년 이내에 HF로 입원 병력, eGFR >30, Cr <2.5, K⁺ <5.0일 때 고려 가능)

  * nitrates, digitalis → 도움 안 됨!

■ Refractory HF

- refractory HF의 진단 전에 고려해야할 사항
  ① 치료 가능한 원인질환의 R/O (e.g., infective endocarditis, thyrotoxicosis, silent AS or MS)
  ② 심부전의 유발/악화 요인의 R/O (e.g., infection, embolism, anemia, hypoxia, arrhythmia)
  ③ 과도한 치료에 의한 부작용을 R/O (e.g., digitalis 중독, 전해질 이상, hypovolemia)
- 가능한 치료 방법
  ① 이뇨제 병합요법, 혈관확장제 추가, (+) inotropic agents, ultrafiltration 등
    (IV vasodilator, PDE inhibitor, inotropes 등 병합치료 → 서로 상승효과; CO↑, filling pr.↓)
  ② LV or biventricular pacing
  ③ 기계적 순환 보조(mechanical circulatory support, MCS) ; IABP, ECMO, VAD, 인공심장 등
  ④ 심장 이식
  ⑤ 심장수술법 ; ventricular remodeling surgery, dynamic cardiomyoplasty, MV repair ...
- 치료 목표 (Swan-Ganz catheter 이용)
  ┌ PCWP : 15~18 mmHg
  │ RA pr. : 5~8 mmHg
  │ CI >2.2 L/min/m²
  └ 전신혈관저항 : 800~1200 dyn·s/cm⁵
- 모든 치료에도 반응이 없는 NYHA class IV 환자
  - 1년 이상 생존 어렵다
  - 기계적 순환 보조(MCS) and/or 심장이식 고려
    (심실보조장치는 심장이식의 전단계로도 이용되나, 약 10%는 회복도 가능)

동반 질환의 관리

1. 고혈압

- ACEi/ARB, β-blocker, MRA(AA)를 각각 1차, 2차, 3차 치료제로 사용함
- ACEi/ARB, β-blocker, MRA(AA) 병합요법에도 혈압조절이 안되면 thiazide diuretics
  (만약 thiazide diuretics를 투약 받던 환자라면 loop diuretics로 바꿈)
  or amlodipine $^{(2/3세대DHP}$CCB) *or* hydralazine 추가
- ACEi/ARB, β-blocker, MRA(AA), 이뇨제 병합요법에도 조절 안되면 felodipine 추가 고려
- α-blocker는 신경호르몬계 활성화, 수분 저류, 심부전 악화를 일으킬 수 있으므로 금기

2. 당뇨병

- 심부전 발생의 중요 위험인자이며, 심부전 환자의 기능 악화 및 입원율/사망률 증가와 관련
- 혈당 조절은 덜 엄격하게 권장 : HbA_{1c} <8.0%
- thiazolidinediones (TZD) : 수분 저류로 HF를 악화시킴, NYHA Ⅱ 이상에서는 금기
- metformin : AHF or 혈역학적 불안정시에만 주의 (∵ lactic acidosis 유발 위험)
- DPP4 inhibitor : 심부전 및 심혈관질환에 대한 영향은 없음
- GLP-1 agonist (e.g., liraglutide) : 심혈관 위험도를 감소시키는 약제로 권장 (50세 이상)
- SGLT2 inhibitor (e.g., empagliflozin) : 심혈관 사망률 및 HF에 의한 입원율을 크게 감소
  (but, lower-UTI, ketosis, 골밀도↓/골절 위험 등을 증가시키므로 주의)

3. 심장-신장 증후군(cardiorenal syndrome, CRS)

- HF 환자의 40% 이상이 만성 신질환을 동반, 혈액투석 환자의 약 20%는 기존에 HF 존재,
- AHF 환자의 약 25%에서 입원중 CRS 발생 (→ 이중 약 1/3은 회복, 1/3은 악화된 eGFR 유지,
  1/3은 계속 악화되어 사망하거나 신대치요법을 받게됨)
- cardiorenal syndrome (CRS) : 심부전과 신부전이 서로 상호작용하면서 악화되는 고리 현상
- CKD(특히 ESRD)에서 HF 발생 기전 ; pressure overload (HTN), volume overload, cardiomyopathy
- CKD는 BNP or NT-proBNP) level을 높임 → 일반적으로 eGFR이 60 mL/min/1.73m^2 미만이면
  HF의 진단 기준을 200 (or 1200) pg/mL로 높여야 됨
- advanced HF에서 신기능 악화 기전 ; 신장 혈류↓, GFR↓, 근위부 water 재흡수↑, 헨레고리에서
  sodium 재흡수↑, nephron의 전반적인 water 배설능↓, 특히 effective arterial blood volume
  감소는 vasopressin 분비 촉진 → water retention 악화
- CRS type Ⅰ의 확립된 치료법은 없음
  - 동맥관류 저하시 보통 dobutamine or milrinone을 사용하지만, 사망률엔 영향 없음
  - 울혈 해소를 위해 조심스럽게 이뇨제 → 반응 없으면 초미세여과(ultrafiltration)
    (but, 장기적인 효과는 불명확하므로 refractory CRS 환자에서 최후의 보루로 고려)
- CKD (투석) + HF 환자는 금기가 없는 한 정립된(survival 연장이 증명된) HF 치료법 시행
  : ACEi or ARB, β-blocker, 필요시 추가 항고혈압제 등 → survival 연장

4. 수면 호흡장애(sleep-disordered breathing)

- HF 환자에서 흔히 동반되며(30~60%), 특히 HFrEF (EF <40%)에서 흔함
- central sleep apnea (m/c, CSA, "Cheyne-Stokes breathing"), obstructive sleep apneas (OSA) → 수면중 각성에 의한 adrenergic surges → HTN 및 systolic & diastolic dysfunction 악화
- 수면 호흡장애를 의심해야 하는 경우 ; 약물치료로 심실 재형성이 역전되었는데도 고혈압 조절이 어렵거나 피곤 증상이 지속될 때, 좌심실 기능은 호전되었는데 우심실 기능은 악화될 때
- Tx. ; 야간 지속기도양압(continuous positive airway pressure, CPAP) → LVEF (CO)↑, 운동 능력 및 삶의 질 향상 (사망률 감소 효과는 확실치 않음)

5. 빈혈

- HF 환자의 25~40%에서 동반되며, 운동능력 및 삶의 질 저하, 사망률 증가와 관련 있음
- 잘 동반되는 경우 ; 고령, 여성, advanced stage, renal insufficiency
- IDA → IV iron이 효과적 (경구 철분제는 효과 없음)
- 특별한 원인이 없는 빈혈 환자에서 EPO 제제(e.g., darbepoetin) 투여는 예후는 호전 못시키고, venous thromboembolism 위험만 증가되므로 권장 안됨

만성 심부전의 예후

* 주로 원인질환의 상태와 악화/유발인자의 존재 여부에 의해 예후가 결정됨
  (대개 20~30%는 1년 이내 사망, 40~60%는 5년 이내 사망)

1. 좋은 경우

① 밝혀진 악화/유발인자가 치료된 경우
② 원인질환이 효과적으로 치료 가능한 경우 (e.g., 심장판막질환)
③ 최소한의 치료에도 호전을 보이는 경우

2. 나쁜 경우 ★

① 특별한 원인/유발인자가 없는 경우 (→ survival은 6개월~4년)
② 치료에 반응이 적은 경우
③ EF의 심한 감소 (<15%)
④ 최대 산소 섭취량 감소 (<10 mL/kg/min)
⑤ 정상 속도로 3분 이상 걸을 수 없을 때
⑥ serum Na^+↓ (<133 mEq/L), serum K^+↓ (<3 mEq/L)
⑦ 혈중 ANP, BNP, ST-2, NE, renin, aldosterone 등의 상승
⑧ EKG ; AF, dyssynchrony (QRS >120 ms), frequent ventricular extrasystoles (VPC) 등
⑨ 동반질환 ; DM, HTN, pul. HTN, sleep apnea, obesity, COPD, 신부전, 간질환 등

급성 심부전 (acute heart failure)

1. 정의/분류

• 빠르게 발생하고 급속히 악화되어 신속한 치료가 필요한 심부전 (아래 둘을 통칭)

┌ acute de novo HF신생 급성 심부전 : 심부전이 처음 발생된 경우 (e.g., AMI)

└ acute decompensated HF (ADHF)비대상성 급성 심부전 : 안정기 심부전 환자가 급격히 악화되는 경우

급성 심부전의 증상/징후

	증상	징후
체액 저류 (congestion)	호흡곤란, 기침, 쌕쌕거림(wheezing)	수포음(rales), 흉막삼출(pleural effusion)
	발과 다리의 불편감	말초 부종
	복부 불편감/팽만감, 조기 포만감, 식욕부진	복수, RUQ 통증/불편감, 간비종대, 공막 황달, 체중 증가, 경정맥 확장(JVP↑), 간목정맥역류(abdominojugular reflux), S_3 증가, P_2 강화
관류 저하 (hypoperfusion)	피곤	사지의 냉감
	의식저하, 착란, 주간 졸림, 집중력저하	창백, 어두운 피부색, 저혈압
	어지럼, 실신	맥압 감소, 교대맥(pulsus alternans)
기타	우울증	기립성 저혈압 (hypovolemia)
	수면 장애	S_4
	두근거림	수축기 & 이완기 심잡음

• 임상상태에 따른 Forrester 분류 (4 category) … acute HF의 hemodynamic profiles 및 치료방침
 − 울혈 상태 (wet↔dry) : 경정맥 확장, 복수, 부종, 폐 수포음 ⇨ 폐동맥쐐기압(PCWP)
 − 조직관류 상태 (warm↔wet) : 피부온도↓, 소변량↓, 의식저하 ⇨ 심박출계수(CI, cardiac index)

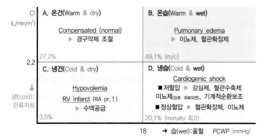

┌ CO (CI) : 감소되면 tissue perfusion↓ ("**cold**")
└ LV filling pr. (PCWP) : 증가되면 fluid retention 증상 ("**wet**"), 정상이면 "**dry**"

• A → D로 갈수록 예후가 나쁨
• acute HF의 치료 목표는 혈역학적 이상의 빠른 교정, 악화 요인의 발견/치료
• acute HF의 m/c 원인은 만성 심부전의 급성 악화 상태임 = <u>ADHF</u> (acute decompensated heart failure)

2. 원인/악화인자

Acute coronary syndrome, 부정맥(빈맥, 서맥, 전도장애), 과도한 혈압 상승(고혈압성 응급증)
저염/수분제한/약물복용 불이행
독성 물질(e.g., 알코올, 각성제), 약물(NSAIDs, steroids, negative inotropics, 심장독성 항암제)
COPD의 악화, Pulmonary embolism
감염(e.g., pneumonia, infective endocarditis, sepsis)
수술 및 수술 합병증
Increased sympathetic drive, stress-related cardiomyopathy
대사성/호르몬 장애(e.g. 갑상선기능 이상 diabetic ketosis, adrenal dysfunction, 임신/주산기관련 이상)
뇌혈관 손상
급성 구조적 손상 : ACS에 합병된 심근파열(free wall rupture, ventricular septal defect, acute MR),
　　흉곽 손상, cardiac intervention, endocarditis에 의한 급성 판막부전, aortic dissection or thrombosis 등

*우리나라 : 허혈성 심질환이 m/c (37%), 평균 69세, 남>여
　　　원내 사망률 6.1%, 1년 사망률 15%, 3년 사망률 26% (미국 5YSR <33%)

3. 평가/진단

- 비침습적 ; EKG, CXR, 심초음파, BNP (or NT-proBNP), troponin, ST2 등
  (기본 혈액검사 ; CBC, LFT, electrolytes, BUN, Cr, glucose, TFT 등)
- 침습적(invasive)
  - 우심도자술(Swan-Ganz/pul. artery catheter) ; 임상적으로 체액상태를 판단하기 어려울 때
    (특히 LV filling pr.와 CO이 불명확할 때), 심각한 저혈압(SBP <90 mmHg or Sx.),
    초기 치료에 반응이 없거나 악화될 때 등만
  - 허혈에 의한 심부전이 의심되는 경우 → 재관류를 고려한 관상동맥조영술
  - 심내막 심근 생검은 특정 질환이 의심되는 경우에만

4. 치료

입원의 적응	ICU 입원 대상
저혈압, 관류저하, 신기능 저하, 의식장애	기도삽관
안정시 호흡곤란 (SaO₂ <90%)	저관류(hypoperfusion)의 증거
급성관동맥증후군(ACS)	산소 공급에도 불구하고 SaO₂ <90%
Hypertensive emergency	호흡시 accessory muscles 사용
심각한 부정맥	& 분당 호흡수 >25회
급성 구조적 손상 ; 심실 파열, MR, 흉곽 외상 등	심박수 <40 bpm or >130 bpm
급성 폐색전증	수축기 혈압 <90 mmHg

* 기존 심부전으로 치료 받던 환자의 급성 악화(ADHF)인 경우
  - 기존 심부전 치료 약물들을 면밀히 확인하고, 필요시 조절
  - 혈역학적 불안정과 금기증이 없으면 기존 약물들은 계속 투여하는 것이 좋음!!
  - β-blocker의 일시적 감량/중단이 필요한 경우 ; 심한 서맥/저혈압/CO↓에 의한 증상 존재,
    최근에 β-blocker를 시작/증량, shock → 환자가 안정화되면 저용량부터 다시 시작
    (c.f., 혈압이 낮은 경우 β-blocker보다는 다른 약제의 감량을 먼저 시도하는 것을 권장함,
    β-blocker를 갑자기 중단하거나 많이 감량하는 것은 좋지 않다!)
  - 신기능이 악화된 경우 ACEi, ARB, MRA (AA) 등은 감량/중단 → 회복된 뒤 저용량부터 시작

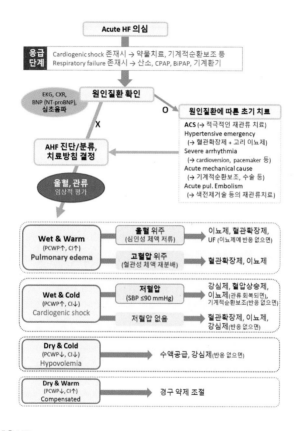

(1) 호흡 보조

- 산소공급 : 저산소증 환자에서만 투여, SaO₂ 90% 이상 유지
  (산소 정상인 경우 투여하면 전신혈관저항↑ → CO↓ 위험)
- noninvasive ventilation (NIV) : Bi-PAP or CPAP, 산소공급에도 불구하고 저산소증과 빈호흡
  (RR >25회/분)이 지속되는 경우에만 고려 (일상적인 사용은 안됨)

* morphine : 일시적 정맥 확장 및 dyspnea와 anxiety 감소 효과로 사용하기도 하지만,
  호흡저하의 부작용(사실은 크지 않음) 위험 등으로 현재는 권장 안 되는 편임

(2) 이뇨제

- <u>수분저류</u>(폐울혈, 부종) 완화에는 <u>IV loop diuretics</u>가 m/g (내원 즉시 투여, CO과 관계없이)
  [volume overload with congestion] ↳ <u>furosemide</u>, torsemide, torsemide
  - 간헐적 or 지속적 주사는 결과에 차이 없음
- 반응 없으면 loop diuretics 증량 → 반응 없으면 다른 이뇨제 추가 (synergistic effect)
  ; <u>metolazone</u>, hydrochlorothiazide, chlorthalidone, spironolactone, acetazolamide 등
- 이뇨제는 euvolemia가 될 때까지 투여 / JVP↓ & biomarkers↓면 퇴원 가능

* 초미세여과(ultrafiltration) : 투석 비슷하게 체외에서 수분을 제거하는 것(aquapheresis)
  - acute HF에서 울혈(수분저류)이 매우 심한 경우 (약물 치료에 반응 없을 때) 고려 가능
  - 약물 치료보다 체중감소에는 더 효과적이나, Cr 감소나 사망률에서는 차이 없음

(3) 혈관확장제

- HF survival 연장 효과는 없지만 / <u>저혈압이 없는 경우</u> 빠른 증상 완화를 위해 제한적으로 사용
- **nitrates (NG)** IV (m/c) : 정맥확장(→ preload↓) → 폐울혈의 빠른 감소
  - HTN, IHD, severe MR 동반 acute HF (폐부종) 환자에서 <u>dyspnea</u>를 빨리 호전시켜 도움됨
  - IV NG이 없는 경우에는 sublingual NG, NG patch, oral isosorbide dinitrate 등도 유용함
  - Cx. ; 저혈압, 두통, 지속 사용시 내성
- nitroprusside IV : 정맥확장(→ preload↓) + 동맥확장(→ afterload↓), 심한 저혈압 발생 위험
  - acute valvular regurgitation이나 severe HTN 때 유용
  - 드물지만 오래 사용시 대사산물인 cyanide 독성 문제(e.g., 식욕저하, 전신무력감, 의식변화)
- nesiritide IV (recombinant hBNP) : 다른 혈관확장제 대비 효과의 이득은 없음
- 저혈압이 발생하면 예후가 나빠지므로 면밀한 혈역학적 모니터링이 필요함
  (특히 주의해야하는 경우 ; HFpEF, MS, AS)

(4) 강심제(inotropics) 및 혈관수축제

- 심박출량(CO) 감소로 관류가 심하게 저하된 경우에만 단기간 사용 (부정맥, 심근허혈 발생 위험)
- dobutamine (m/c)
- milrinone (PDE3 inhibitor)
  - 심한 좌심실기능장애에 의한 폐부종 환자에 유용, β-blocker 사용 중인 환자도 효과적
  - dobutamine보다 혈관확장 작용이 강해 전신 저혈압 발생 위험 높음
- levosimendan : 유럽에서는 dobutamine에 비하여 우선적 사용 권장, 혈관확장 작용도 있으므로
    저혈압(SBP <85 mmHg) 또는 cardiogenic shock 환자에서는 혈관수축제와 병용이 필요함
- omecamtiv mecarbil (cardiac myosin activator)
- 혈관수축제(혈압상승제) IV ; phenylephrine, norepinephrine, dopamine (high-dose)
  - 저혈압(SBP <90 mmHg) & 동반 증상/징후, 장기 손상 위험시에만 사용
  - 말초동맥수축으로 주요 장기로의 혈류 유지 역할

(5) 부정맥의 치료

- 빈맥성 부정맥 치료를 위해 digoxin과 amiodarone은 사용할 수 있음
  - 대부분의 class Ⅰ, Ⅲ 항부정맥제들은 β차단 효과로 HF 악화 위험 매우 높음
  - digoxin ; AHF 심박동수 조절에 m/g, 신기능 이상이나 전해질 불균형 동반시에는 주의

‒ amiodarone ; HF에서 사망률 증가가 없어 심방 및 심실 빈맥성 부정맥에 사용 가능
- AF with rapid VR (m/c) ; AF로 인해 AHF가 유발될 수도, HF 악화로 AF가 유발될 수도 있음
‒ 폐부종 때문에 발생된 경우는 폐부종이 개선되면 호전됨
‒ digoxin IV / 불안정한 경우가 아니면 cardioversion은 안함 (∵ AF 재발율 높음)
- 심방수축 또는 방실동조 소실 → pacemaker

(6) 기계적 순환보조(mechanical circulatory support, MCS)
- 심한 HF에서 모든 약물 치료에 반응이 없고 혈역학적으로 매우 불안정한 경우 고려 가능
- 급격한 악화로 근치적 치료법(e.g., 이식, 수술, implantable VAD)을 결정하지 못했거나
  or 심장기능 회복이 기대되는 경우 "bridge to decision/recovery"로 사용 가능
- 대동맥내풍선펌프(intra-aortic balloon pump, IABP) ; AMI의 기계적 합병증(e.g., VSR, MR)에
  의한 cardiogenic shock 환자에서 수술 전 혈역학적 안정화를 위한 가교역할로 사용은 도움
- 경피적 심실보조장치(percutaneous ventricular assist device, pVAD) ; TandemHeart, Impella
- 체외형 생명구조장치(extra corporeal life support, ECLS) = 체외막형산소섭취(extra corporeal
  membrane oxygenation, ECMO) ; 심폐기능 보조 → 생존율 향상에 효과적

(7) 수술/심장이식

수술이 필요한 acute HF	
다혈관 관상동맥 질환의 AMI에 의한 심인성쇼크	허혈성 유두근 파열/기능이상, 점액성 건삭 파열, 심내막염,
심실중격 파열	외상 등으로 유발된 급성 승모판 역류
심실외벽 파열	심내막염, 대동맥박리, 폐쇄성 흉부외상 등으로 유발된
기존 심장판막 질환을 가진 환자의 급성 악화	급성 대동맥판 역류
인공판막 부전 또는 혈전증	발살바동 파열
심낭 안쪽으로 파열된 대동맥류 또는 대동맥박리	혈역학적으로 불안정하고 혈전용해제 치료가 불가능한
기계적 순환보조를 시행하는 심부전 환자의 급성 악화	폐색전증

- 심장이식 : 약물 치료에 불응하는 말기 심부전 환자에서 가장 근본적인 치료

급성 폐부종 (acute pulmonary edema)

1. 분류/원인

(1) cardiogenic pulmonary edema (CPE)
- 폐정맥압(PCWP) 상승 → 폐모세혈관압↑ → 혈관외 공간(간질)으로 액체 증가 (부종)
- 원인 : **심부전**(m/c, LHF), MS, 폐동맥압 증가(overperfusion pul. edema)

(2) noncardiogenic pulmonary edema
- PCWP 상승 없이(≤18 mmHg), Starling force의 불균형으로 액체와 단백질이 폐포공간에 축적

1. Alveolar-capillary membrane permeability의 변화 ; ARDS/ALI (m/c)
2. Lymphatic insufficiency ; 폐이식, Lymphangitic carcinomatosis
3. 간질의 음압 증가 ; 기흉의 급격한 교정, 급성 기도폐쇄
4. 기타 : High-altitude pul. edema (HAPE), Neurogenic pul. edema, TRALI, Pul. embolism, Opioid overdose, Salicylate (aspirin) toxicity, Virus (e.g., hantavirus, dengue, influenza), Eclampsia, Cardioversion, Cardiopulmonary bypass, 마취 ...
5. Plasma oncotic pr. 감소 (hypoalbuminemia) ⋯ 단독으로는 폐부종 안 일으킴
   HFpEF 환자에서 고령에 따른 hypoalbuminemia, 영양실조, sepsis 등에 의해 폐부종 유발 가능
   (c.f., 급성 심부전 환자에서 hypoalbuminemia는 pleural effusions을 일으킬 수 → poor Px.)

2. 임상양상/진단

- severe cardiogenic pulmonary edema와 ARDS는 임상양상 및 CXR 소견이 비슷함
  - 임상양상 ; 급성 호흡곤란, 빈호흡, 빈맥, 심한 저산소혈증, 고혈압 (대개 체내에서 분비된 catecholamines 때문) (c.f., 저혈압 → severe LV dysfunction, cardiogenic shock)
  - Hx. ; 심질환(e.g., MI) 이후 발생하면 cardiogenic / sepsis 이후 발생하면 noncardiogenic
- cardiogenic v/s noncardiogenic pulmonary edema의 감별
  - color flow Doppler echocardiography, EKG, BNP (or NT-proBNP) 등
  - Swan-Ganz (pul. artery) catheter (꼭 필요한 경우에만)
    - 적응 ; 폐부종의 원인이 불확실할 때, 치료에 반응이 없을 때, 저혈압이 동반되었을 때
    - PCWP 측정 ; 정상(≤18 mmHg) → noncardiogenic / 상승 → cardiogenic
  - but, 감별이 어려울 때도 많음 (e.g., ARDS 환자의 ~20%는 LV dysfunction도 동반)
    → 2권, 호흡기 15장 ARDS 편 참조

4
고혈압

■ 정의/원인

고혈압의 정의 (우리나라, 2018)

분류(category)	Systolic BP (mmHg)		Diastolic BP (mmHg)	미국(ACC/AHA, 2017)
정상(normal)	<120	and	<80	Normal
주의혈압(elevated)	120~129	and	<80	Elevated
고혈압 전단계(preHTN)	130~139	or	80~89	HTN stage 1
고혈압(HTN stage I)	140~159	or	90~99	HTN stage 2
고혈압(HTN stage II)	≥160	or	≥100	HTN stage 2
수축기 단독고혈압 Isolated systolic HTN (ISH)	≥140	and	<90	c.f.) 우리나라와 유럽은 기존의 HTN 정의를 유지함

- systolic & diastolic pr.의 category가 다를 때에는 높은 쪽의 category로 분류
- initial screening시엔 두 번 이상의 방문 때 각각 두 번 이상 측정한 것의 평균으로 해석

- 115/75 mmHg부터 시작하여 혈압이 상승할수록 심장질환, 뇌혈관질환, 기타 혈관질환에 의한
  사망률이 증가함
- systolic BP 20 mmHg, diastolic BP 10 mmHg 상승할 때마다 심혈관질환의 위험은 2배씩 증가됨!
- 노인에서는 systolic BP와 pulse pressure가 심혈관질환에 대해 더 큰 예측력을 가짐

1. 본태성 고혈압 (Essential/primary/idiopathic HTN)

: HTN을 일으킬 만한 이차적인 원인이 없는 것 (80~95%)

(1) **유전적 요인** ; 30~60% 정도의 역할, 가족 연구에 의하면 혈압의 유전성(heritability)은 15~35%

(2) **환경 요인** ; 비만(HTN 환자의 50% 이상), 염분섭취↑, 음주, 정신사회적 스트레스 등

(3) <u>salt sensitivity</u> ; HTN 환자의 약 60%에서 혈압이 salt intake의 영향을 받음
  - vascular volume (sodium)은 동맥압 결정의 주요 인자임
  - pressure-natriuresis : NaCl 섭취↑ → 혈압을 높여 신장에서 sodium 배설↑ → 혈압 정상화
  - NaCl(volume)-dependent HTN : 신장질환 또는 mineralocorticoid 증가로 신장 sodium 배설↓
    → sodium balance를 유지하기 위해 동맥압↑
  - ESRD가 volume-dependent HTN의 대표적 예

(4) autonomic nervous system
- NE는 주로 α-receptors를, epinephrine은 주로 β-receptors를 활성화시킴
  - α_1 활성화 → 혈관 수축
  - α_2 활성화 → (-)feedback ; 더 이상의 NE 분비 억제
  - β_1 활성화 → 심박수 및 수축력↑ (→ CO↑), 신장에서 renin 분비↑
  - β_2 활성화 → 혈관 확장
- 장기간의 sympathetic activation → 신혈관 수축, 신장의 sodium retention, 혈관 비대, 혈관 저항↑, Na-K pump 억제 등 → 혈압↑
- 젊은 HTN 환자 ; catecholamines↑ → PR↑, 혈관 수축, CO↑ 등
- catecholamine blockers는 강력한 항고혈압제임

(5) renin-angiotensin-aldosterone (RAA) system
① low-renin essential HTN (약 30%)
  - unidentified mineralocorticoid의 과다 생산 : volume-dependent HTN
    → sodium retention, renin↓ (hypokalemia는 없음)
  - angiotensin II (AT-II)에 대한 부신의 반응성↑
② nonmodulating essential HTN (약 50%)
  - sodium retention (volume)에 대한 부신의 반응성↓ (sodium이 AT-II에 대한 부신/신혈관의 반응에 영향을 미치지 않음, nonmodulator)
  - 신장이 sodium을 제대로 처리하지 못해 salt-sensitive HTN도 나타냄
  - insulin resistance 흔함, 유전적 소인과 관련, 남성 및 폐경후 여성에서 호발
③ high-renin essential HTN (약 20%)
  - plasma renin이 HTN 발생에 중요한 역할 : vasoconstrictive HTN
  - angiotensin II↑ + adrenergic system activity↑

(6) vascular mechanisms
- 혈관 수축, 혈관 비대, 혈관 이완× → HTN의 원인/결과
  (atherosclerosis : vascular compliance↓, stiffness가 커질수록 wide pulse pr.를 보임)
- Na^+-H^+ exchange 활성화
  ① 세포내 Na^+ 유입↑ → Na^+-Ca^{2+} exchange 활성화 → 세포내 Ca^{2+} 유입↑
  ② 세포내 pH↑ → Ca^{2+} sensitivity↑ → 혈관 수축↑
  ③ mitogens에 대한 sensitivity↑ → 혈관 비대
- NO 같은 혈관 이완 기능↓ → 병적인 혈관 재형성(remodeling)

(7) insulin resistance (hyperinsulinism) ; metabolic syndrome
① Na^+ 재흡수 증가 (renal sodium retention) 및 교감신경계 활성화
② insulin의 mitogenic action → 혈관 평활근의 비대
③ Na-K-ATPase 자극으로 세포내 Ca^{2+} 증가 → vascular reactivity↑
④ 다른 일차적 고혈압 발생기전의 marker (e.g., nonmodulator)

2. 이차성 고혈압 (Secondary HTN)

: 원인이 밝혀진 HTN, 5~20% 차지 (3차 병원에서는 15~35%)   → 뒷부분 참조

고혈압의 영향/합병증

: 고혈압은 심부전, CAD, stroke, 신장질환, PAD 등의 독립적인 선행인자임

1. 심장

- LVH, diastolic dysfunction, CHF, CAD, arrhythmias ...
- A_2 증가, faint ⓜ of AR, S_4, S_3 gallop rhythm
- 대부분의 사망은 MI 또는 CHF 때문임

2. 신경계

- stroke (infarction, hemorrhage) : 특히 65세 이상에서 systolic BP와 관련
- 인지장애 (∵ single infarct or multiple lacunar infarct)
- encephalopathy (∵ malignant HTN) ; 심한 두통, N/V, 의식장애
  → 치료 안하면 혼미, 혼수, 발작, 사망

3. 신장

- 동맥경화와 고혈압에 의해 glomerulosclerosis 발생 (systolic BP와 더 관련)
- GFR 감소, 세뇨관 장애 → proteinuria, microscopic hematuria
  - microalbuminuria : renal injury의 early marker
  - 1 g/day 이상의 단백뇨, active urine sediment → primary renal dz.를 시사
- 신부전 : HTN 환자 사망원인의 약 10% 차지

4. 말초혈관

- 하지의 PAD (peripheral arterial dz.)
- retinal change (Keith–Wagener–Barker classification) ; scotomata, blurred vision, blindness ...

c.f.) HTN 환자에서 blood loss의 원인 ; 신장병변, 코피, 객혈, 자궁출혈 ..

증상

1. 혈압 상승 자체에 의한 증상

- headache (occipital) : severe HTN의 특징, 아침에 일어날 때 발생
- dizziness, palpitation, easy fatigability, impotence ...

2. 고혈압성 혈관질환에 의한 증상

; epistaxis, hematuria, 시야혼탁, weakness/dizziness (∵ TIA), angina pectoris, dyspnea (∵ HF)

3. 이차성 고혈압에서 기저 질환에 의한 증상

- chronic pyelonephritis ; 반복되는 UTI ...
- renal artery stenosis ; abdominal bruit ...
- primary aldosteronism ; polyuria, polydipsia, 근력약화, hypokalemia ...
- Cushing's syndrome ; weight gain, emotional lability ...
- pheochromocytoma ; episodic headache, palpitation, diaphoresis, postural dizziness ...

진단

1. 혈압 측정

(1) 진료실(병원)에서의 측정 [office BP]

- 측정 전 최소 <u>5분</u> 동안 조용히 앉아 휴식한 뒤에 측정
- 측정 30분 전부터는 흡연, 음주, 카페인 섭취를 금함
- 측정은 2분 이상의 간격으로 2번 이상 측정하여 평균을 냄
- 양팔에서 혈압을 측정하여 높은 쪽의 혈압을 취함
- 상완을 심장 높이에 맞추고 측정함 / 심장보다 낮으면 높게 측정됨(e.g., 누웠을 때 → 베게로 높여줌)
- 공기주머니/압박대(cuff)
  - antecubital fossa보다 2~3 cm 위에 감음, 중심은 brachial artery 부위에
  - cuff 내의 bladder(공기주머니) 길이는 팔 둘레의 80% 이상 (성인의 표준 cuff 길이 : 약 35 cm)
  - 폭은 상완 둘레의 40% 이상 (성인의 표준 cuff 폭 : 약 12~13 cm)
  - cuff가 작으면 혈압은 실제보다 높게 측정되고(e.g., 비만), cuff가 크면 혈압은 낮게 측정됨
- systolic BP 측정시는 BP(박동이 사라진 지점)보다 적어도 30 mmHg 이상 높게, 빠르게 inflation
- cuff의 압력을 내릴 때는 초당 2~3 mmHg의 속도로 내림 (너무 빠르게 감압하면 낮게 측정됨)
- 청진기의 bell 쪽으로 들어야 함

  ┌ systolic BP : Korotkoff sound phase I (강한 음)이 <u>2회</u> 이상 들리기 시작하는 시점
  └ diastolic BP : Korotkoff sound phase V (음이 완전히 소실) 시점
      c.f.) AR 환자에서 phase V sound가 나타나지 않으면 phase IV (muffled sound)

- 기립성 저혈압 의심시 : 앉은 자세에서 측정 & 일어선 상태에서 1분과 3분 후 측정
- 1기 고혈압은 1~2개월 내에, 2기 고혈압은 즉시 약물치료를 시작하거나 1주일 내에 혈압을 <u>재측정</u>하여 치료방향을 결정함!

c.f.) 가성고혈압(pseudohypertension) : 동맥경화(석회화)로 혈관이 딱딱해진 노인에서 실제보다 혈압이 높게 측정되는 경우

(2) variation

- 일중 변동(diurnal variation) : 야간에 10~20% 정도 하락(dipper), 아침 기상 직후 급격히 상승
  - non-dipper : 야간 혈압 감소(dipping)가 10% 이하 → 심혈관계 사망 위험 2.56배 증가
    (sleep apnea, autonomic neuropathy [DM], 2차성 고혈압, 노인, 흑인 등에서 흔함)

- extreme dipper : dipping이 20% 이상 → 고령의 HTN 환자에서 뇌혈관 질환 위험 증가
  (TIA와 myocardial ischemia 위험이 증가하므로 과다한 항고혈압제 사용을 피해야)
- riser : 야간에 혈압이 더 높은 경우 → 예후 가장 나쁨(심혈관계 사망 위험 3.69배 증가)
- 계절적 변동
- 좌우 상지 혈압은 5~10 mmHg 정도 차이날 수 있다 (대개 우>좌)
  → 10 mmHg 이상의 차이가 있으면 양다리에서 혈압을 측정
- 염분 섭취에 따라 systolic BP는 5 mmHg 정도 변동 가능
  (신장기능 저하로 염분 예민성이 높은 노인은 20 mmHg까지도 상승 가능)
  → 노인에서 혈압 변동이 많거나, 갑자기 상승한 경우 저염식 시행 1~2주 뒤에 재확인 권장

(3) 가정혈압
- 1주일에 5회 이상, 아침과 저녁으로 1~3회 측정 권장 (앉은 자세에서 1~2분 안정 후에)
  ┌ 아침 : 일어나서 1시간 이내에 소변을 본 후 고혈압약 복용 전에 측정
  └ 저녁 : 잠자리에 들기 전에 측정
- 일간 변동은 아침 혈압이 가장 적음

(4) 24시간 활동 혈압 측정 (ABPM, ambulatory BP monitoring)

ABPM의 적응증
White coat HTN (평상시 혈압 < 진료실 혈압) 의심시
masked HTN (평상시 혈압 > 진료실 혈압) 의심시
paroxysmal or nocturnal HTN의 진단
약물치료에 반응이 적거나, 자주 저혈압에 빠질 때
혈압과 증상 발생과의 관련성 파악, 임신성 고혈압
Orthostatic hypotension or autonomic failure 의심시
Stage 3 이상의 CKD 환자 (∵ 약 2/3에서 masked nocturnal HTN)

- ABPM 및 가정 혈압은 일반적으로 진료실에서 측정한 혈압보다 낮음
- ABPM 및 가정 혈압이 진료실 혈압(office BP)보다 심혈관계 질환(TOD) 위험과 상관성 더 높음!

혈압 측정 방법에 따른 HTN의 기준 ★

	Systolic (mmHg)	Diastolic (mmHg)
진료실 혈압(conventional office BP)	≥140	≥90
가정 혈압(home BP) 평균 Automated office BP (AOBP)*	≥135	≥85
24시간 활동 혈압(ABPM)		
주간 평균 혈압(awake)	≥135	≥85
야간 평균 혈압(sleep)	≥120	≥70
일일 평균 혈압(24hr)	≥130	≥80

* 진료실자동혈압(AOBP) : 의료진이 없는 방에서 5분간 휴식 후 1분 간격 연속 3회 측정한 평균값

c.f.) 2017년 미국 ASH에서 진단기준과 목표혈압을 130/80 mmHg로 낮춘 근거는 SPRINT 연구가 기반이 되었는데, 이 연구는 AOBP를 이용한 점을 고려해야 됨 (→ 일반적인 office BP보다 5~15 mmHg 낮음)

(5) 백의 고혈압(white coat HTN, isolated clinic HTN)
- 평상시 혈압(가정혈압, ABPM)은 높지 않은데 (<135/85 mmHg)
  병원(진료실)에서 측정할 때만 고혈압으로 나오는 경우 (≥140/90 mmHg)

- 상황 및 상태에 대한 불안감이 원인 (situational anxiety)
- HTN 환자의 10~20%에서 나타남
- TOD 발생 및 지속적(진성) 고혈압으로 진행할 위험 높음
  (TOD 발생 위험 : 정상 < white coat HTN < 진성 고혈압)

(6) 가면 고혈압(masked HTN, isolated home HTN)
- 진료실 혈압은 높지 않은데 (<140/90 mmHg), 평상시(가정혈압, ABPM) 고혈압을 보임
  (주간 ≥135/85 or 야간 ≥120/70 mmHg) ≒ sustained HTN → 심혈관질환(TOD) 위험 높음
- HTN 환자의 5~10%에서 나타남
- 미국 흑인, DM, CKD 환자 등에서 흔함 / 항고혈압제 복용 환자에서 더 흔함
- 관련요인 ; 남성, 고령, 비만, 스트레스, 흡연, 음주, 카페인 섭취, 피임약, 좌식 생활습관,
  HTN 가족력, HTN 전단계, 항고혈압제(∵ 대개 아침에 복용) 등

2. 기타 검사

(1) 고혈압의 initial evaluation

기본 검사	선택적 검사
Serum Na, K, Ca, uric acid 　BUN, Cr (eGFR), LFT Fasting blood glucose, HbA$_{1c}$ Total cholesterol, LDL, HDL, TG Hb (hematocrit), U/A, 12-lead EKG	TSH, WBC count Serum phosphate 24시간 단백뇨 정량검사 Chest x-ray, Echocardiogram Carotid US, ABPM, ABI, 안저검사(fundoscopy)

(2) 이차성 고혈압을 screening하기 위한 특수검사
- renovascular disease ; ACEi (captopril) renogram, renal duplex US, MR angiography
- pheochromocytoma ; 24시간 urine creatinine, metanephrine, catecholamines
- Cushing's syndrome ; overnight DMST, 24시간 urine cortisol & creatinine
- primary aldosteronism ; plasma aldosterone/renin ratio

고혈압의 예후에 영향을 미치는 인자들	
Cardiovascular disease 위험인자	수축기 및 이완기 혈압 수준 맥박압(pulse pressure) 수준 : 노인에서 연령 : 남 >55세, 여 >65세 조기 심혈관질환의 가족력 (남 <55세, 여 <65세) DM, 복부 비만, 흡연 Dyslipidemia (LDL >115 mg/dL) Impaired fasting glucose (102~125 mg/dL) or glucose tolerance test 이상
Subclinical TOD (target organ damage)	좌심실 비대 경동맥 벽의 비후 또는 plaque eGFR ≤60 mL/min/1.73 m^2 Microalbuminuria Ankle-brachial BP index <0.9
Established TOD (target organ damage)	뇌혈관질환 ; 허혈성 뇌졸중, 뇌출혈, TIA 심장질환 ; CHF, MI, angina, prior coronary revascularization 신장질환 ; 당뇨병성 신병증, 신부전, 심한 단백뇨 말초동맥질환 Advanced retinopathy: hemorrhages or exudates, papilledema

치료

1. Guideline

- 주의혈압(elevated, ≥120/80 mmHg) 이상의 모든 환자에서 즉시 생활습관개선 시행
- stage Ⅰ HTN (≥140/90 mmHg)부터는 약물치료 권장
  - 위험인자/장기손상/심뇌혈관질환이 없으면 수개월 경과관찰(생활습관개선) 뒤에 약물치료 시작!
  - stage Ⅱ HTN (≥160/100 mmHg)부터는 바로 약물치료 시작

심뇌혈관질환 위험도 및 치료방침

위험인자* 수	고혈압 전단계 (130~139/80~89)	1기 고혈압 (140~159/90~99)	2기 고혈압 (≥160/100)
0개	생활요법	생활요법 or 약물치료	생활요법 + 약물치료
1~2개 (DM 제외)	생활요법	생활요법 or 약물치료	생활요법 + 약물치료
≥3개 or 무증상장기손상	생활요법	생활요법 + 약물치료	생활요법 + 약물치료
심뇌혈관질환, DM, severe CKD	생활요법 or 약물치료*	생활요법 + 약물치료	생활요법 + 약물치료

*설정된 치료 목표혈압에 따라 즉시 약물치료 시행 가능 (심혈관질환, 특히 CAD 환자는 즉시 시행 고려)

☐ 10년 심뇌혈관질환 발생률: ■최저위험군(<5%), ■저위험군(5~10%), ■중위험군(10~15%), ■고위험군(>15%),
■최고위험군(>20%)

심뇌혈관질환 위험인자 (각 항목별로 위험인자 1개에 해당함)

나이: 남≥45세, 여≥55세
조기 심뇌혈관질환의 가족력: 남<55세, 여<65세
흡연
비만(BMI ≥25 kg/m²) or 복부비만(복부둘레 남>90 cm, 여>80 cm)
이상지질혈증: total cholesterol ≥220 or LDL ≥150 or HDL <40 or TG ≥200 mg/dl
공복혈당 장애(100≤ 공복혈당 <126 mg/dl) or 내당능 장애
당뇨병: 공복혈당 ≥126 mg/dl or 경구 당부하 2시간 혈당 ≥200 mg/dl or 당화혈색소 ≥6.5%

무증상 장기손상(subclinical organ damage)* 및 심뇌혈관질환

뇌: 뇌졸중, 일과성허혈발작(TIA), 혈관성 치매
심장: 좌심실비대(LVH)*, LV dysfunction*, 협심증, 심근경색, 심부전
콩팥: 미세알부민뇨(30~299 mg/day)*, 현성 단백뇨(≥300 mg/day), 만성콩팥병(eGFR<60mL/min/1.73m²)*
혈관: 죽상동맥경화반, 대동맥질환, 말초혈관질환, 발목-위팔 혈압 지수<0.9*, 동맥경직도 증가*,
경동맥 내–중막 최대 두께 ≥1.0 mm, 경동맥 대퇴동맥간 맥파전달속도 >10 m/sec*
망막: 3~4단계 고혈압성 망막증*

치료 목표 혈압 ★

<140/90 mmHg	일반적인 고혈압 (80세 이상은 <150/90 mmHg) 심뇌혈관질환, 관상동맥질환, 단백뇨 없는 CKD 등
<140/85 mmHg	당뇨병(DM) … 대한당뇨병학회, JNC8 등의 기준
<130/80 mmHg	심뇌혈관질환 과거력이 있는 50세 이상의 고위험군 (10년 심뇌혈관질환 발생 15% 이상) 단백뇨를 동반한 만성콩팥병(CKD)

- 혈압을 10~12/5~6 mmHg 낮추면 (치료 5년 뒤) 상대위험도가 CHD 12~16%, stroke 35~40%, heart failure >50% 감소
- 135~140/80~85 mmHg 이하로 조절하면 심혈관위험 감소가 최대화되지만, 정상인 수준은 안 됨!
  - 130/80 mmHg 미만으로 낮추는 것은 추가적인 이득이 없어 대부분 <140/90 mmHg이 권장됨
  - SBP를 120 mmHg 미만으로 낮추면 오히려 심혈관사건 및 사망률이 증가함
- J-curve hypothesis (phenomenon) : diastolic BP를 과도하게 낮추면 CAD/사망이 오히려 증가
  (∵ 관상동맥 혈류↓) … 다양한 연구결과들로 논란, 아직 확실한 전향적 연구결과는 없음
  → 혈압은 낮을수록 좋은 건 아님, 가능하면 diastolic BP는 70 mmHg 이상 유지하는 것이 좋음
- isolated systolic HTN : systolic BP 140~145 mmHg (diastolic BP는 70 mmHg 이상 유지) 권장

2. 생활습관개선 (Lifestyle modification)

⇨ 혈압강하 및 HTN 예방 효과 (혈압강하가 적은 경우라도 항고혈압제의 수/용량 감소 효과)

- 체중 감량 (BMI <25 kg/㎡ 달성 및 유지)
  - 9.2 kg 감량시 평균 6.3/3.1 mmHg 혈압 강하
  - 체중 감량은 혈압 강하 효과뿐 아니라 insulin sensitivity도 증가시킴
- 규칙적인 운동 : 무산소(걷기, 뛰기, 자전거, 수영 등) 및 무산소(역도, 팔굽혀펴기 등)
  - 체중감량 및 혈압조절에 모두 도움이 됨 / 하루 30분 이상, 최대 운동능력의 80%까지
  - 무산소(isometric) 운동은 일시적으로 혈압을 높일 수 있으므로 유산소 운동 이후 권장
- 염분(sodium) 섭취 제한 : 하루 sodium 2.4 g (= NaCl[녹정제염] 6 g) 이하
  - 일부 HTN 환자는 salt-sensitive : 염분 제한시 혈압 3.7~4.9/0.9~2.9 mmHg 강하
  - 직접 혈압을 낮추지는 못하더라도, 거의 모든 항고혈압제의 작용을 강화시킴
    (→ 용량 및 부작용을 줄일 수 있음)
- 균형잡힌 식사 … DASH (dietary approaches to stop hypertension)-type diet
  ┌ 포화지방, 콜레스테롤, 총 지방 함량은 줄임
  └ 칼륨, 칼슘, 마그네슘, 단백질, 섬유소 함량은 늘림   예) 야채, 과일, 저지방 유제품, 잡곡(전곡류)
  - 칼륨(potassium) ; 혈압 강하 효과, sodium의 혈압 상승효과 희석, stroke 사망률 감소
    * Ca ; 약간의 혈압 강하 효과 (but, 장기간 trial시 MI 위험을 높일 수 있음)
    * Mg ; 약간의 혈압 강하, CVD (특히 CHD) 감소 → Ca, Mg 보충은 아직 일반적인 CVD 예방으로 권장×
  - 채식 위주의 건강한 식습관은 (칼로리↓, 동물성 지방↓ / 야채/과일/생선/견과류/유제품↑)
    혈압 11.4/5.5mmHg 강하 효과
- 금주/절주 : 남자는 하루 2잔(30 mL) 여자는 1잔(15 mL) 이하로
  (∵ 과도한 음주는 혈압을 상승시킴)
- caffeine (e.g., 커피, 차) ; 적절한 커피 섭취는 혈압에 도움이 되기도 하지만 근거는 약한 편임
  - 커피 안마시던 사람이 커피 마시면 혈압, insulin 저항성, glucose intolerance 등 악화 (→ 제한)
  - 만성적으로 커피 마시던 사람은 내성이 생겨 혈압 등에 악영향 없음 (→ 제한하지 않아도 됨)
- 금연, 안정, 스트레스 해소 …

3. 약물요법 (항고혈압제)

(1) 원칙

① 가능한 환자의 순응도가 높은 약물을 사용함 : 1알, 하루 1회 복용, 저렴한 약

② 1차 선택약 : ACEi, ARB, CCB, thiazide계 이뇨제, (β-blocker)^{적응시에만} 등 5가지
- 혈압 강하 효과는 모든 class의 약물이 비슷한 편임 (표준 용량시 8~10/4~7 mmHg 하락)
  - ┌ 젊은층 : high-renin HTN인 경우가 많음 ⇨ ACEi/ARB, β-blocker에 더 잘 반응
  - └ 노인 및 흑인 : low-renin HTN인 경우가 많음 ⇨ 이뇨제 or CCB에 더 잘 반응
  - 일부 연구에서 β-blocker는 심혈관계 사건, 뇌졸중, 신부전, 전체 사망률 감소에 열등함
    (특히 atenolol은 뇌졸중 예방 효과가 열등함)
  - 심부전 예방 효과는 이뇨제가 우월하고, CCB가 열등함
- 동반 질환이 있는 경우는 이환율/사망률/부작용에서 차이가 많음 → 뒷부분 참조
- 부작용을 고려하여 환자 개인의 특성에 맞도록 고혈압약을 선택함
- 처음 투여할 때는 부작용을 피하기 위해 저용량으로 시작함
- 반응 적으면 용량 증가 or 다른 계열의 항고혈압제 추가

③ 대부분의 HTN 환자에서 단일제형 복합제(single pill combination, SPC)로 시작 권장
- 권장 2제 병용요법(복합제) : [ACEi/ARB] + [CCB or 이뇨제]
  - 이뇨제 + β-blocker 병용은 혈당↑ 및 이상지질혈증을 유발 수 있으므로 주의
    → 비만, 당내성, 당뇨병 가족력 등 당뇨병 발생 위험이 높은 환자는 피함!
  - ACEi/ARB + β-blocker 또는 ACEi + ARB 조합은 권장되지 않음!
- SPC의 장점 : 개별 두 가지 약물에 비해 빠르고 효과적인 혈압조절, 복약 순응도 증가
- 예외 : low-risk stage Ⅰ HTN (특히 SBP <150 mmHg) 및 노쇠한 환자는 단일약제 고려
  c.f.) 단일 약제의 용량 증가시 단점
  - (a) counterregulatory mechanism에 의한 효과 감소 : 증량해도 효과 별로 안 좋아짐
  - (b) 용량에 비례해 부작용 증가 (더 중요) → 환자의 순응도 감소
- * β-blocker는 적응이 되는 경우만 사용(e.g., CAD, HF, AF, 빠른 심박수, 임신 중/예정 여성)

④ 2제 병용요법(복합제)으로 혈압이 조절되지 않으면 3제 병용요법(복합제) 사용
- 권장 3제 병용요법(복합제) : ACEi/ARB + CCB + 이뇨제
- 2제 병용은 환자의 약 2/3만 목표 혈압으로 조절됨, 3제 병용은 80% 이상에서 조절됨

⑤ 3제 병용요법(복합제)으로 혈압이 조절되지 않으면 저항성 고혈압(resistant HTN)
- spironolactone (or 다른 이뇨제, α-blocker, β-blocker) 추가
- 그래도 조절되지 않으면, 이차성 고혈압에 대한 자세한 검사
- 이차성 고혈압의 원인이 발견되지 않으면, 식이 평가 (염분 제한으로 혈압은 흔히 조절됨)

⑥ 고혈압약의 감량 및 중단
- 1년 이상 목표혈압 이하로 잘 조절되는 경우 혈압약의 감량을 고려해 볼 수 있음
- 서서히 감량하여 140/90 mmHg 이하로 유지되는 최소 유지 용량을 결정
- 감량/중단은 점진적으로 시행 & 자주 혈압 F/U (∵ 몇 주 ~ 몇 달 이내에 갑자기 상승 가능)
- 생활습관개선을 철저히 시행하는 환자에서만 시도, 최소한 3개월 간격으로 병원 방문 권장
- HMOD (HTN-mediated organ damage) or accelerated HTN 병력 환자는 중단하면 안됨

(2) 이뇨제

- 강압 기전 : 초기엔 Na^+ 흡수 감소 (blood volume 감소), 장기적으론 말초혈관 확장(저항 감소)
- hydrochlorothiazide에 비해 thiazide계 이뇨제(e.g. chlorthalidone, indapamide)가 강압 효과가 더 우수하다는 연구도 있지만, 심혈관계 예후는 3가지가 모두 비슷함 (single pill combination [SPC] 제제에선 대부분 hydrochlorothiazide가 사용됨)
- thiazide(계) 이뇨제는 부작용이 많지만 저용량에서는 거의 문제 안됨 (12.5~25 mg/day 사용)
- loop diuretics : 강압 효과는 떨어짐, CKD stage 3 (GFR <60) 이상 환자에서 고려
- 보통 GFR 30 ml/min/1.73㎡ 이상이면 thiazide(계), 30 미만이면 loop diuretics 사용

(3) CCB

- 강압 기전 : 말초 및 관상동맥 확장 ; dihydropyridines 〉 diltiazem 〉 verapamil 순으로 강함
  ↳ stable angina에 효과적, 특히 variant angina에 매우 효과적
- long-acting CCB 사용 (속효성 CCB는 빈맥을 초래하며 심장에 부담을 줄 수 있으므로 피함)
- 주요 부작용 ; dose-dependent ankle edema (∵ selective arterial dilation) → ACEi/ARB 병용

(4) ACEi/ARB

- 기전 등 → 앞 장 심부전 편 참조
  c.f.) ACEi-induced hyperkalemia 발생의 위험인자 ; DM, renal insufficiency, effective circulating volume 감소, K^+-sparing diuretics의 병용, NSAIDs

* **direct renin inhibitor (DRI)** : oral aliskiren (prorenin → renin 전환을 차단)
  - ACEi/ARB보다 더 철저하게 renin-angiotensin system을 억제 가능
  - 혈압 강하 효과는 ACEi or ARB와 비슷함 (더 효과적이지는 않음)
  - 아직 1차 항고혈압제로 권장되지는 않음
  - 금기 ; ACEi/ARB와의 병용(∵ 저혈압, AKI, hyperkalemia 증가), 임신

* **MRA (mineralocorticoid receptor antagonist, aldosterone antagonist, AA)**
  - low-dose spironolactone (12.5~50 mg/day) or eplerenone (25~100 mg/day)는 저항성 고혈압 환자에 추가시 매우 효과적임

(5) β -blockers

Non-selective	ISA-	Nadolol, Propranolol, Timolol, Sotalol, Tertalolol
	ISA+	Pindolol, Carteolol, Penbutolol, Alprenolol, Oxprenolol
Cardio-elective	ISA-	Atenolol, Esmolol, Metoprolol, Bisoprolol, Betaxolol, Bevantolol, Nebivolol
	ISA+	Acebutolol, (Practolol), Celiprolol
With α -blocking activity		Labetalol, Bucindolol, Carvedilol

- ISA (intrinsic sympathomimetic activity)를 가진 β -blockers
  - carteolol, perbutolol, acebutolol, pindolol, celiprolol, xamoterol 등
  - endogenous sympathetic activity (catecholamines)가 낮을 땐 partial agonist로 작용함
  - non-ISA보다 negative inotropic & chronotropic activity가 적다
  - CHF나 MI 환자에서는 효과가 적으므로 사용하면 안됨

- **non-ISA β-blockers** ; metoprolol, bisoprolol, carvedilol 등
  - 심박수 감소 효과가 더 뛰어남!
  - CHF 및 post-MI 환자에서 생존율 향상 (but, 지질이상은 ISA+ β-blockers보다 많음)
- **cardio (β₁-) selective β-blockers** ; atenolol, bisoprolol, esmolol, metoprolol, nebivolol 등
  (c.f., β₁-receptor : 심장에 존재 / β₂-receptor : 기관지, 말초혈관 등에 존재)
  - angina, MI, tachyarrhythmia 동반한 경우 권장
  - non selective β-blockers와 혈압강하 효과는 비슷함
  - 당대사장애(혈당↑) 및 지질이상(TG↑, HDL↓) 부작용은 적다
- **vasodilating β-blockers** ; carvedilol, labetalol, nebivolol, celiprolol
  ; classic β-blocker 대비 심부전 환자의 예후 향상에 효과적이고, 당대사에 악영향이 없음
  (1) carvedilol, labetalol : α & β-blocker
    - 혈압강하 효과는 주로 말초저항 감소 때문, 심부전과 CAD에 효과적
    - α-blocker 효과 → insulin sensitivity 향상
  (2) nebivolol : most selective β₁-blocker, 혈압 & 심박동수↓ + 말초혈관저항↓
    - 혈관내피세포를 자극하여 NO (nitric oxide) 분비 촉진 → 직접 혈관확장 작용
      (말초 혈류↑ → 근육에서 glucose 흡수↑ → insulin sensitivity 향상)
    - 고령의 isolated systolic HTN 치료에 특히 유용
    - mild~moderate HF에도 유용 (CAD 동반한 고령 환자에 효과적)
  (3) celiprolol : partial β₂-agonist 작용도 있음 → 말초혈관확장, 말초저항↓

■ 참고: ESC/ESH Guidelines(2018) – Drug treatment strategy

	일반적인 HTN	CAD	CKD	HFrEF	AF
Initial therapy*	ACEi/ARB + CCB or 이뇨제	ACEi/ARB + BB or CCB, CCB + BB or 이뇨제, BB + 이뇨제	ACEi/ARB + CCB or 이뇨제[1]	ACEi/ARB[2] + 이뇨제[3] + BB	ACEi/ARB + BB, non-DHP CCB[5], BB + CCB
Step 2	ACEi/ARB + CCB + 이뇨제	3제 병용(복합제)	ACEi/ARB + CCB + 이뇨제[1]	ACEi/ARB[2] + 이뇨제[3] + BB + MRA[4]	ACEi/ARB + BB + DHP-CCB or 이뇨제, BB + DHP-CCB + 이뇨제
Step 3	+ spironolactone (or 다른 이뇨제, AB, BB)	+ spironolactone (or 다른 이뇨제, AB, BB)	+ spironolactone (or 다른 이뇨제, AB, BB)	항고혈압제가 필요 없으면 HF 가이드라인에 따라 치료	적응이 되면 경구 항응고제도 사용함
	BB: 적응시에 사용 (e.g., CAD, HF, AF, 임신, 빠른 심박수)	고위험군 CAD 환자는 SBP ≥130 mmHg면 치료 시작 고려	BB: 적응시에 사용 (e.g., CAD, HF, AF, 임신, 빠른 심박수)		

1) GFR 30 ml/min/1.73m² 미만이면 loop diuretics 사용 (∵ thiazide계 이뇨제는 효과 떨어짐)
2) ACEi/ARB 대신 angiotensin receptor-neprilysin inhibitor (ARNI)도 사용 가능
3) 부종 환자에서는 thiazide계 대신 loop diuretics 고려
4) mineralocorticoid receptor antagonist (MRA) : spironolactone, eplerenone
5) non-DHP CCB (verapamil or diltiazem)과 BB (β-blocker)의 병용은 권장 안됨 (∵ 심박수의 심한 감소)

* Low-risk grade 1 HTN (특히 SBP <150 mmHg), 초고령(≥80세), 노쇠한 환자는 단일약제(monotherapy) 고려

고혈압약의 적응증과 금기(대한고혈압학회)

	적극적 적응	적응 가능	주의 요망	금기
ACEi/ARB	심부전 당뇨병성 신증		신혈관 협착증 고칼륨혈증	임신 혈관부종
β-blocker	협심증 심근경색	빈맥성 부정맥	혈당 이상 말초혈관질환	천식 심한 서맥
CCB	수축기단독고혈압 협심증		심부전	서맥(non-DHP)
이뇨제	심부전 수축기단독고혈압		혈당 이상	통풍 저칼륨혈증

고혈압 약제의 금기 및 대표적인 부작용

약물	절대적 금기	상대적 금기	대표적인 부작용
이뇨제(thiazide계)	Gout	Metabolic syndrome, Glucose intolerance, Hypercalcemia, Hypokalemia, 임신	Gout, Hyperuricemia, Hyponatremia, Hypokalemia, Hypercalcemia, Dyslipidemia, Glucose intolerance, 발기장애
β-blocker	Asthma, High-grade SA/AV block, Bradycardia (<60 bpm)	Metabolic syndrome Glucose intolerance 운동선수, COPD	Asthma, AV block, Bradycardia, Dyslipidemia, Glucose intolerance, 발기장애
CCB (DHP)	–	Tachyarrhythmia HFrEF (class III~IV) Severe leg edema	Peripheral (ankle) edema, 안면홍조(flushing), 두통,
CCB (non-DHP) : verapamil, diltiazem	High-grade SA/AV block, Severe LV dysfunction, HF, Bradycardia (<60 bpm)	Constipation	심장전도장애, 변비 잇몸비대(gingival hyperplasia)
ACEi	임신, angionerotic edema, Hyperkalemia, Bilateral RAS	가임기 여성	Hyperkalemia, Leukopenia, 발진, 이상미각,
ARB	임신, Hyperkalemia, Bilateral RAS	가임기 여성	Bilateral RAS 환자에서 ARF 유발, Angionerotic edema (주로 ACEi) *ACEi ; 마른기침 (∵ bradykinin ↑)
AA(aldosterone antagonist)	ARF, Hyperkalemia	–	Hyperkalemia, 여성형 유방

특정 약제의 사용이 우선적으로 추천되는 임상 상황

단백뇨, 신부전	ACEi/ARB
무증상 죽상동맥경화증	CCB, ACEi
심실비대(LVH)	CCB, ACEi/ARB
심근경색증(MI)	β-blocker, ACEi/ARB
협심증	β-blocker, CCB
심부전증(HF)	β-blocker, ACEi/ARB, AA (aldosterone antagonist), 이뇨제
AF, 심박동수 조절	β-blocker, non-DHP CCB
대동맥류	β-blocker
말초혈관질환	ACEi, CCB
수축기 단독 고혈압 (노인)	이뇨제, CCB, ACEi/ARB
당뇨병(DM)	ACEi/ARB
임신	β-blocker (labetalolo), Methyldopa, CCB (nifedipine)
뇌졸중 2차 예방	CCB, ACEi/ARB, 이뇨제

대표적인 항고혈압제

약제	적응증	금기/주의	부작용
① 이뇨제			
<u>Thiazides</u> (HCTZ) <u>Thiazide-like</u> (e.g., indapamide, chlorthalidone)	Heart failure 노인 Isolated systolic HTN <u>Osteoporosis</u>	<u>DM</u>, hyperuricemia (gout), hypokalemia, dyslipidemia, primary aldosteronism, sexually active male	<u>Hypokalemia</u>, Hyponatremia, Hypercalcemia, hyperuricemia, hyperglycemia, cholesterol & TG↑, dermatitis, purpura, depression, libido↓, impotence, 기립성 저혈압
<u>Loop diuretics</u> (e.g., furosemide, torsemide, bumetanide, ethacrynic acie)	신부전(Cr >1.5 mg/dL or GFR <30 ml/min/1.73m²) Heart failure Hypertensive emergency	<u>DM</u>, hyperuricemia (gout), hypokalemia, dyslipidemia, primary aldosteronism	<u>Hypokalemia</u>, hyperuricemia, ototoxicity, hyperglycemia, hypocalcemia, blood dyscrasias, rash, N/V, 설사
<u>Potassium-sparing</u> Spironolactone Triamterene Amiloride	Resistant HTN Primary aldosteronism Thiazide or loop diuretics에 보조적으로 hypokalemia를 방지하기 위해 Heart failure	Renal failure, hyperkalemia	<u>Hyperkalemia, gynecomastia</u>, 월경이상, 설사 Hyperkalemia, N/V, 설사, leg cramps, 신결석
② Antiadrenergic drugs			
(1) Central Clonidine Methyldopa (also acts by blocking sympathetic nerves)	신장질환을 동반한 HTN Mild~moderate HTN (oral), Malignant HTN (Ⅳ) 임신성 고혈압, 신부전	Pheochromocytoma, active hepatic disease (Ⅳ), MAOI 투여중	기립성 저혈압, drowsiness, dry mouth 기립성 저혈압, sedation, fatigue, 설사 ejaculation 장애, fever, gynecomastia, lactation, (+) Coombs' tests, chronic hepatitis, acute UC, lupus
(2) α-Blocker <u>Non-selective</u> Phentolamine Phenoxybenzamine <u>Selective</u> Prazosin Terazosin Doxazosin Urapidil (α 1a)	Pheochromocytoma Pheochromocytoma Resistant HTN, BPH, DM, Dyslipidemia	심한 CAD, Heart failure 노인에서는 주의 HTN에 단독사용은 권장 안됨	Tachycardia, weakness, dizziness, flushing 기립성 저혈압, tachycardia, miosis, nasal congestion, dry mouth First dose 현상 (syncope), headache, sedation, dizziness, tachycardia, anticholinergic effect, fluid retention
(3) β-Blocker <u>Non-selective</u> Propranolol <u>Cardio-selective</u> Atenolol Bisoprolol Esmolol Metoprolol Nebivolol ...	Mild~moderate HTN (특히 hyperdynamic state시) Hydralazine 치료 때 보조적으로 <u>CAD</u> (angina, MI) Heart failure Tachyarrhythmia 임신(말기)	<u>Asthma, COPD, DM, SSS,</u> 2/3도 AV block, MAOI 투여 중, dyslipidemia, 운동선수, 심한 말초혈관질환 CCB와 병용시 주의 심한 심부전시 Anaphylaxis의 과거력	Dizziness, depression, bronchospasm, N/V, diarrhea, constipation, HF, fatigue, Raynaud's phenomenon, hallucinations, psoriasis, TG↑, insulin intolerance, impotence bradycardia 심질환자에서 갑자기 끊으면 angina나 myocardial injury 유발할 가능 •Vasodilating β-blocker (e.g., carvedilol, nebivolol)는 당대사에 악영향이 없음
(4) α/β-Blocker Labetalol **Carvedilol**	Heart failure, post-MI		Dizziness, 기립성 저혈압, bradycardia, edema (fluid accumulation)

약제	적응증	금기/주의	부작용
③ 혈관확장제			
Hydralazine	moderate~severe HTN (oral), malignant HTN (IV or IM), 신질환, 임신	SLE, 심한 CAD (∵ reflex sympathetic tone ↑), aortic dissection	Headache, tachycardia, angina pectoris, anorexia, N/V, 설사, lupus-like syndrome, rash, 수분 저류
Minoxidil	Severe HTN & RF	심한 CAD	Tachycardia, aggravates angina, marked fluid retention, hypertrichosis, facial features의 coarsening, pericardial effusions
Diazoxide	Severe/malignant HTN	DM, hyperuricemia, CHF, IHD, aortic dissection	Hyperglycemia, hyperuricemia, sodium retention
Nitroprusside	Malignant HTN (aortic dissection)		Apprehension, weakness, diaphoresis, N/V, muscle twiching, cyanide toxicity, teratogenic

④ Calcium channel blocker			
Dihydropyridines Nifedipine Nicardipine Nisoldipine Felodipine Isradipine Amlodipine	Mild~moderate HTN, CAD (variant angina) Dyslipidemia Systolic HTN 노인 → DHP-CCB 말초혈관질환	CHF, AMI	Tachycardia, GI disturbances, hyperkalemia, headache, flushing, ankle edema
Non-DHP Verapamil Diltiazem	Post-MI, SVT, angina, hypertrophic cardiomyopathy	2/3도 heart block β-blocker와 병용시 주의	(tachycardia/edema 대신) Heart block, 저혈압, 변비, 간기능이상 등 일으킬 수

⑤ ACE inhibitors			
Benazepril Captopril Enalapril Enalaprilat (IV) Fosinopril Perindopril Lisinopril, Moexipril Quinapril, Ramipril Trandolapril	Renal A. stenosis (unilateral) DM, HFrEF시 DOC (∵ afterload ↓) LV dysfunction ACS, post-MI COPD Dyslipidemia Nephropathy, 신부전 •CNS 부작용 없음	Acute renal failure Bilateral renal A. stenosis Hyperkalemia 임신 (∵ 선천선 기형 가능) •심한 CKD시엔 용량 감량	First dose 현상, hyperkalemia, bilat. renal A. stenosis에서 ARF 유발, leukopenia, pancytopenia, hypotension, 마른기침 (m/c, ~15%), idiosyncratic angioedema, urticarial rash, fever, 식욕 상실

⑥ Angiotensin II antagonist (receptor blocker) : ARB			
Azilsartan Candesartan Eprosartan Fimasartan Irbesartan Losartan, Valsartan Olmesartan Telmisartan	ACEi에 의한 기침 발생시 기타 ACEi와 동일	임신 Bilateral renal A. stenosis Hyperkalemia	저혈압, hyperkalemia, bilat.l renal A. stenosis에서 ARF 유발, angioedema (드물)

⑦ Mineralocorticoid receptor antagonist (aldosterone antagonist, AA)			
Spironolactone Eplerenone	Mineralocorticoid 과다에 의한 HTN, resistant HTN, thiazide 치료에 보조적으로, heart failure	Renal failure, hyperkalemia	Metabolic acidosis, hyperkalemia, gynecomastia, libido↓ 등 (eplerenone은 anti-androgenic/ progesterone 부작용이 없음)

(6) 기타 약물

• 항혈소판제(aspirin)

   – 심뇌혈관질환이 없는 HTN 환자에서 심뇌혈관질환의 1차 예방에는 효과 없음 (권장 안됨)

   – low-dose aspirin (100 mg) : 심뇌혈관질환의 2차 예방 효과는 뚜렷함 (권장됨)

   – 고위험군(e.g., 신기능↓, DM, TOD, 심혈관위험인자 3개↑)에서도 권장됨

   – 혈압이 조절된 후 투여해야 하고, 위장 등 장기출혈 여부를 수시로 확인해야 됨

• statins (e.g., atorvastatin, rosuvastatin)

   – 고위험군(e.g., 신기능↓, DM, TOD, 심혈관위험인자 3개↑)에서 권장됨

   – 목표 LDL : 심혈관질환 無 <130 mg/dL, 고위험군 <100 mg/dL, CAD <70 mg/dL

4. 동반 질환에 따른 항고혈압제 선택

(1) 신장질환

• CKD 환자의 목표 혈압 <140/90 mmHg (albuminuria 동반시엔 <130/80 mmHg)

• ACEi/ARB : intraglomerular pr. 및 단백뇨를 낮춤 → 신부전의 진행을 늦춤 (신장보호 효과)

• aliskiren (direct renin inhibitor, DRI) : 혈압강하 효과와 독립적으로 신장보호 효과 있음

• 혈압이 낮은 경우 ACEi/ARB/aliskiren의 신장보호 효과는 다른 약제에 비해 덜 분명해짐

• renovascular HTN (unilateral renal A. stenosis) → ACEi/ARB

• bilateral renal artery stenosis나 solitary or transplanted kidney에서의 renal artery stenosis 시에는 ACEi/ARB/DRI 금기! (∵ angiotensin Ⅱ↓ → renal perfusion↓ → AKI 발생 위험)

• CKD 환자에서 철저한 혈압조절시 creatinine은 조금 상승할 수 있음 (∵ intraglomerular pr.↓)

• GFR이 빨리 감소하는 ARF 때는 ACEi/ARB 중단 (∵ functional renal insufficiency 유발)

(2) 당뇨병(DM)

• 심혈관질환 및 DM 합병증 예방을 위해 철저히 혈압조절 : 목표 혈압 <140/85 mmHg (ESC/ESH_2018 목표 <130/80 mmHg [65세 이상은 SBP 130~139 mmHg 이상], 최소 120/70 mmHg 이상 유지)

• 일반적으로 혈압 조절이 혈당 조절보다 심혈관질환을 최소화시키는 데 보다 효과적임

• ACEi/ARB가 1차 선택약 (특히 단백뇨나 신기능 이상이 동반된 경우)

• 대개 DHP-CCB or 이뇨제 병용(복합제)

• β-blocker : CAD를 동반한 경우 반드시 추가

• thiazide, pure β-blocker 등은 혈당을 높일 수도 있으므로 주의

(3) 심장질환

• CAD (coronary artery diseases)

   ┌ stable angina : β-blocker (1차 약제, coronary spasm시는 주의), DHP-CCB 권장

   └ post-MI : non-ISA β-blocker (SCD 예방 효과),

              ACEi/ARB (ventricular remodelling 예방 효과, LV dysfunction 없어도 고려)

• CHF (or LV systolic dysfuction) → ACEi (1차 약제), ARB, non-ISA β-blocker, diuretics (1세대 or non-DHP CCB와 α-blocker는 심부전을 악화시킬 수 있으므로 금기!)

• 2/3도 AV block → β-blocker, non-DHP CCB 금기

(4) dyslipidemia

- α-blocker, CCB, ACEi/ARB 등이 lipid level에 영향을 안 미침
- 상대적 금기 ; thiazide (고용량), non-ISA β-blocker

(5) 임신성 고혈압

- severe HTN (>160/110 mmHg) 이상이면 약물치료 시작!
- stage 1 HTN은 약물치료를 해도 주산기 예후 향상이 없고, 태아 성장을 억제할 수 있음
- 목표 혈압 : <150/100 mmHg & DBP ≥80 mmHg (장기손상 동반시엔 <140/90 mmHg)
  → 분만 이후에는 <140/90 mmHg로 조절
- methyldopa (m/c), hydralazine, β-blocker (특히 labetalol), CCB (nifedipine) 등이 안전
- β-blocker : 비교적 안전하지만 가능하면 말기에 사용 (but, labetalol은 꽤 안전한 편)
- 엄격한 염분 제한 and/or 이뇨제는 fetal loss의 위험이 있으므로 권장되지 않음
- 금기 ; ACEi/ARB/DRI, MRA (e.g., spironolactone), nitroprusside

(6) 노인 (isolated systolic HTN$_{ISH}$이 흔함)

- 나이가 들수록 혈압은 지속적으로 상승하지만, 약 55세 이후 systolic BP는 계속 상승하지만 diastolic BP는 하락함 (ISH), 대개 동맥경화 때문, 여성에서 더 흔함
- white coat HTN 빈도 높음, 수면 중 혈압이 하강하지 않는 non-dipper가 많음
- 혈압 조절로 stroke, MI, 심혈관 사망률, 심부전 입원 등이 감소, 치매 진행도 느리게 함
  - 소량의 약제에도 강압 효과가 큼 (diastolic BP가 65 mmHg 이하로 내려가지 않도록 주의)
  - 약물대사가 느리고 자율신경 반사가 느리므로 저용량으로 시작하고 천천히 조절
    (초기 용량은 젊은 성인의 1/2에서 시작, 증량시에는 서서히 조심스럽게 증량)
- thiazide, DHP-CCB (stroke 예방 효과↑), ACEi/ARB (CAD 예방 효과) 등이 선호됨
  - thiazide : hyponatremia를 일으킬 수 있으므로 주의, 저용량(12.5 mg/day)으로만 사용!
  - β-blocker : heart block, 운동능력↓, 우울증 유발 위험 → CAD or 심부전 때만 사용
- 목표 혈압 : 80세 미만은 <140/90 mmHg, 80세 이상은 <150/90 mmHg

(7) 기타

- 뇌졸중(stroke)의 2차 예방 … 혈압 강하의 정도가 m/i
  → CCB, ACEi/ARB, 이뇨제 (CCB가 가장 좋다는 연구도 있음) / β-blocker는 열등함
- 골다공증 → thiazide (∵ urinary calcium excretion 감소)
- intubation시 혈압의 급상승 예방 → esmolol (very short-acting β-blocker)
- COPD, asthma, 심한 말초혈관질환 → β-blocker 금기
- bilateral renal A. stenosis, hyperkalemia → ACEi/ARB 금기
- gout → 이뇨제 금기
- hyperkalemia → ACEi/ARB/DRI, aldosterone blocker 금기
- 두통 유발 약제 ; hydralazine, CCB, nitroglycerin

5. 저항성 고혈압(resistant HTN)

- 이뇨제를 포함한 3가지 이상의 약제를 충분한 용량으로 사용해도 혈압이 140/90 mmHg
  (노인 ISH는 160 mmHg) 이하로 떨어지지 않는 것 (환자의 5~10% 정도)
- ABPM or HBPM (home BP monitoring)으로 확인되고, 다른 원인들이 R/O되어야 됨
- 치료
  - 생활습관개선 강화 (특히 염분 섭취 제한)
  - 기존의 3제 요법(e.g., ACEi/ARB + CCB + 이뇨제)에 low-dose **spironolactone** 추가
  - spironolactone 금기/부작용의 경우 eplerenone, amiloride, 고용량 thiazide(계) 이뇨제,
    β-blocker (e.g., bisoprolol) or α-blocker (e.g., doxazosin) 사용

Resistant HTN의 원인/감별진단

Pseudo-resistant HTN	True resistant HTN
약 순응도 부족 (m/c, ~50%) 부적절한 혈압 측정 Office BP 측정 기술 문제 (e.g., 너무 작은 커프) 백의혈압(white-coat phenomenon) 노인에서 심하게 석회화된 혈관(brachial artery)에 의한 가성고혈압(pseudohypertension)	생활습관 관련요인: 과도한 체중증가, 과음(폭음), 과도한 염분 섭취 약물 관련요인: 감기약, NSAID, steroid, erythropoietin, 피임약, 일부 항암제(e.g., cyclosporine/tacrolimus), 감초, 코카인 등 부적절한 처방: 용량 부족, 부적절한 이뇨제, 부적절한 병용요법 등 수면무호흡증후군(obstructive sleep apnea) Advanced HMOD: CKD, large-artery stiffening 발견 못한 이차성고혈압(e.g., aldosteronism, RVH)

이차성 고혈압 (secondary hypertension)

1. 이차성 고혈압에 대한 검사가 필요한 경우 ★

(1) 30세 이하 or 55세 이상에서 새롭게 HTN 발생시

(2) HTN의 가족력이 없을 때

(3) 심한 HTN (≥180/110 mmHg), 기저 혈압이 갑자기 높아진 경우

(4) 발견 당시 표적장기손상(TOD)의 증거가 있는 경우
   ① 안저검사 상 grade 2 이상의 병변
   ② serum creatinine ≥1.5 mg/dL
   ③ 영상검사 상 심비대나 심전도상 LVH가 있는 경우

(5) 이차적 원인이 의심되는 소견이 있을 때
   ① 다른 원인이 없는 hypokalemia (→ hyperaldosteronism)
   ② 복부의 bruit (→ renovascular HTN)
   ③ ACE inhibitor 투여 후 신기능 악화 or AKI 발생 (→ renovascular HTN)
   ④ 두통, 발한, 두근거림, 떨림 등의 증세가 있고, 혈압의 변동이 큰 경우 (→ pheochromocytoma)
   ⑤ 상하지의 혈압 차이가 30 mmHg 이상 (→ Takayasu's arteritis, CoA, aortic dissection)
   ⑥ 가족력 상 신장질환의 병력이 있을 때 (e.g., ADPKD)

(6) 약물치료에 반응이 적거나 없는 경우

2. 원인

2ndary HTN의 원인

Ⅰ Systolic & diastolic hypertension

1. Renal diseases (m/c) ; 거의 모든 신장질환이 고혈압을 유발할 수 있음
   <u>Renal parenchymal disease</u> ; chronic nephritis, polycystic disease, collagen vascular
   disease, diabetic nephropathy, hydronephrosis (obstructive uropathy), acute GN ...
   <u>Renal artery stenosis</u> (renovascular HTN, RVH) ; arteriosclerotic, FMD
   Renal transplantation
   Renal tumors (e.g., renin-producing tumors)

2. Endocrine disorders
   Adrenal hyperfunction
   <u>Primary aldosteronism</u>
   11-deoxycorticosterone (DOC), 18-OH DOC 등의 mineralocorticoids overproduction
   (e.g., 17α-hydroxylase deficiency, 11β-hydroxylase deficiency)
   Congenital adrenal hyperplasia
   <u>Cushing's syndrome</u>/disease
   <u>Pheochromocytoma</u>
   Extra-adrenal chromaffin tumors
   Hypothyroidism (myxedema) : diastolic HTN
   Hyperparathyroidism, Hypercalcemia
   Acromegaly

3. Neurologic disorders ; Psychogenic, Diencephalic syndrome, Familial dysautonomia
   Polyneuritis (acute porphyria, lead poisoning), IICP (acute), Spinal cord section (quadriplegia),
   Guillain-Barre syndrome

4. <u>Coarctation of the aorta (CoA)</u>

5. Pregnancy-induced HTN

6. Obstructive sleep apnea

7. Intravascular volume의 증가 (대량 수혈, PV 등)

8. Drugs and chemicals ; cyclosporine, oral contraceptives (estrogen), cocaine, glucocorticoids,
   mineralocorticoids, sympathomimetics, tyramine & MAO inhibitors, erythropoietin,
   antidepressants, appetite suppressants, NSAIDs, nasal decongestants, phenothiazines ...

Ⅱ Isolated systolic hypertension (wide pulse pressure)

1. 고령 (<u>동맥경화</u> 등 vascular compliance 감소)

2. 심박출량(CO) 증가 ; AR, PDA, thyrotoxicosis, anemia, fever, hyperkinetic heart syndrome

3. 말초혈관저항 감소 ; AV shunts, Paget's disease of bone, Beriberi

■ 이차성 고혈압의 흔한 원인

① <u>renal parenchymal dz.</u> (m/c, 전체 고혈압의 2~5%) ; <u>CKD</u>의 80% 이상에서 HTN 동반
   - chronic glomerulonephritis은 감소하고, DM과 HTN이 CKD의 m/c 위험인자가 되었음
   - microalbuminuria (30~300 mg/day) TOD와 밀접히 관련 (→ 모든 HTN 환자에서 검사해야)
   - 일반적으로 interstitial dz.보다 glomerular dz.에서 HTN이 더 심함

② renovascular HTN (2nd m/c, 전체 고혈압의 1~2%)   → 신장내과 참조

③ 경구피임약 복용

④ primary aldosteronism, Cushing's syndrome, pheochromocytoma   → 내분비내과 참조

	임상양상			1차 검사
	증상,병력	진찰소견	검사소견	
Renal parenchymal dz.	요로감염/협착의 과거력, 진통제 남용, ADPKD의 가족력	복부내 종양 촉진 (ADPKD의 경우)	요검사상 단백질, 적혈구, 백혈구 등 GFR 감소	신장 초음파
Renovascular HTN	갑작스런 발병, 3가지 이상의 약제에 반응 없는 저항성 고혈압	복부잡음 청진	복부 초음파상 두 신장 길이가 1.5 cm 이상 차이가 남	신장 doppler sonography
Aldosteronism	근력감퇴, 조기 발병, 고혈압의 가족력, 40세 이전 뇌졸중 과거력	부정맥 (hypokalemia 아주 심할 때)	Hypokalemia	Plasma renin, Serum aldosterone
Cushing's syndrome	체중 증가, 다뇨, 다음	중심비만, 월상안, 자색선조, 다모증	Hyperglycemia	24hr 소변 cortisol
Pheochromocytoma	두통, 심계항진, 발한, 창백, 심한 혈압의 변화	기립성 저혈압	부신우연종	24hr 소변 / 혈중 metanephrines,

고혈압성 위기(crisis)

1. 정의

(1) 고혈압성 응급(hypertensive emergency)

- 혈압이 심하게 상승되어(>180/120 mmHg) 표적장기손상(TOD)이 발생 or 발생위험이 큰 경우
  (→ 주로 CNS, 심혈관계, 신장을 침범)
- 수분~1시간 이내에 즉시 혈압을 낮추어야 함 (IV 항고혈압제 투여)
- moderate hypertensive retinopathy (과거 accelerated HTN[가속성 고혈압]) : 혈압의 급격한 상승
  + retinal hemorrhage (flame or dot-shaped), cotton-wool spots, exudates (grade 3 retinopathy)
- severe hypertensive retinopathy (과거 malignant HTN[악성 고혈압]) : 혈압의 급격한 상승
  + optic disc edema [papilledema] (grade 4 Keith-Wagener-Barker [KWB] retinopathy)
- acute hypertensive nephrosclerosis (과거 malignant nephrosclerosis) 동반도 흔함

고혈압 응급(hypertensive emergency)의 예
Accelerated HTN (망막출혈/삼출)
Malignant HTN (유두부종)
Stroke (ischemic, hemorrhagic)
ACS ; AMI, UA
Acute LHF with pulmonary edema
Acute aortic dissection
Adrenal crisis (e.g., pheochromocytoma, cocaine or amphetamine overdose, clonidine withdrawal, acute spinal cord injury)
Hypertensive encephalopathy
ARF, eclampsia, head trauma, severe burn
혈관수술 후 봉합부위의 출혈, 조절되지 않는 비출혈 ...

(2) 고혈압성 긴박(hypertensive urgency)
- 표적장기손상(TOD) 없이 혈압이 심하게 상승된 것(>180/120 mmHg)
- 대개 24시간 이내에 혈압을 낮추면 되며, 급격히 혈압을 낮추면 심장, 신장, 뇌 등의 관류저하로 해로울 수 있음

2. 임상양상
- 혈압의 현저한 상승 (대개 이완기 혈압이 130 mmHg 이상)
- 고혈압성 뇌증(hypertensive encephalopathy) ; severe headache, N/V, transient blindness/paralysis, convulsion, stupor, coma ...
  (혈압이 내려가면 신경학적 이상은 대개 정상으로 돌아옴)
- 심장 부전(decompensation), 신기능의 급격한 저하 (oliguria, ARF), 단백뇨 ...

3. 병인
- generalized arteriolar fibrinoid necrosis ; 신장, 망막, 뇌 등 (→ 혈압이 조절되면 회복 가능)
- peripheral plasma renin activity 증가, aldosterone 생산 증가
- microangiopathic hemolytic anemia (arteriolar walls에 fibrin 침착), DIC
- 뇌 동맥의 확장 (∵ 심한 동맥압 상승에 따른 정상 autoregulation의 파괴로)

4. 역학
- HTN 환자의 1% 미만에서 발생
- 평균 진단 연령 : 40세, 男 > 女
- 사망원인 ; renal failure, cerebral hemorrhage (CVA), CHF ...
- 효과적인 약물치료의 발전으로 1/2 이상이 5년 이상 생존

5. 치료
- 즉시 치료를 요하는 medical emergency
- 치료 목표 : 수분~2시간 이내에 평균 동맥압을 25% 이내에서 낮춤 or 160/100~110 mmHg 유지
  (∵ 너무 많이 낮추면 뇌, 심장, 신장 등의 perfusion 감소 위험)

(1) immediate onset drugs (IV) : 몇 분 이내 작용
① <u>sodium nitroprusside</u> (continuous IV) - DOC
  : 동맥과 정맥을 모두 확장, 투여 즉시 작용 & 효과 뛰어남, tachyphylaxis 안 일으킴
② nitroglycerin (continuous IV) : 정맥을 더 확장 / CABG, MI, UA, LVF 등 동반시 유용
③ diazoxide (IV bolus) : 세동맥을 확장시킴, 사용하기 편하나 효과는 떨어짐
  - aortic dissection, MI, DM 때는 금기 (∵ 심근 수축력 ↑)
④ esmolol (continuous IV) : aortic dissection, perioperative hypertensive crisis 때 특히 유용
  - CHF, COPD, asthma 때는 금기 (∵ β-blocker)
⑤ fenoldopam (continuous IV) : selective dopamine-1 receptor agonist,
  전신 및 신장 혈관 확장, GFR 증가 및 이뇨작용도 있음

c.f.) adrenal crisis (e.g., pheochromocytoma) → phentolamine (DOC) or nitroprusside
    (methyldopa, reserpine, guanethidine 등은 금기)

(2) delayed onset drugs : 5~10분 이후 작용

① hydralazine IV/IM ; aortic dissection, MI 시에는 금기

② nicardipine IV ; 수술 후 심장질환자에 특히 유용

    (c.f., nifedipine 설하정은 부작용 및 조절 어려움 때문에 사용 안함)

③ labetalol IV (α- & β-blocker)

    - MI, angina, aortic dissection 등 때 특히 유용 (∵ 혈압 & 심근수축력 ↓)

    - 이전에 β-blocker로 치료 받았으면 효과 없다

    - HF, asthma, bradycardia, heart block 시에는 금기

    - hydralazine에 듣지 않는 eclampsia에도 사용할 수 있음

④ urapidil IV (α_1- blocker, serotonin $5HT_{1A}$ agonist) : ACS, acute HF 때 사용 가능

⑤ furosemide ; encephalopathy 및 CHF 회복 촉진, 항고혈압제의 sensitivity ↑

⑥ ACEi (enalaprilat) IV ; LV failure시 좋다, 15~60분 이후에 작용

	목표	1st-line	2nd-line
Malignant hypertension ± ARF	몇 시간 이내 MAP 20~25% ↓	Labetalol Nicardipine	Nitroprusside Urapidil
Hypertensive encephalopathy	즉시 MAP 20~25% ↓	Labetalol Nicardipine	Nitroprusside
Acute coronary syndrome	즉시, SBP <140 or MAP 60~100 mmHg	Nitroglycerin Labetalol	Urapidil
Acute cardiogenic pulmonary edema	즉시, SBP <140 or MAP 60~100 mmHg	Nitroprusside + loop diuretics	Nitroglycerin Urapidil + loop diuretics
Acute aortic dissection	즉시 SBP <120 mmHg & HR <60 bpm	Nitroprusside + esmolol or NG or nicardipine	Labetalol or metoprolol
Acute ischemic stroke (>220/120 mmHg)	1시간 MAP 15% ↓	Labetalol	Nicardipine Nitroprusside
Acute ischemic stroke :thrombolysis 예정 (>185/110 mmHg)	1시간 MAP 15% 미만 ↓	Labetalol	Nicardipine Nitroprusside
Cerebral hemorrhage (SBP >180 or MAP >130 mmHg)	1시간 SBP<180, MAP<130	Labetalol	Nicardipine Nitroprusside
개두술(craniotomy)	즉시	Nicardipine	Labetalol
Adrenergic crisis (pheochromocytoma)	즉시	Phentolamine	Nitroprusside, Urapidil
Eclampsia, severe preeclampsia/HELLP	즉시 <160/105 mmHg	Labetalol (+ MgSO$_4$)	Nicardipine Ketanserin

* stroke (∵ 뇌혈류의 autoregulation 장애로 뇌혈류 유지를 위해 보다 높은 동맥압 필요)

   ┌ infarction ; >220/120 mmHg면 혈압강하 치료 (→ 처음엔 15% 이상 낮추면 안됨)

   │   (thrombolytic therapy 예정이면 >185/110 mmHg면 혈압강하 치료)

   └ hemorrhage ; SBP >200 mmHg or MAP >150 mmHg면 혈압강하 치료

      (뇌압상승 소견이 있으면 SBP >180 mmHg or MAP >130 mmHg면 혈압강하 치료)

• nicardipine, labetalol, urapidil 등이 DOC (urapidil은 개두술 때는 뇌압상승 유발)

• nitroprusside와 hydralazine은 뇌압상승을 일으킬 수 있으므로 금기

5
동맥경화증 (죽상경화증, Atherosclerosis)

병리

1. **Fatty streaks** : earliest lesion, lipid-laden macrophage가 특징
2. **Atheroma** : lipid (LDL) 방울들이 모여 lipid core를 형성 (→ 육안적으로 노란색을 띰)
3. **Fibroatheroma** : advanced atherosclerosis, smooth muscle cells의 증식 및 ECM 침착으로
   fibrous cap 형성 (Fibrous plaques : 주로 SMC와 ECM으로만 이루어진 atheroma)
4. **Complicated lesion** : calcified fibrous plaques with necrosis, thrombosis, ulceration
   → hemorrhage, aneurysm, thrombus 형성

* macrophage가 가장 중요한 역할 → macrophage 침착이 많을수록 plaque rupture 가능성 증가
* 관상동맥 협착시 혈류는 협착 정도에는 영향을 받으나, 협착 길이는 관계없다
* 잘 일으키는 부위 … 주로 branch point가 많다
  ① Lt. ant. descending coronary artery의 근위부
  ② renal artery의 근위부
  ③ carotid bifurcation
  – 하지 > 상지
  – epicardial coronary artery를 잘 침범 (intramural은 드물다)

병태생리

1. Atheroma (lipid core)의 생성

(1) Lipoprotein 축적

* atherogenic <u>lipoprotein (LDL)</u>이 혈관의 <u>intima</u> sublayer (subintima)의 ECM
  (주로 proteoglycan)에 결합되어 축적 (proteoglycans중 heparan sulfate 증가시 축적 증가)
  ⇨ lipoprotein 축적 촉진, 국소 염증반응 유발, chemical modification↑
* LDL은 원래 혈관 내피세포(endothelium)을 쉽게 통과하지 못하는데, endothelial dysfunction도
  동맥경화의 시작에 관여 … "leaky endothelium" (∵ turbulent flow, monocytes 등)

(2) Lipoprotein modification (atherogenesis 촉진)

  ① oxidation (∵ plasma의 antioxidants로부터 격리되므로) → **oxidized LDL**이 동맥경화의 주범

     – cytotoxic, proinflammatory, chemotaxic, proatherogenic 등 독성 성질을 가짐

        → chemotaxis, 다시 내피세포 자극(→ adhesion molecules 발현)

     – subendothelium에서는 NO (← macrophages)가 LDL 산화의 주범

  ② nonenzymatic glycation : DM 환자에서

(3) 백혈구의 침윤

  • monocytes와 lymphocytes (T cells)가 혈관벽에 부착된 뒤 혈관내(subendothelium)로 이동

   (c.f., T cells은 macrophages 활성화 정도에만 관여함)

  • endothelium에서 adhesion molecules 발현 (VCAM-1, ICAM-1, P-selectin)

     – cytokine (IL-1, TNF-α) → VCAM-1, ICAM-1의 발현 촉진   ⎤

     – oxidized LDL → chemotaxis와 VCAM-1의 발현 촉진   ⎦ macrophages와 T cells 부착↑

     – <u>laminar shear force</u> → 발현 감소 (NO 생산도 촉진) / <u>turbulent flow</u> → 발현 증가!

       (c.f., atherosclerotic plaques 파열 위험도 높임)

(4) Foam-cells 형성

  • monocytes는 intima 내에서 <u>macrophages</u>로 분화

   ⇨ 더 많은 LDL 산화, LDL을 섭취하여 lipid-laden foam cells로 됨, 혈관벽에 lipid 축적 촉진

   (macrophages는 atheroma에서 lipoproteins을 삼켜_{phagocytosis} 없애는 역할

    → 죽을 때까지 삼키고, 죽고 난 잔해가 동맥경화의 necrotic core를 형성하는 주성분이 됨)

  • necrotic core (lipid core, lipid-rich center) : foam cells의 파괴(apoptosis)에 의해 생성됨

    → complicated atherosclerotic plaques의 특징! (∵ 노출되면 많은 TF 생성 → thrombogenicity 높음)

  • 일부 macrophages는 plaque 내에서 cytokines (e.g., <u>IL-1</u>, <u>TNF-α</u>)을 생산 → growth factors

   (PDGF, FGF 등) 국소 생산 촉진 → SMCs의 migration과 ECM 생성 촉진 (안정화에 중요)

■ Atheroma initiation (동맥경화증의 촉진 인자)

  • phagocytic leukocyte에서 reactive O_2 species 분비 → 촉진

  • HTN → 촉진 / DM → 촉진 / lipoprotein(a) → 촉진

  • fibrinogen↑, plasminogen activator inhibitor 1 (PAI-1)↑, EDRF↓ → 촉진

  • homocysteine↑ → thrombosis 촉진

  • smoking → atherogenesis 촉진과의 연관성은 아직 모름

  • 감염 및 염증(e.g., Kawasaki dz.) → 촉진

* <u>NO radical</u> ; **endothelial cells**에서 분비된 → 저농도에서는 AS의 진행을 방해

  ① smooth muscle 수축 감소

  ② 백혈구의 endothelium에의 부착 억제

  ③ smooth muscle 증식 억제

  ④ 혈소판의 응집 및 부착 억제

* **macrophages** ; toxic amount의 NO 분비 (∵ 주로 이물질 특히 세균을 산화시켜 죽이기 위함)

    → LDL도 이물질로 인식해 산화시킴

2. Fibroatheroma의 형성

(1) Smooth muscle cells의 참여 : fibroproliferative action

- fatty streak → 대부분 atheroma로 진행 됨 (모두는 아님)
- smooth muscle cells (SMCs) → ECM 생성 → fibrous plaque (섬유조직으로 주로 구성됨)
  - SMCs은 atheroma를 혈관손상으로 인식하여 섬유성 조직으로 만들어 치료하려고 노력함
  - PDGF (SMCs의 migration 촉진), TGF-β (SMCs의 ECM 생성 촉진) (← macrophage에서 생산)
- fibroproliferative action이 충분치 않으면 lipid core를 둘러싼 막이 약해 파열될 위험이 높아짐
- SMCs도 apoptosis 가능 → atheroma가 완전히 fibrous해지기도 함
  (SMC 증식을 억제하는 TGF-β, IFN-γ 같은 cytostatic factor 분비 때문)

(2) Atheroma의 진행 및 합병증

- blood coagulation & thrombosis → atheroma 형성에 기여
- activated platelets : PDGF, TGF-β 등 분비 → fibrotic response 촉진
- thrombin : protease-activated receptors를 자극하여 SMCs migration, proliferation,
  ECM 생산 등을 촉진하기도 함
- vasa vasorum과 이어지는 microvessels이 발달
  → intraplaque hemorrhage, rupture, focal hemorrhage (→ thrombosis)
- atherosclerotic plaques (lipid core) 내에는 Ca^{2+}도 침착됨

3. 임상발현

- 죽상경화판의 성장 및 혈관협착의 진행은 간헐적 양상으로 호전/악화 가능, 대부분은 무증상
- 죽상경화판(atherosclerotic plaques)
  (1) 초기 (arterial remodeling)
    - plaque가 바깥쪽으로 성장 (abluminal)
    - 혈관내경이 커짐 (compensatory enlargement) ; coronary angiography에서는 협착이 없거나
      심하지 않아도 intravascular US에서는 진행된 atheroma가 관찰될 수 있음
    - internal elastic lamina 반경의 40% 차지하면 안(lumen)쪽으로 성장
  (2) 후기
    - flow-limiting stenosis → stable syndromes (e.g., stable angina)
    - plaques instability & rupture (대부분 nonocclusive stenosis에서 발생) → unstable ACS (e.g., MI)
    - 작은 plaque rupture가 반복 & 치유되면 보다 안정적인 fibrous plaques로 전환될 수도 있음
- unstable ischemia (acute coronary syndrome)의 발생 기전
  - superficial erosion of endothelium ┐ **thrombosis**(동맥경화가 임상적 문제를 일으키는 주 기전)
  - plaque rupture, fissure, ulceration ┘
  - plaque rupture (더 심함) ⇨ ACS (2/3), 경동맥/대동맥 질환
    (↳ 대량의 lipid core가 갑자기 방출되어 급격한 응고 항진 → 심한 thrombosis 발생 위험)
  - local or systemic thrombogenic condition ⇨ 말초동맥질환, ACS (1/3)
- IFN-γ (T cell에서 분비) : SMCs의 성장과 collagen 합성 억제
- TNF-α or IL-1 (macrophage), IFN-γ (T-cell) : plaque cap ECM을 분해하는 proteinase 분비
  ⇨ plaque cap이 얇아져 rupture 발생 위험↑   (e.g., matrix metaloproteinase, MMP)

파열하기 쉬운 경화판(vulnerable/unstable plaque) ★
Eccentric Large lipid core (>40% of plaque volume) 얇은 섬유성막(fibrous cap) 많은 lipid-laden monocytes/macrophages 침윤 Matrix metaloproteinases (MMP) 생산 증가 Smooth muscle cells or ECM (e.g., collagen) 감소

■ 원인/위험인자

심혈관계질환 or 동맥경화증(atherosclerosis)의 위험인자 ★	
1. 이상지혈증 　┌ high **LDL**-cholesterol (≥160 mg/dL) 　└ low **HDL**-cholesterol (<40 mg/dL) 2. 흡연 3. 고혈압 (≥140/90 mmHg 또는 항고혈압제 복용) 4. 관상동맥질환(CAD) 조기 발병의 가족력 (직계가족 중 남성 <55세, 여성 <65세) 5. 고령: 남성 ≥45세, 여성 ≥55세	주요 위험 인자

6. **당뇨병** (c.f., 이상지혈증 치료 기준에서는 고위험군에 해당, CAD risk equivalent)

7. Insulin resistance (metabolic syndrome), impaired fasting glucose (IFG)
8. 남성, 폐경기 여성
9. 생활습관 ; 비만(BMI ≥30), 신체활동 부족, 동맥경화성 식습관
10. 정신사회적 요인 ; 우울증, 스트레스, 불안, 사회적 격리 등
11. 기타 : hsCRP, lipoprotein(a) [Lp(a)], lipoprotein-associated phospholipase A2 (Lp-PLA$_2$),
　　　apolipoprotein B (Apo B), homocysteine, prothrombotic factors (e.g., fibrinogen, PAI),
　　　proinflammatory factors, ankle-brachial blood pressure index,
　　　carotid intimal medial thickening (CIMT), coronary calcium score 등

* HDL ≥60 mg/dL는 "negative" 위험인자임
* 교정할 수 없는 위험인자 ; 연령, 성별, 유전적 성향 (premature CAD의 가족력) 등
* estrogen (± progestin) 투여 받는 폐경기 여성도 CAD 위험 약간 증가

■ 기타 새로운 (관련성이 부족한 or 연구 중인) 위험인자들

1) 이상 지질단백
　① lipoprotein(a) [Lp(a)] : CAD 위험 1.13배 증가, 매우 높은 경우에만 의미가 있는 편
　② TG-rich lipoprotein (TRL) remnants ↑
　③ LDL subclass
　　┌ A형 : 크기와 부력이 큼, LDL-1~2
　　└ B형 : 작고 치밀(small dense LDL), LDL-3~7 → more atherogenic, AMI↑
　④ HDL subclass
　　┌ HDL2
　　└ HDL3 → AS와 관련
　⑤ oxidized LDL (OX-LDL) ↑

2) atherosclerosis 및 endothelial function의 imaging/non-invasive tests
   ① 경동맥 내외막 두께(carotid intima-media thickness, CIMT) : 고해상도 초음파
      - CIMT 두께 0.1 mm 증가할수록 향후 ASCVD 위험 9% 증가
      - but, 다른 위험인자들로 분류한 뒤에는 기여도가 없음 → 측정 권장 안됨
   ② 동맥 맥파속도(pulse wave velocity, PWV) : 동맥 경직도의 지표
   ③ flow-mediated dilation of brachial artery
   ④ 관상동맥 칼슘(coronary artery calcification, CAC) : MDCT coronary angiography
      - 다른 위험인자들과 관계없이 ASCVD 위험 증가와 관련
      - CAC score가 낮아도 고위험군일 수 있고, 비용 및 방사선 노출 때문에 많이 사용은 안함
3) 염증 및 감염
   ① CRP (hsCRP) : ASCVD(Atherosclerotic Cardiovascular Disease)의 위험 및 예후(Framingham score)와 관련
      - LDL level과 관계없이 CAD 위험 증가와 관련
      - 중간위험군(10yr risk 7.5~20%)에서 statin 치료 여부 결정하기 애매할 때 추가로 검사
   ② lipoprotein-associated phospholipase A2 (Lp-PLA₂) : 혈중에서 lipoproteins (e.g., apo B)에
      의해 운반되므로 LDL level에 의존적임 → LDL 보정을 하면 CAD 위험과 관련성은 부족
   ③ low-grade 감염(e.g., gingivitis) or *Chlamydia pneumoniae*, *H. pylori*, HSV, CMV 등의 보균
      : ASCVD와의 관련성이 적거나 없으며, 치료하면 CAD 위험이 감소한다는 증거도 없음
4) 혈전형성이 용이한 상태(thrombogenic state)
   ① PAI-1 (plasminogen activator inhibitor 1) : fibrinolysis 억제 → CAD 위험↑
   ② Lp(a) : fibrinolysis 억제 가능 → CAD 위험↑
5) 기타 : homocysteine, myeloperoxidase, lipoprotein-associated phospholipase A₂ ...
   - homocysteine : thrombosis와 일부에서 CAD와 관련 (but, 임상시험 결과 homocysteine level을
      낮춰도 CAD는 감소 안함) → 젊은 나이 or 저위험군의 동맥경화 환자에서만 검사 고려

치료/예방

동맥경화증 위험인자의 조절 예

위험인자	치료
High LDL level, high hsCRP	Statins
High Lp(a) level	Nicotinic acid (niacin), PCSK9 inhibitor
High TG level	Fibric acid derivatives
Low HDL level	Nicotinic acid (niacin)
Hypertension	Antihypertensives
Hyperglycemia	Insulin
Hyperhomocysteinemia	Folic acid
High fibrinogen level	Fibric acid derivatives

■ **HMG-CoA reductase inhibitor (statin)**

• 임상적 효과 ; cardiovascular events 및 total mortality 감소, MI의 재발 및 stroke 감소, revascularization 또는 입원의 필요성 감소 등

• 기전

① hepatic HMG-CoA reductase 억제 (主) → hepatic cholesterol biosynthesis 감소
→ hepatic LDL receptors level 증가 → 혈중 LDL 및 LDL precursors 제거

② hepatic apolipoprotein B100 합성 억제 → TG-rich lipoproteins의 합성/분비 감소

• cardiovascular events 감소의 원인

① lipid lowering ; LDL 25~40%↓, total cholesterol 20~30%↓, TG 10~20%↓
(→ 대개 6~24개월의 치료기간이 필요)

② endothelial function (endothelium-dependent vasodilators에 대한 vasomotor response)의 개선 : arterial endothelial level에서의 NO 생성 증가 때문 (→ 대개 6개월 이내에 발생)

③ 동맥경화성 병변(plaque)의 안정화 (obstructive lesion의 크기는 많이 감소시키지 않음)

④ 기타 : 염증세포의 이동 및 증식 감소, 혈전 형성 감소 등

→ 내분비내과 참조

■ **알코올(음주)과 심장질환**

• 기존의 음주자 → 음주량 제한 (하루에 남자 2잔, 여자 1잔 이하)

– 이것 이상의 과도한 음주

⇨ ① TG↑, 비만

② 혈압상승, cardiomyopathy, arrhythmia, heart failure, SCD, CVA

③ 유방암, 알코올중독, 자살/사고 위험 증가

• 비음주자 → 적당한 음주의 시작도 금기! (∵ 부작용 증가, 중독 위험)

▶ 알코올(특히 포도주)이 심장질환 예방에 도움이 된다는 연구결과도 있지만, 대부분 다른 생활습관 인자(e.g., 운동, 야채/과일섭취↑, 포화지방섭취↓)가 관여된 것으로 추정되며, 알코올과 심장질환 과의 정확한 관련성은 더 연구가 필요함

▶ 알코올의 HDL 상승 효과는 증명되었지만, 이 효과 때문에 음주가 권장되지는 않음!

c.f.) antioxidant vitamin therapy

• 비타민이 풍부한 야채, 과일 등의 섭취는 CAD를 감소시킴

• but, 비타민제제의 복용은 CAD에 영향 없음

6
허혈성 심장질환(Ischemic heart disease, IHD)

개요/정의

- 허혈성 심장질환(IHD) : 심근의 산소 부족으로 인한 질환들을 총칭 (≒ CAD)
- 협심증(angina pectoris) : 심근의 관류 저하(ischemia)로 산소 요구량과 공급량의 불균형이
  발생하여 산소부족에 의한 chest pain이 발생하는 질환

  ┌ stable angina (chronic CAD)
  └ ACS (acute coronary syndrome) : UA/NSTEMI, STEMI

* 심근의 산소 요구량/소모량의 결정 인자
  ① heart rate
  ② systolic pressure (wall tension) ┐
  ③ myocardial contractility   ├ 主 (90% 이상)
  ④ wall shortening against a load
  ⑤ basal oxygen requirements

* 심근 허혈(ischemia)의 결과
  ① chronic focal ischemia → 심근수축의 국소적인 장애 ; segmental akinesia, bulging (dyskinesia)
  ② acute severe ischemia
    ┌ 일시적(reversible) → angina pectoris
    └ 지속적(대개 20분 이상) → myocardial necrosis & scarring (± MI의 증상)

* 허혈(ischemia)에 대한 심근의 반응
  (1) 전처치(preconditioning) : 짧은 기간의 허혈 & 재관류를 반복하면, 심근세포는 후속되는 보다
      긴(or 심한) 허혈에 대항하여 자신을 보호하려는 저항성을 가지게 됨 (→ transmural necrosis ↓)
  (2) 기절심근(stunned myocardium) : acute ischemia 이후 국소 심실 기능(수축력)이 저하되었으나
      재관류 후에도 일정 기간(몇 시간~몇 주, 대개 1주 이내) 기능저하가 지속되다가 회복되는 것
      - recurrent ischemia가 없으면 대부분 자연 회복됨 (ischemia가 반복되면 영구적 기능 상실 발생)
      - 심근 에너지 대사는 정상, inotropic agents (e.g., β-agonist)에는 반응하여 회복됨
      예) acute MI, cardiac arrest, CABG 등의 심장수술 이후
  (3) 동면심근(hibernating myocardium) : 만성적 혈류 감소로 심실 기능은 저하되어 있으나 허혈성
      대사변화는 심하지 않아 (평형 상태), 재관류시에는 심실 기능이 회복되는 상태(viable)
      예) chronic stable angina, silent ischemia

병인

1. **atherosclerotic coronary artery dz.** (m/c) → atherosclerosis의 위험인자는 앞 장 참조
   - epicardial coronary arteries (= conductance vessels)를 주로 침범
   - 직경의 50% (단면적의 75%) 정도가 감소하면 심근의 산소요구량 증가를 혈류 증가로 충족시키지 못함 (→ 운동시 흉통 발생)
   - 직경의 80% 이상 감소하면 안정시 혈류도 감소되고, 조금만 더 감소해도 심근 허혈 발생
2. **nonatheromatous coronary obstructive lesions** ; arterial spasm, thrombi, emboli, luetic aortitis (e.g., conductance vessels의 비정상적인 spasm → Prinzmetal's angina)
3. **myocardial oxygen demands의 심한 증가** ; severe LV hypertrophy, severe HTN, pul. HTN, AS, AR, HCM, pheochromocytoma, hyperthryoidism
4. **혈액의 산소 운반능 저하** ; severe anemia, carboxyhemoglobin의 존재
5. **congenital coronary abnormalities**
   - Anomalous origin of LCA from Pulmonary Artery (ALCAPA) : 치료 안하면 대부분 사망
   - Anomalous origin of a Coronary Artery from the Opposite Sinus (ACAOS) : SCD 가능

■ **microvascular angina** (cardiac syndrome X)
   • 정의 : angina or angina-like chest pain + normal coronary arteriogram
   • 기전 : coronary microvascular (intramyocardial arterioles = resistance vessels) dysfunction (확장 장애) or spasm or endothelial dysfunction 등 아직 불확실하고 복잡
   • coronary arteriography 시행하는 환자의 10~20% 차지, 여성(특히 폐경전)에서 흔함
   • 검사소견
     - resting EKG는 대개 정상 or nonspecific ST-T wave abnormalities (때때로 흉통과 함께)
     - 약 80%는 exercise test 음성 (but, 많은 환자가 피로/흉통으로 운동을 완료 못함)
     - LV function은 stress 중에도 대개 정상 (obstructive CAD에서는 dysfunction 발생 흔함)
     - MDCT 상 coronary calcification은 정상인과 obstructive CAD 환자의 중간 정도
     - 관상동맥혈류예비력(CFR, FFR) 감소 ; 심도자, 심초음파 등으로 측정
   • 치료 : nitrate, β-blocker, CCB, ACEi, estrogen 등 (but, 치료에 대한 반응은 다양함)
   • obstructive CAD 환자보다는 예후 매우 좋음

(만성) 안정형 협심증 (stable angina pectoris, stable IHD)SIHD

   • transient myocardial ischemia에 의한 episodic clinical syndrome
   • 70%가 남자, 남자는 50~60세, 여자는 65~75세에 호발

1. 임상양상

(1) **흉통(chest pain, typical angina)** : 대개 substernal
   • 쥐어짜는, 짓누르는, 조이는, 터질 것 같은, 뻐근한 양상의 흉통

- short duration : 30분 이내 (대개 1~5분) → 30분 이상 지속되면 MI
- radiation : 왼쪽 어깨, 양 팔(특히 왼팔 안쪽, 새끼손가락), 등, 목, 아래 턱, 치아, 견갑골사이 등
  - 유발인자 : 운동(m/c), 섹스, 과식, 정신적 스트레스, 추위에 노출, 흡연 등
  - 호전인자 : 휴식, 안정, sublingual NG 복용시 소실됨
- 비전형적 증상(<u>anginal equivalents</u>) : angina 이외의 myocardial ischemia에 의한 증상
  ; 호흡곤란, 피곤, 실신/어지러움, 발한 등 … 노인, DM, 수술 후 환자 등에서 흔함
- 흉통이 발생하는 threshold는 사람마다 다르며, 하루 중에도 시간과 감정상태에 따라 다름
- 관상동맥 협착 정도와 반드시 비례하지는 않음

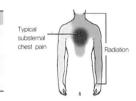

협심증에 의한 통증이 아닐 가능성이 높은 경우
30초 미만의 찌르는 듯한 예리한 통증
AMI가 아니면서 1시간 이상 지속되는 경우
수 초 내에 통증의 강도가 가장 심해지는 경우
엄지 손가락, 턱 위쪽, 배꼽 아래쪽 등의 방사통
호흡이나 자세를 바꿈에 따라 통증의 강도가 변하는 경우
통증 부위가 손가락 하나로 정확히 지적할 수 있을 정도로 작은 경우
흉벽의 국소적인 압통이 있는 경우

Typical substernal chest pain

Radiation

흉통(Chest pain)의 감별진단

1. Cardiovascular
   Obstructive CAD (e.g., SIHD, MI)
   Angina-like chest pain with normal
   coronary angiogram
     Endothelial dysfunction
     Microvascular angina (dysfunction)
     Prinzmetal variant angina
     Myocardial bridging of coronary artery
     Coronary AV fistula
     비후성심근병증(HCM)
     Severe AS or AR
     심한 systemic HTN, 심한 RVH
     심한 anemia/hypoxia
     통증 지각 이상/과민 (sensitive heart)
     기타
   Aortic dissection, Pericarditis, MVP

2. Gastrointestinal
   식도 경련/역류/파열, 식도염, 소화성궤양(PUD), 위염
   담낭염, 담석, 췌장염, 비장 경색(splenic infarction)
   Mallory-Weiss syndrome
3. Pulmonary
   폐고혈압(pulmonary HTN), 폐색전증, 폐렴, 기흉, 흉막염
   흉부 종양, Precordial catch syndrome
4. Neuromusculoskeletal
   Thoracic outlet syndrome
   DJD of cervical/thoracic spine
   Cervical angina (C6-7 radiculopathy)
   Costochondritis (Tietze's syndrome)
   Herpes zoster, 흉벽 통증/압통, 외상
5. Psychogenic
   불안, 우울, 공황장애
   Cardiac psychosis, Cocaine use

(2) 진찰소견

- 증상이 없을 때는 대부분 정상
- 다른 부위의 동맥경화 징후 ; 복부 대동맥류, 경동맥 잡음, 하지의 동맥압 감소, xanthoma 등
- anginal attack 시에는 transient LV failure에 의한 S_3 and/or S_4, dyskinetic cardiac apex, MR, pulmonary edema 등이 관찰될 수도 있음 (→ poor Px.)

(3) 검사소견

- U/A ; DM 및 신장질환의 확인 (e.g., microalbuminuria)
- 혈액검사 ; lipid profile, glucose, creatinine, Hb 등 (심근효소는 증가×)
- chest X-ray ; 대부분 정상 (심비대, ventricular aneurysm, HF 등 IHD의 합병증 소견이 나타날 수도 있음)

2. 진단

(1) 증상 … typical angina

(2) 심전도(EKG)

① resting EKG – 약 1/2에서는 정상, 나머지는 비특이적인 이상 소견들

: nonspecific ST-T changes (m/c), old MI, 심실내 전도장애, LVH 등

② 24시간 보행 심전도 (Holter monitoring)

– ST depression, T wave inversion ; 흉통과 일치

– MI의 초기, variant angina에서는 ST elevation을 보일 수도 있음

c.f.) ST segment의 변화(↑↓) :
J point (QRS의 끝)에서 60~80 ms
(2칸) 이후 지점에서 판독
⇨ 1 mm 이상 변화시 양성

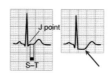

(3) 운동부하 심전도(exercise stress EKG test)

- screening test로 유용 (가장 많이 사용) ; 답차(treadmill), 자전거(bicycle ergometer)
- treadmill test (TMT)를 흔히 사용 (Bruce protocol)

: 각 stage 당 3분씩 단계적으로 증가하는 운동량으로 구성됨, 총 5~7 stage

- 보통 Sx-limited test (HR-limited로 시행하면 AMI 후 6일경에도 시행 가능)
- 적절한 운동 부하 → 목표 심박수(= 최대 심박수[220 - age]의 85%)에 도달해야
- sensitivity (45~68%)와 specificity (77~90%)가 부하검사 중엔 가장 나쁨

– 음성이라도 CAD를 R/O 하지 못함 (but, 3-vessels or Lt. main CAD 가능성은 매우 낮음)

– 검사전 확률(pretest probability)이 너무 낮거나 높으면 다른 검사를 시행하는 것이 좋음

(↳ 연령, 증상 등 기본적인 정보들을 통해 예측한 CAD 일 가능성)

- m/i 예후(사망률 및 심혈관질환) 예측 인자는 functional (exercise) capacity임

↳ predicted METs 도달 정도 or 운동 시간 등을 통해 예측

↳ [남] 18 - (0.15×age), [여] 14.7 - (0.13×age)

■ "positive" 소견 (→ myocardial ischemia, CAD 시사)

① typical anginal chest pain 발생

② ST segment의 horizontal (flat) depression 발생

: ≥0.1 mV (1 mm) & 0.08초 (80 msec) 이상 지속

┌ ① + ②면 (+) predictive value 90% (②만 있으면 70%) : 고령일수록↑
└ ②만 있어도 ST depression 2 mm 이상이면 90%

* abnormal T-wave, conduction disturbance, ventricular arrhythmia 등은 진단적 가치 없음

* ST depression은 허혈 부위와 관련 없음 = 허혈 부위(침범된 관상동맥)는 예측할 수 없음!

(↔ ST elevation은 허혈 부위와 관련 있음)

■ strong positive : <u>poor prognostic</u> (high-risk CAD) indicator ★

　⇨ left main or <u>multivessel dz.</u> 가능성↑ (→ coronary angiography/revascularization 고려)

① 적은 운동량에서 = Bruce protocol stage Ⅱ 완료 (<u>6분, 6METs</u>) 이전에

　　흉통(angina) 발생으로 운동중단 or ST depression (≥1 mm) 발생

② 심한(≥2 mm) ST depression 발생, 5개 이상의 leads에서 ST depression 발생

③ 운동 중단 후 회복기에도 <u>5분</u> 이상 ST depression (≥1 mm) 지속

④ 새로운 ST elevation (≥2 mm) 발생 (aVR lead는 제외)

⑤ 지속적(>30초) or 증상이 있는 VT/VF 발생

⑥ 운동 중 혈압이 상승하지 못하거나(systolic BP ≤120 mmHg) or

　　지속적으로 하락시(10 mmHg 이상↓ or 휴식시 혈압 이하로) → LV dysfunction 시사

* METs (metabolic equivalents) : 소비되는 에너지 단위 (1METs = O₂ 3.5 mL/kg/min 소비)

c.f.) Duke treadmill score = 운동시간(분) - [5×ST하강정도(mm)] - [4×<u>Angina Score</u>]

　　　　　　　　　　　　　　　(0 = no angina, 1 = nonlimiting angina, 2 = angina로 인해 운동 중단)

　┌ <u>high-risk</u> : ≤ -11점 (annual mortality >3%)

　├ moderate-risk : -11 ~ 5점 (annual mortality 1~3%)

　└ low-risk : ≥5점 (annual mortality <1%)

Exercise test를 종료해야 하는 절대적응
1. Q wave가 없던 leads에서 ST elevation (>1 mm) 발생 (aVR, aVL, V₁은 제외)
2. 심근 허혈의 징후를 동반한 10 mmHg 이상의 systolic BP 하락
3. Moderate~severe angina (grade 3/4) 발생
4. CNS Sx ; ataxia, dizziness, near-syncope 등
5. 순환 장애의 징후 ; cyanosis, pallor 등
6. 지속적인 심실빈맥 or 심박출량(CO) 이상을 일으킨 부정맥
7. EKG or BP monitoring의 기술적인 문제 발생
8. 환자가 중단하기를 원할 때

Exercise stress test의 절대금기 ★
1. 2일 이내의 AMI (c.f. Old MI는 아님! → 예후 예측에 유용)
2. 고위험 불안정 협심증 (e.g., 2일 이내에 안정시 흉통 발생 병력)
* 흉통 소실 후 2일 이상 지났으면 시행 가능
3. 혈역학적으로 불안정 조절되지 않는 부정맥, advanced AV block
4. 비대상성(decompensated) 심부전
5. Active endocarditis
6. 급성 심근염 or 심장막염
7. 증상을 동반한 심한 대동맥판협착(AS)
8. 급성 폐색전증 or 폐경색
9. 안전하고 적절한 검사를 방해하는 신체장애

상대적 금기
　Lt. main coronary artery stenosis 환자
　증상과의 관련성이 불확실한 중등도의 대동맥판협착
　심실속도가 조절되지 않는 빈맥성 부정맥
　Acquired complete heart block
　Resting pr. gradient가 심한 비대심근병(HCM)
　협조능력이 제한된 정신장애

Exercise EKG test의 위양/음성 원인

위양성 [false (+) stress test]	위음성 [false (−) stress test]

1. CAD 가능성이 낮은 사람 : 위험인자가 없고 무증상인 40세 이하의 남자 or 폐경전 여성
2. Digitalis나 quinidine 같은 심혈관계 약물 복용자
3. Intraventricular conduction disturbances
  예) R/LBBB, WPW syndrome
4. 안정시 ST 및 T 파의 이상
5. Ventricular hypertrophy (LVH)
  예) severe HTN, HCM, severe AS/AR, anemia
6. 기타 ; hypokalemia, severe hypoxia, hyperventilation, diuretics ...
	1. Lt. circumflex artery에 국한된 CAD
	  (∵ LCX 공급을 받는 뒷부분은 ECG상 잘 안 나타남)
	2. 충분한 운동량에 도달하기 전에 조기 중단시
	3. Lt. ant. hemiblock, Lt. axis deviation (LAD)
	4. 약물 ; β −blocker, CCB, nitrates 등의 anti-anginal drugs

(4) 핵의학검사: 심근관류영상(myocardial perfusion imaging, MPI) ··· SPECT
- IHD 진단에 exercise EKG보다 sensitivity와 specificity 좋다! (85~90%)
- radionuclide agents ; ^{99m}Tc-sestamibi (m/c) 등
- gated SPECT ; regional & global LV function도 측정 가능, artifacts 감소
- uptake 감소 (defect 부위) → hypoperfusion을 의미
  - transient (stress image에서만 defect) → reversible ischemia
  - resting or persistent (모든 image에서 defect) → infarction (old or recent)
  * defect를 보일 수 있는 다른 질환들 ; infiltrative dz. (sarcoidosis, amyloidosis), LBBB, DCM ...
- 부하검사(stress test) ; exercise (treadmill, bicycle) or pharmacologic agents
- pharmacologic stress tests (약물부하검사)
  - 운동 못하는 환자에서 시행 (e.g., 말초혈관/근육질환, 호흡곤란, 상태악화)
  - agents ; vasodilators (adenosine, dipyridamole), inotropes (dobutamine)주로 심초음파에서

■ indication (운동부하 심전도보다 유용한 경우)
① resting EKG 소견이 exercise EKG 소견을 해석하기 어려울 때(confounding) ★
  예) LBBB, baseline ST-T change, low voltage, LVH, digitalis effect, WPW syndrome, intraventricular conduction abnormalities, electronically paced ventricular rhythm ...
② exercise EKG 소견이 증상과 일치하지 않을 때 확진을 위해
  예) 증상이 없는 환자에서 (+) 소견 보일 때 (false-positive R/O)
③ 목표 심박수 (최대 심박수의 85%) 이상 도달하지 못하는 환자
④ ischemia 부위의 localization   ⑤ ischemia와 MI를 구별하기 위해
⑥ CABG or PCI 이후에 vascularization 정도를 평가하기 위해

■ poor prognostic (high-risk CAD) indicator ★
① 둘 이상의 관상동맥 관류 지역(coronary beds)의 multiple perfusion defects
② large perfusion defect : 심근의 10% 이상
③ 폐의 uptake 증가 (∵ PCWP 증가 때문)
④ 운동 중 RV의 uptake 증가
⑤ LV dysfunction
  - fixed or stress-induced LV dilation (ventricular volume↑ & LVEDP↑)
  - resting EF <35%, peak exercise EF <45% or stress로 EF 10% 이상 하락

* myocardial perfusion PET (^{13}N-NH$_3$, rubidium-82 등을 이용) ; SPECT보다 더 우수함
* ^{18}F-FDG (fluorodeoxyglucose) PET : 생존 심근에 섭취됨 → 심근의 viability 평가!
  (∵ anaerobic glycolysis를 통하여 glucose를 에너지원으로 사용)
* ^{99m}Tc-pyrophosphate scan : 괴사된 심근에 섭취 (hot-spot image)
* radionuclide angiography (ventriculography) ; 심실의 기능 평가 (e.g., EF)

(5) 심초음파(echocardiography)
• 여러 심장 질환에서 LV function 평가에 유용   → 1장 서론 편 참조
• stress echo.는 (stress MPI와 같이) IHD 진단에 exercise EKG보다 더 정확함
  (ischemia 소견 ; regional WM abnormalities , EF↓, end-systolic LV volume↑)
• dobutamine stress echo. : 심근 생존 가능성(myocardial viability)도 평가 가능

■ poor prognostic (high-risk CAD) indicator ★
① LV dysfunction : resting EF <35%, peak exercise EF <45% or EF 10% 이상 하락
② stress-induced LV dilation
③ multiple (>2 segments or 2 coronary beds) regional WM abnormalities
④ 저용량 dobutamine or 낮은 심박수(<120 bpm)에서 wall motion (WM) abnormalities 발생

Stress imaging study의 비교

심초음파	심근관류스캔
1. 진단 특이도 높음	1. 기술적인 성공률이 높음
2. 다목적 (심장 구조 및 기능의 폭넓은 평가 가능)	2. 진단 민감도 높음 (특히 LCX 병변시)
3. 매우 편리하고 효율적인 이용성	3. multiple resting WM 이상 존재시에도 정확한 진단 가능
4. 저렴한 비용	4. 풍부한 database (특히 예후 평가시)

(6) CMR (cardiac MRI)
• cine imaging, T2 edema imaging, MPI (rest & stress), LGE imaging 기법들을 사용
• dobutamine stress CMR ; WM abnormalities를 echo.보다 높은 해상도로 관찰 가능
• adenosine stress CMR (MPI) ; myocardial perfusion defects 평가 가능
  (기존 핵의학검사 대비 해상도↑, 검사시간↓, 방사선 조사 無)
• T2 edema imaging에서 부종이 동반된 관상동맥협착은 recent MI / 부종 없으면 old MI

(7) Coronary CT angiograpy (CCTA) : MDCT
• coronary calcium 정량 가능(e.g., Agatston score) : 관상동맥석회화점수(CACS)
  → AS (atherosclerosis)와 높은 상관관계 (but, 예후와의 관련성은 아직 불확실함)
• 의미 있는 CAD (관상동맥 협착 ≥50%)을 정확히 진단 가능 : sensitivity 85~99%,
  specificity 64~90% (→ specificity가 부족해 확진보다는 선별검사로서 더 의미)
• poor prognostic (high-risk CAD) indicator
① 관상동맥석회화점수(CACS) >400
② multivessel CAD (≥70% stenosis) or Lt. main stenosis (≥50% stenosis)

(8) Invasive coronary arteriography (catheterization)

- coronary obstruction을 직접 확인 가능 … CAD 진단/치료의 gold standard
- 적응증
  ① 약물 치료에도 불구하고 증상이 심하거나, revascularization (PCI or CABG)을 고려할 때
  ② 고질적인 증상이 있는데 다른 검사들에서 IHD 확진 or R/O이 안될 때
  ③ 심정지 이후에 생존한 angina 환자 or angina 의심 환자
  ④ noninvasive tests에서 high-risk CAD 소견 or ventricular dysfunction
- 기타 적응증의 예
  - 전형적인 anginal chest pain이 있으나, stress test에서 (-)일 때
  - ACS가 의심되어 입원을 반복하나, 진단이 내려지지 않고 CAD의 존재 여부를 결정해야 할 때
  - 타인의 안전을 책임져야 하는 직업인 (e.g., pilots)에서 의심되는 증상 있거나,
    증상은 없이 noninvasive test에서 (+)가 의심될 때
  - AS or HCM 환자에서 IHD가 원인으로 의심되는 흉통이 있을 때
  - valve replacement를 받을 예정인 45세 이상의 男 (55세 이상 女)
  - AMI 후 angina 재발 or HF, VPC 자주 발생하거나, stress test에서 ischemia 소견을 보일 때
  - coronary spasm이 있거나 myocardial ischemia의 다른 비동맥경화성 원인이 의심될 때
    (e.g., coronary artery anomaly, Kawasaki's dz.)
- 단점 ; arterial wall에 관한 정보는 얻을 수 없음, 심한 동맥경화가 존재해도 내경이 좁아지지
  않을 수 있음
- intravascular US (IVUS) → 1장 서론 편 참조 (c.f., IVUS로 stent 시술해도 예후엔 별 차이×)

■ poor prognostic (high-risk CAD) indicator ★

① LV dysfunction의 소견 ; LVEDP/V↑, EF↓
② 침범된 coronary artery의 수↑
③ Lt. main or proximal LAD (left anterior descending) artery 침범(stenosis >50%)
④ stenosis의 정도(%)↑
⑤ segmental atherosclerotic plaques의 fissures or filling defects

c.f.) Noninvasive stress tests의 CAD 진단 정확도

Stress test	Sensitivity (%)	Specificity (%)
Exercise ECG	68	77
Exercise SPECT	88	75
Adenosine SPECT	90	82
Exercise echo.	85	88
Dobutamine echo.	81	84
CCTA	97	78
Pharmacologic CMR	92	82

◆ CAD (IHD) evaluation에서 부하검사(stress test)의 선택

Stress test의 적용
1. IHD의 정확한 진단을 위해
2. 환자의 functional capacity 평가
3. IHD 치료 방법의 적정성 평가
4. CT CAC (coronary artery calcium) score↑ (>300~400)

* Stress test 금기시 → coronary angiography 고려

⇨ resting EKG, 운동 수행능력, 임상양상, 체형 등에 따라 선택

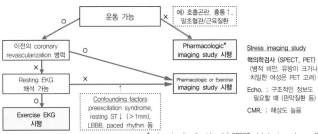

* adenosine (or dipyridamole) SPECT, dobutamine echo, or CMR

3. 치료 및 예후

(1) 위험인자 및 악화요인의 제거
- CAD를 악화시킬 수 있는 질환 치료 (e.g., 폐 질환, aortic valve 질환, cardiomyopathy)
- HTN, DM, hyperlipidemia, hyperthyroidism, anemia 등의 CAD 위험/악화인자 치료
- 금연, 적절한 운동, 체중감량, cholesterol과 saturated fat 섭취 제한 ...
  - exercise test에서 ischemia가 발생하는 심박수의 80% 이내에서 규칙적인 등장성 운동
  - 아침, 식사직후, 춥거나 험한 날씨 때는 에너지 소비를 줄여야 됨

(2) 약물 치료
- 흉통의 완화가 협착 정도의 개선을 의미하지는 않는다
- thrombolytic therapy를 바로 시행하지는 않는다

증상 조절 (흉통↓)	ACS로의 진행 예방 (심혈관 사망률↓ 효과)
1차 ; Nitrates, β-blocker and/or CCB	Lipid-lowering agents (-statin)
2차 ; Ranolazine, Molsidomine, Nicorandil, Trimetazidine	Antiplatelet agents (aspirin), Anticoagulants β-blocker, ACEi/ARB, Trimetazidine, Nicorandil

★ 1차 권장 치료제 ; nitrates, β-blocker, ACEi/ARB, aspirin

Ⅰ 질산염(nitrates)

nitroglycerin ; 설하정, spray, patch, 연고, oral, IV
long-acting nitrates ; isosorbide dinitrate, isosorbide-5-mononitrate 등

- 작용기전 : vascular smooth muscle 이완 (vein > artery)
  ① 심근의 산소요구량 감소

    ┌ 전신정맥확장 (venous return↓) → preload (LVEDV) & LV wall tension↓ (주기전)
    └ 말초세동맥 저항 (afterload)↓ → systemic BP↓, reactive tachycarida

  ② 심근의 혈류 증가 : 관상동맥 확장 및 수축예방, collateral blood flow↑
  ③ antithrombotic activity도 있음 (platelet activation 억제)
- 흉통 발생시 & 흉통을 유발할 수 있는 stress 상황 약 5분전에 사용
  - nitroglycerin 설하정이 신속한 흉통 완화에 가장 효과적 (사용 4~8분 뒤에 maximal effect)
  - 1st dose로 효과 없으면 → 5분 간격으로 2nd or 3rd dose 투여
    → 그래도 효과 없으면 ACS의 가능성이 있으므로 즉시 응급실로 내원
- 효과 ┌ chronic angina 환자에서는 exercise tolerance 향상
       └ unstable 및 variant angina 환자에서는 ischemia 호전
- Cx ; headache (m/c), facial flushing, palpitation, hypotension (m/i) ...
- 약제에 대한 <u>내성</u>이 잘 생김 → intermittent하게 사용해야!
- 공기, 습기, 햇빛 등에 노출되거나 3개월 이상 경과시 효능 감소
  (sublingual site에서 burning sensation 없으면 약효 상실된 것임)

② β-blockers

  ┌ propranolol, metoprolol, timolol, acebutolol, labetalol, pindolol 등 (하루 2~3회 투여)
  └ long-acting ; atenolol, nadolol, betaxolol, bisoprolol 등 (하루 1회 투여)

- 기전 : HR↓, 심근 수축력↓, 혈압↓ → 심근의 산소요구량↓
- 효과 ; angina & ischemia 호전, 항고혈압 작용, 특히 AMI 이후 재경색 및 사망률 감소 효과
    ⇨ 금기증이 없는 한 모든 IHD 환자에게 투여! (CCB보다는 1차 치료제로 권장됨)
- <u>C/Ix</u> ; asthma, COPD, high-degree AV block, 심한 동서맥 (e.g., SSS), variant angina,
  증상이 있는 말초혈관질환, Raynaud's phenomenon, β-blocker의 부작용 발생시
  (e.g., 우울증, 악몽, 성기능장애, 피로, exercise tolerance 감소, bronchospasm, intermittent
  claudication, 서맥, LV failure, hypoglycemia 악화 ...) / DM은 아님!
    ⇨ 이와 같은 경우엔 β-blocker 대신 <u>CCB</u>를 사용!
- β_1-specific β-blocker (e.g., metoprolol, atenolol, esmolol)
  ; 경미한 기관지폐쇄, insulin이 필요한 DM, intermittent claudication 환자 등에서 유용

③ calcium channel blocker (CCB)

- 기전 ; 혈압(afterload)↓, coronary vasodilator, 심근 수축력↓ → 심근의 산소요구량↓
- <u>적응증</u> ┌ β-blocker의 금기 or 부작용 발생 or 효과 없을 때
            └ 경련성 관상동맥 수축이 주병인인 variant angina에 특히 효과적! (nitrates와 병용시)
- non-DHP CCB (verapamil, diltiazem) : 전도장애, 서맥 유발, HF 악화 위험
  (특히 β-blocker와 병용시 and/or 좌심실기능이 감소된 환자에서)
- dihydropyridine (DHP)-CCB
  - 1세대(nifedipine, nicardipine)^{속효성(short-acting)}, 2세대(nifedipine^{SR/GITS}, nicardipine^{SR(서방정)},
    isradipine, felodipine, nisoldipine 등), 3세대(amlodipine 등)
  - vasodilator 역할이 강해 HTN을 동반한 angina 치료에 유용 (수축력과 전도계 악영향 無)

- short-acting 제제(1세대)는 angina 악화 ~ infarction을 일으킬 수 있으므로 금기!
  (∵ 강력한 혈관확장 → 보상성 빈맥), 특히 β-blocker 없이 단독으로 사용시
- C/Ix ; LV dysfunction, high-degree AV block (특히 verapamil과 diltiazem)
- β-blocker와의 병용
  - verapamil : 병용 금기 (∵ 심근수축력 억제↑, HR↓ → HF 악화 가능)
  - diltiazem : 심실기능이 정상이고 전도장애가 없으면 가능
  - amlodipine 등의 2/3세대 DHP-CCB는 병용 효과 우수! (서로 보완작용)

  * β-blocker와 CCB가 모두 금기이면 long-acting nitrates 사용

4 antiplatelet agents & anticoagulants
- 동맥경화의 악화를 방지하여 AMI 예방 효과 ⇨ 금기증이 없는 한 모든 IHD 환자에게 투여!
- aspirin : platelet cyclooxygenase를 비가역적으로 억제 (→ platelet 활성화↓)
  - stable angina 환자에서 adverse cardiovascular events를 33% 감소시킴
  - 부작용 (C/Ix.) ; GI bleeding, dyspepsia, allergy
  - 5~10%에서는 내성 발생 → 고용량 aspirin and/or clopidogrel
- ADP-induced platelet aggregation 억제제 (thienopyridine derivatives)
  - 부작용 등으로 aspirin을 사용할 수 없는 경우 투여
  - clopidogrel : chronic stable IHD 환자에서 aspirin과 효과 동일
  - clopidogrel + aspirin 병용요법은 ACS or stent 삽입 환자에서 나쁜 사건(MI, stroke, 사망)
    을 감소시킴 (chronic stable IHD 환자에서는 clopidogrel을 추가해도 이득 없음!)
  - prasugrel : ACS 이후 stent 삽입 환자에서 clopidogrel보다 효과 더 좋지만, 출혈 위험↑
- warfarin : coronary events 예방에 aspirin 만큼 효과적
  - AF 동반된 angina 환자에게 권장되지만, 출혈 위험은 높음
  - warfarin + aspirin 병합요법 : INR 2 이상이면 aspirin보다 더 효과적이지만, 출혈 위험↑

5 ACEi
- 동맥경화성 심혈관 질환에서 MI, CVA, 사망 등을 감소시키는 효과
  ⇨ 금기증이 없는 한 모든 CAD 환자에게 투여 권장됨
- 특히 HTN, LV dysfunction, DM 등을 동반한 환자는 반드시 투여!

6 기타
- ranolazine : piperazine derivative
  - 기전 ; late inward sodium current (I_{Na}) 억제 → 세포내 calcium↓ → 심근 산소요구량↓
    → HR나 BP에 별 영향 없이 anti-ischemic effect를 보임
  - 다른 약물이 효과 없거나 부작용(e.g., HR or BP↓)으로 사용 못하는 angina 환자에 유용
  - 기타 약간의 항부정맥 작용 및 혈당(HbA1c) 강하 작용도 있음
- molsidomine : 대사체인 SIN-1이 NO donor로 nitric oxide 방출, 질산염과 달리 내성 없음
- nicorandil : ATP-sensitive potassium channel opener와 nitrate의 복합체
  - 일본에서 개발되어 일본과 우리나라에서 널리 쓰임 (사용 근거는 미흡하지만)
  - 전신 정맥 및 관상동맥 확장으로 angina 예방 효과, 내성 없음
- trimetazidine : 지방산 산화의 β-oxidation을 부분적으로 억제 → 당 대사↑ → 허혈시
  더 많은 ATP 생성 → anti-anginal effect (허혈 이후 심기능을 빠르게 회복시킴)

- 혈역학적 변화(혈관/HR에 영향) 없이, 허혈로 인한 손상으로부터 심근을 보호함
- 증상↓, 운동능력↑, 좌심실 기능 향상, survival↑ 효과
• ivabradine : sinus node의 funny (I_f) K^+ channel에 작용 HR만 감소 + 관상동맥 확장 작용
- HF 치료제로는 승인되었지만, SIHD (안정형 협심증) 치료제로는 별 도움 안됨
- resting HR 70 bpm 이상 & LV dysfunction 동반 IHD 환자에서는 심혈관사건 감소 효과
• NSAIDs : 일반적으로 IHD 환자에서는 금기 (∵ MI & mortality 약간 증가)
  → 꼭 사용해야 하는 경우에는 최저 용량으로 aspirin과 병용

(3) enhanced external counterpulsation
• 하지의 pneumatic cuffs → 심장의 workload 및 심근 산소요구량↓, 관상동맥 혈류↑
• angina, exercise capacity, regional myocardial perfusion 개선 효과

(4) angina와 HF가 동반된 경우의 치료
• transient LV failure → nitrates가 유용
• CHF → CHF의 치료(e.g., ACEi, digitalis, 이뇨제) + β-blocker, nitrates ...
- 대개 예후가 나쁘므로 angiography & revascularization을 고려

(5) 중요한 예후인자
; LV의 functional state (m/i), coronary artery 협착 부위와 정도, 심근허혈의 severity/activity

* CAD의 빠른 진행을 시사하는 소견
; 최근에 증상 발생, stress tests에서 심한 ischemia 발생, unstable angina

* 나쁜 예후인자 ; <u>AS risk factors</u>, CRP↑, coronary calcification↑, carotid intimal thickening
  (e.g., 고령[>75세], HTN, dyslipidemia, DM, obesity, 말초/뇌혈관질환, prior MI)

4. Coronary artery revascularization

(1) <u>Revascularization의 적응증</u>
① 최적의 약물치료에도 불구하고 증상(흉통)이 지속되는 환자
② 적은 활동량에도 ischemia 발생 or 운동능력이 떨어진 환자
  : 증상 호전 및 삶의 질 향상을 위해 약물치료보다 PCI를 선호하는 경우
③ severe ischemia ; early (+) exercise test, 허혈심근 면적↑(>10% of LV),
  proximal LAD stenosis (>50%) 등
④ high-risk coronary anatomy ; severe Lt. main CAD (stenosis ≥50%), 3-vessel CAD
  (심하지 않은 3-vessel CAD 안정된 환자는 약물 치료를 우선 시도해볼 수 있음)
⑤ LV dysfunction (EF <40%)
⑥ ACS (e.g., high-risk unstable angina, STEMI)

(2) <u>PCI (percutaneous coronary intervention)</u>
• PTCA (balloon dilatation) + stenting이 가장 흔히 이용됨
• 약 95%에서 일차적 성공을 보임 : 증상 소실 & 적합한 <u>혈관 재개통</u>
  (시술 전보다 직경 20% 이상 증가, 잔여 협착 50% 미만)

- <u>stable angina</u> 환자에서 약물치료보다 PCI가 <u>증상 호전</u>과 운동능력 향상에는 더 효과적이지만, MI 발생 위험 및 사망률을 더 감소시키지는 못함 = 예후(survival) 향상 없음!
  ▶ high-risk angina가 아니면 약물치료, PCI, CABG의 예후(survival)는 비슷함!
    c.f.: ACS (UA, MI) 환자에서는 예후가 개선됨
      - <u>high-risk</u> ACS 환자는 약물치료보다 PCI가 사망률과 MI 발생 감소에 더 효과적임
        (↳ refractory ischemia, recurrent angina, 심근효소↑, new ST↓, EF↓, 심한 부정맥, 최근의 PCI/CABG)
      - STEMI 환자는 thrombolysis보다 primary PCI가 reperfusion 및 심근생존에 더 효과적임
- DES 도입 후 중/고위험군에서는 survival 향상도 있을 것으로 보이지만, CABG보다는 효과 적음
- 적응증
  ① 앞의 revascularization 적응에 해당 & PCI에 합당한 anatomy일 때
  ② CABG에 합당한 환자이지만 수술이 불가능할 때 ; 고령, 쇠약, 심한 동반질환(e.g., COPD), LV dysfunction, 적합한 이식혈관 無, 우회 대상 부적합 등
  ③ CABG or PCI 이후의 restenosis & angina 재발시
- PCI에 합당한(이상적인) lesions
  ① <u>single vessel CAD</u>, proximal LAD를 침범하지 않은 2-vessel CAD
  ② proximal, concentric lesion
  ③ 심한 calcification or plaque dissection 없어야
  ④ 큰 가지의 분지부로부터 떨어져 있어야
- stenosis가 비연속적이고 대칭적인 경우는 3 vessels까지도 시행
  (기술의 발전으로 complex, diffuse, calcified, total occlusion 등도 PCI로 성공적 치료 가능)
- DM 환자는 PCI 이후 합병증 및 재협착 위험 높음 → multivessel CAD면 CABG 시행 권장

■ Coronary stents의 종류

- BMS (bare metal stent) ; balloon angioplasty 단독에 비해 재협착(restenosis) 크게 감소
  - but, 그래도 angiographic restenosis 20~30%, clinical restenosis 10~15% 발생
  - 현재 10~20%에서만 사용함 (∵ DAPT 불가능한 경우가 m/c)
- drug-eluting stent (DES) ; 현재 대부분(80~90%) DES를 사용함
  - antiproliferative drug를 국소 방출하도록 stent에 코팅 → 1~3개월 이상 방출됨
    → intimal hyperplasia 억제 → clinical restenosis 50% 감소
  - PCI 후 재협착 빈도 크게 감소 (→ PCI 적응 확대), 장기적인 예후도 CABG 만큼 좋아짐
  - 1세대 DES (sirolimus, paclitaxel) ; BMS보다 very late stent thrombosis 위험 더 높음
  - 2세대 DES (everolimus, biolimus, zotarolimus) ; 1세대보다 더 효과적이고, 합병증
    (e.g., early or late stent thrombosis) 적음 → 현재 1세대를 대치하여 사용됨
  - C/Ix. ; 심장 이외의 대수술을 받았거나 곧 받아야 될 환자 (∵ DAPT 불가능)

■ PCI 이후의 주요 합병증

- <u>stent thrombosis</u> (1~3%) ⇨ 대부분 ACS로 발현 (STEMI가 m/c), 사망률 높음(10~20%)
  - 발생시기 : acute (24시간 이내), subacute (1~30일), late (30일~1년), very late (1년 이후)
  - 위험인자 ┌ AMI, DM, renal failure, CHF, 이전의 brachytherapy, 항혈소판제 복용 중단
           │ 긴 병변, 작은 혈관, multivessel dz., 분지부 병변, polymer materials
           └ stent 팽창 부족, 불완전한 wall apposition, crush technique, overlapping stent ...

- 1세대 DES는 endothelialization 억제에 의해 stent thrombosis 발생 위험을 높일 수 있음
  (but, DES의 긍정적인 작용으로 후기 사망률은 증가×)
  ⇨ PCI stent 시술 이후 <u>DAPT</u> [aspirin(평생) + P2Y$_{12}$ inhibitor] 1년 이상 복용 권장!!
- 2세대 DES ; 후기 thrombosis 발생 감소, stable IHD 환자는 DAPT 기간 단축 가능 (6개월)
- DAPT 중단이 필요한 elective surgery는 가능한 3개월(~6개월) 이후로 연기해야 됨
• 재협착(stent **restenosis**) – m/c
  - balloon angioplasty only 이후엔 20~50%, BMS 후엔 10~30%, DES 후에 5~15%에서 발생
  - 기전 ; neointimal proliferation (m/i), negative vascular remodeling (lumen이 좁아짐),
    elastic recoiling (과거 풍선확장술만 하던 시절에)
  - 위험인자 ; unstable angina, DM, 남성, 흡연, hyperlipidemia, 신부전, 만성 완전폐색,
    심한 협착, 근위부 협착, LAD 병변, 길이가 긴 병변, 직경이 좁은 artery, 석회화 병변,
    굴곡/분지 병변, thrombi 포함 협착, saphenous vein graft 협착, incomplete dilatation ...
  - BMS로 시술시 antiplatelet therapy가 PCI 시술 중/직후 coronary thrombosis 예방에는
    도움이 될 수 있지만, 장기적으로도 재협착률을 감소시키는 지는 확실치 않음
  - Tx. ; repeat PCI (with balloon dilatation + another DES)
• no-reflow (PCI 시술 중 2~3%에서 발생)
  - flow-limiting stenosis가 없음에도 불구하고 anterograde perfusion이 감소된 것
  - 풍선확장, atherectomy, stent 삽입 등 때 atheromatous & thrombotic debris의 색전으로 발생
  - 시술관련 MI 5배↑, 사망률 3배↑, 치료해도 효과는 논란(e.g., intracoronary nitroprusside)
• vascular access Cx (PCI의 3~7%에서 발생)
  - 경미한 access site hematoma ~ 심각한 retroperitoneal bleeding까지 다양
  - 심한 Cx 발생 위험인자 ; 고령, 여성, large vascular sheath, low BMI, 신부전, 항응고제↑
  - retroperitoneal hematoma (0.15~0.44%) ; unexplained hypotension and/or Hct↓↓시 의심
    (inguinal ligament 상부에서 access시 발생 위험 증가)
    ┌ Dx : abdominal CT or 초음파
    └ Tx : 보존적 치료 먼저(e.g., 수혈), 저혈압/빈혈이 심하거나 대퇴신경 압박시 수술 고려

(3) CABG (coronary artery bypass grafting)

PCI보다 **CABG**가 권장되는 경우 (·: survival↑) ★
1. Severe (stenosis ≥50%) Lt. main CAD
2. (proximal LAD를 포함한) 3-vessel CAD 대부분, 특히 LV dysfunction (EF <40%)을 동반한 경우
3. LV dysfunction (EF <40%) or noninvasive test에서 high-risk CAD 소견을 보이고   severe proximal LAD CAD를 포함한 2-vessel CAD
4. Multivessel or severe CAD DM 환자
5. 이전에 CABG 받았던 환자, PCI 이후 재협착이 반복되는 환자, SCD or sustained VT에서 생존한 환자
* 심하지 않은 Lt. main CAD에서 수술 위험이 높은 경우는 PCI도 가능함

• 이식혈관(grafts)
  - 좌측 내용동맥(internal mammary/thoracic artery)이 m/g (10년 뒤 재협착 10% 미만)
  - 기타 ; radial artery (근육형 동맥으로 연축이 많고, 투석환자에서는 금기), saphenous vein
    (10년 뒤 재협착 30% 이상), right gastroepiploic artery, inferior epigastric artery

- 새로운 기법들
  - MIDCAB (minimally invasive direct CABG) or OPCAB (off-pump CABG) ; 수술 부작용이 적고 회복이 빠르지만, 수술 후 신경인지기능장애 위험은 크게 감소시키지 못함
  - TMR (transmyocardial laser revascularization)
    ; PCI나 CABG를 시행할 수 없는 심한 CAD 환자에서 고려
- 수술 사망률↑ ; CHF and/or LV dysfunction, 초고령(>80세), 재수술, 응급수술, DM

PCI와 CABG의 비교 ★

	PCI	CABG
장점	덜 invasive, 반복 시행이 쉬움 입원 기간이 짧고, 정상 생활로의 복귀 빠름 초기 비용이 저렴함 뇌졸중 발생률이 CABG보다 낮음	완전한 revascularization 가능 초기 증상 감소에 더 효과적 DM 환자 등 일부에서 survival 향상! (앞의 표 참조) PCI보다 넓게 적용 가능
단점	불완전한 revascularization 더 많음 재협착(restenosis) 특정 해부학적 형태에 제한됨 심한 좌심실 부전시에는 효과 떨어짐 DM 환자에는 예후 나쁨 예후(survival↑) 불확실, 자주 F/U 필요	초기 비용이 많이 듦 Late graft closure로 인한 재수술 위험 수술관련 사망률과 이환율이 높음 수술 이후 뇌졸중 및 신경인지기능장애 합병 위험

무증상 심근허혈 (asymptomatic/silent myocardial ischemia)

- 흉통 등의 증상이 없지만, 검사에서는 ischemia의 증거가 자주 나타나는 CAD
  (e.g., ambulatory EKG상 ST depression)
- 유병률 : 전체 2~4%, MI 20~30%, stable angina 40~50%, after MI 50%, UA 90%, SCD 100%
- 병인 (잘 모름)   (↳ ischemic episodes의 70~80%는 무증상임)
  ① symptomatic ischemic episodes에 비해 severity↓, duration↓
  ② 통증 자각의 변화 ; pain threshold↑, pain threshold↑
  ③ neural dysfunction ; DM, post-MI, cardiac afferent neural stunning
- DM, 비만, 노인, 차력자 등에서 나타날 수 있음
- symptomatic ischemia보다 장기 예후 나쁨 (MI 발생 및 사망률 높음)
- 진단 ; 24hr Holter monitoring, exercise stress test, 심근관류검사 등
- 치료는 환자의 ischemia 정도/위치, 나이, 직업, 일반 의학적 상태 등에 따라 다름
  (exercise EKG 상 ant. precordial leads 양성이 inf. leads 양성보다 예후 나쁨)
  - 45세의 민항기 조종사가 V₁~₄에서 ST depression → coronary angiography 시행
  - 85세의 노인이 maximal activity leads II, III에서 ST depression → F/U (내과적 치료)
  - 3-vessel CAD, LV dysfunction → CABG 고려
- 약물치료(위험인자 조절) ; HTN 조절, dyslipidemia 조절, aspirin, β-blocker (→ 장기 예후 향상)

Non-ST Elevation Acute Coronary Syndrome (NSTE-ACS)
: Unstable Angina (UA) & Non-ST Elevation MI (NSTEMI)

1. 정의/임상양상

: ACS (acute coronary syndrome) : 혈전에 의한 급성 관상동맥폐쇄로 심근허혈/괴사 발생한 상태

- **UA (unstable angina)**불안정 협심증 : **다음 중 1개 이상**
  ① CAD 증세가 없던 환자에서 최근(2주 이내) 발생한 severe angina
  ② 기존의 stable angina가 악화되는 accelerating angina
    - 시간이 갈수록 증상의 빈도, 지속시간, 심도가 증가됨
    - 예전보다 적은 운동량에서도 흉통 발생
  ③ 10분 이상 지속되는 resting angina (휴식 중 or 작은 활동에 의해 흉통 발생)
    → variant angina와 혼동 주의

- **NSTEMI (non-ST-elevation MI)**
  : UA의 임상양상 + 심근괴사의 증거(<u>cardiac marker ↑</u>)

* UA/NSTEMI는 stable angina와 달리 갑작스런 coronary flow 저하로 발생하므로 임상적으로 매우 불안정한 상태임
* 심근괴사 표지자(cardiac marker) troponin의 analytical sensitivity 향상으로 과거의 UA가 현재는 NSTEMI로
  분류되기도 하므로, UA와 NSTEMI를 <u>NSTE-ACS</u>로 통칭하는 경향

2. 병태생리

- 대개 파열되기 쉬운 multiple plaques를 가지고 있음
- 발생기전
  ① plaque rupture/erosion에 따른 nonocclusive <u>thrombus</u> 형성 (m/c)
      c.f.) thrombosis ; platelet adhesion (GP Ib receptor, vWF) → platelet activation
        → platelet aggregation (GP IIb/IIIa receptor, fibrinogen)
  ② dynamic obstruction (e.g., coronary vasospasm)
  ③ progressive mechanical obstruction
    - 기존 atheroma의 빠른 진행 (lipid-laden macrophage가 기여)
    - PCI 이후의 restenosis
  ④ 심근의 산소요구량 증가 (e.g., tachycardia, fever, thyrotoxicosis) and/or 공급 감소
    (e.g., anemia)에 의한 secondary UA

3. 검사/진단

(1) EKG (serial or continuous)
- 작은 변화도 의미가 있을 수 있으므로 최근의 EKG와 비교하는 것이 중요함
- ST-depression (>0.5 mm) : 약 1/3에서 발생, transient (dynamic) or persistent
- deep T-wave inversion (>2 mm) : 더 흔하지만 specificity 떨어짐
- transient(<20분) ST-elevation : ~10%에서 발생 → coronary vasospasm or aborted infarction

(2) Cardiac markers ; <u>troponin (m/i)</u>, CK-MB

- 상승되면 ⇨ AMI (NSTEMI or STEMI)
- troponin level이 높을수록 AMI 진단의 양성예측도(PPV)↑, infarct size↑, 사망률↑
- but, ischemia의 증상이 불확실한 경우에도 troponin은 약간 상승 가능
  → 전형적 증상이 없을 때는 경미한 troponin 상승만으로 ACS를 진단할 수 없다

허혈성심장질환 외에 troponin이 상승할 수 있는 경우 ★
심장 외상/수술/시술, 울혈성 심부전, 심근병증(e.g., Tako-tsubo)
대동맥 박리, 대동맥판막 질환, 심한 고혈압
Coronary spasm
부정맥 or heart block
Apical ballooning syndrome
심장 손상을 동반한 rhabdomyolysis
폐색전증, 심한 폐고혈압
신부전, 급성 신경질환(e.g., stroke, SAH), hypo/hyperthyroidism
침윤성 질환(e.g., amyloidosis, hemochromatosis, sarcoidosis, scleroderma, malignancy)
염증성 질환(e.g., 심근염, 심내막염/심장막염의 심근 침범)
약물/독소, 위독한 환자(특히 호흡부전, 패혈증, shock), 화상(특히 30% 이상시), 극심한 운동
Heterophilic Ab (<0.5%, hsTn 검사에서는 적음), Cross-reaction (e.g., macro CK)

* 음주, 흡연은 troponin level을 낮춤!

- 전형적 증상 & EKG 소견 (ST elevation)이 있으면 troponin 상승이 없어도 AMI로 진단 가능
- 기존의 conventional troponin 검사만으로 AMI Dx or R/O이 곤란할 때에는 추가로 copeptin or CK-MB 검사가 진단에 도움

(3) Noninvasive (stress) testing

- NSTE-ACS 진단/의심 환자에서의 역할
  ① significant coronary obstruction의 존재 여부 확인
  ② 다른 원인에 의한 troponin 상승 가능성도 있는 환자에서 CAD의 진단
  ③ 약물치료 시작 이후 residual ischemia의 정도 평가 → 추후 치료방침 결정
  ④ multivessel CAD 환자에서 revascularization 시행 전 ischemia 부위 localization
  ⑤ LV function 평가
- 24시간 동안 증상, EKG & cardiac marker 이상, 혈역학적 불안정 등 없이 안정화되면 early stress testing 시행 가능
- exercise EKG(sensitivity 낮음), exercise or pharmacologic stress MPI/echo/CMR 등 → 앞부분 참조
- contrast-enhanced coronary CTA (CCTA) ; low-risk ACS 의심 환자에서 권장됨 (입원 전)
  - coronary atherosclerosis/obstruction을 정확하고 빠르게 진단 가능 (→ 응급실 체류시간↓)
  - angina 의심 환자에서 stress testing 필요성 감소 효과 (but, angiography 사용은 증가)

(4) Invasive coronary angiography

- 임상적으로 NSTE-ACS로 진단된 환자의 약 85%는 significant coronary obstruction을 가짐
  (i.e., 1개 이상의 major coronary artery에서 50% 이상의 stenosis)
- angiography 상 협착 부위 ; left main (10%), 3-vessel (35%), 2-vessel (20%), 1-vessel (20%)
  *no significant stenosis (15%) → microvascular coronary obstruction, endothelial dysfunction, coronary artery spasm 등이 원인 (→ 예후 좋음)

- IVUS, OCT (optical coherence tomography), near-infrared spectroscopy, intravascular MRI, angioscopy 등 → 자세한 plaque morphology 확인, PCI guide로 활용 가능

    c.f.) angioscopy 상에서는 "white" (platelet-rich) thrombi 소견 (c.f., STEMI는 "red" thrombi)

(5) 진단 및 위험도평가

- 임상양상(증상), EKG, <u>cardiac markers</u>, exercise (stress) tests 등이 UA/NSTEMI의 진단, 예후, 치료방침 결정에 이용됨

- 기존의 conventional troponin 검사는 sensitivity가 낮아 발병 초기에는 진단 어려움

    → 6~9시간 이후까지 serial tests를 통해 확인해야 됨

- ★ 새로운 <u>high-sensitivity (cardiac) troponin (hsTn, hs-cTn)</u> 검사의 도입으로 더욱 빠른
    AMI R/O or 진단(R/I) 가능 (2015 CE, 2017 FDA 허가, next generation troponin으로도 부름)

    c.f.) STEMI는 EKG 등으로 진단이 쉽지만, NSTEMI는 진단이 어려워 troponin의 역할이 중요함

- NSTEMI 진단 3시간(0h/3h) 알고리즘

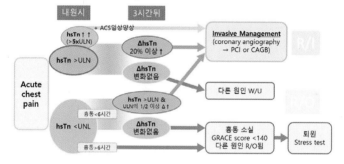

- NSTEMI 진단 1시간(0h/1h) 알고리즘 ; 3시간 알고리즘과 진단 정확도는 비슷하게 나옴
    - 더욱 빠른 R/O(R/I)으로 응급실 체류↓, 신속한 치료 가능 (but, low-risk 환자에서는 의미 無)
    - 매우 낮은 값들을 활용하므로 기준치들을 남, 여 구분해 적용 권장

• serial tests로 변화(⊿↑↓)를 확인하는 이유 (∵ ACS에서는 처음에 급격히 상승했다가 서서히 감소)

① troponin level이 의미 있게 높지 않은 경우 small AMI or

large AMI가 늦게 내원하여 이미 troponin 감소 추세일 수 있음

② 시간에 따른 변화가 없으면 ACS 이외의 다른 원인일 가능성이 높음

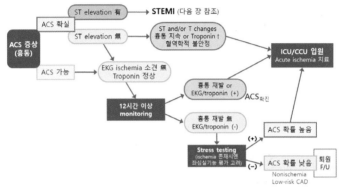

• ACS의 가능성이 낮은 환자

⇨ 증상 발생 0, 3~6, 12시간에 EKG & cardiac markers F/U 및 증상 재발 여부 감시

→ 이상 없으면 3일 이내에 <u>stress test</u> ± imaging 시행 → 이상 없으면 퇴원 & 외래 F/U

• <u>CAD에 의한 ACS (UA, AMI)의 가능성이 높은 경우</u> ⇨ STEMI R/O, NSTE-ACS에 대한 치료!

① 이전의 stable angina 때와 비슷한 양상의 흉통(or 좌측어깨통)이 주증상

② CAD의 과거력 (MI 포함)

③ 진찰소견 ; transient MR ⑩, 저혈압, 발한, 폐부종(e.g., rales) 등 심부전 양상

④ EKG ; new or transient ST-segment deviation (≥1 mm),

multiple precordial leads에서 deep T-wave inversion (≥3 mm)

⑤ cardiac markers 상승 (e.g., troponin, CK-MB)

• ACS로 진단 or 가능성이 높은 환자 ⇨ <u>위험도 평가</u> ⇨ 치료 방침 결정!

: ACS 재발, MI 발생, urgent revascularization, 사망률↑ 등과 관련

TIMI (thrombolysis in MI) Risk Score for NSTE-ACS ★	
1. 고령(≥65세)	
2. 3개 이상의 CAD 위험인자 존재 (DM, HTN, dyslipidemia, IHD 가족력, 흡연 등)	Low 0~1개
3. Known CAD (stenosis >50%)	
4. Aspirin 복용 중 (최근 7일 이내)	Intermediate 2~4개
5. 최근 24시간 이내에 2회 이상 심한 흉통(angina) 발생	
6. 새로운 ST deviation (≥0.5 mm)	High 5~7개
7. Cardiac markers 상승 … 단독으로도 high risk factor 임	

4. 치료

NSTE-ACS의 위험도 및 치료 전략 ★

Risk	치료 전략	
Very-high ★	Urgent (immediate) invasive strategy (<2시간)	강력한 약물 치료에도 불구하고 흉통 지속(refractory angina) or 경미한 활동이나 휴식시 흉통/ischemia 발생 심부전의 증상/징후, MR 새로 발생 or 악화 혈역학적 불안정(hemodynamic instability) 심각한 부정맥(sustained VF or VT)
High ★	Early invasive strategy (<24시간)	[위(very-high)에 해당사항이 없으면서] Troponin level 상승 Dynamic ST or T wave changes GRACE risk score High (>140)
Intermediate	Delayed invasive strategy (25~72시간)	DM, 신부전(eGFR <60 mL/min/1.73m²), LVEF <40% Early post-MI angina Prior PCI (6개월 이내), Prior CABG GRACE risk score Intermediate (109~140)
Low	Conservative strategy (ischemia-guided strategy)	위 모두에 해당사항 없음

┌ invasive strategy ▶ coronary angiography 시행 후 revascularization (PCI or CABG)
└ conservative strategy ▶ 약물치료(anti-ischemic & anti-thrombotic therapy)하면서 close F/U
　　→ 안정시 흉통, ST changes 재발, troponin↑, stress test에서 severe ischemia 등 나타나면
　　　 coronary angiography 시행

(1) 원칙

┌ anti-ischemic therapy : 허혈로 인한 증상 및 심근손상 감소/예방
│ anti-thrombotic therapy : 병태생리에 가장 중요한 혈전 형성을 억제
│ revascularization : 관상동맥 협착을 해소
└ 위험인자에 대한 치료 : 장기적 예후 향상

• UA/NSTEMI 환자는 반드시 ICU/CCU에 입원(bed rest)하여 지속적 monitoring
• 12~24시간 동안 ischemia 재발의 소견이 없으면 ambulation 가능

c.f.) intensive therapy시 출혈 부작용 발생 위험이 높은 경우 ; 여성, 고령, 저체중, 빈혈,
　　 빈맥, 수축기 고혈압(or 저혈압), 신부전, DM

(2) anti-ischemic therapy

• nitrate : nitroglycerin sublingual or buccal spray
　- 5분 간격으로 3번 투여해도 흉통이 지속되면 IV NG 투여
　- 통증이 해소되고 12~24시간 동안 재발이 없으면 topical/oral nitrates로 전환 가능
　- 절대 금기 ; hypotension, 24~48시간 이내에 sildenafil (Viagra)계 약물 사용 병력
• β-blocker : ACS 재발과 MI 발생을 감소시키므로, 금기가 없는 한 기본적으로 투여
　- 처음에는 oral β-blocker 권장 (목표 HR 50~60회/분)
　- acute HF 의심되면 IV β-blocker는 주의 (∵ cardiogenic shock 유발 위험)

- CCB (e.g., verapamil, diltiazem)
  - nitrates + β-blocker를 투여해도 흉통이 지속/재발되거나, β-blocker의 금기인 경우에 사용
  - pul. edema나 LV dysfunction의 경우는 사용하면 안 됨
  - short-acting CCB (e.g., nifedipine)은 절대로 β-blocker 없이 단독 투여하면 안됨 (∵ MI↑)
- ACEi/ARB : LV dysfunction이 있는 경우
- statin (HMG-CoA reductase inhibitor) : 입원 시부터 투여 (e.g., atorvastatin 80 mg/day)
  → PCI 전후 MI Cx 및 ACS 재발을 감소시킴
- statin에 반응이 부족하면 (LDL 50% 이상 하락× or >70 mg/dL) nonstatin therapy 추가
  (e.g., ezetimibe 10 mg/day) → 심혈관계 위험 추가 감소 효과
- morphine : 진통 및 항불안 작용, HR와 BP도 약간 감소 (C/Ix. ; hypotension, allergy)
  → 다른 약물 치료에도 흉통이 소실되지 않거나 자주 재발시 5~30분 간격으로 투여(IV) 가능

(3) anti-thrombotic therapy

- ASA (acetylsalicylic acid) : aspirin (non-enteric-coated, chewable)
  - 고용량으로 시작하여, 저용량(효과는 비슷, 출혈↓)으로 유지
  - 금기(e.g., ASA-induced asthma, nasal polyps) 때문에 복용 못하면 $P2Y_{12}$ inhibitors 사용
    (GI bleeding 때문에 복용 못하는 경우엔 clopidogrel로 대치)
- dual antiplatelet therapy (DAPT) : aspirin + $P2Y_{12}$ inhibitor (모든 NSTE-ACS 환자에서!)
- oral $P2Y_{12}$ inhibitors : clopidogrel, prasugrel, ticagrelor
  - clopidogrel (thienopyridine) : inavtive prodrug / aspirin과 병합시 MI, CVA, 사망 등을
    20% 더 감소시키고, 심각한 출혈 발생 위험은 약간만 더 (1%) 증가됨
  - prasugrel (new thienopyridine) : clopidogrel보다 작용 빠르고 효과 19% 더 좋지만
    (stent thrombosis는 50% 감소시킴), 심각한 출혈 위험도 증가
    ⇨ conservative strategy 환자에서는 효과 없음 / stroke or TIA 과거력이 있는 경우에는 금기
  - ticagrelor (reversible $P2Y_{12}$ inhibitors, nonthienopyridine ADP blocker) : clopidogrel보다
    작용 빠르고, 사망률 22% 더 감소, stent thrombosis 33% 더 감소, 출혈 위험 증가는 없음
    ⇨ early invasive strategy와 conservative strategy 환자 모두에서 더 효과 있음!
  - 최근에는 clopidogrel보다 ticagrelor가 우선 권장됨 (prasugrel는 PCI 환자에서만 고려)
- IV direct & rapid $P2Y_{12}$ inhibitor (cangrelor)
  - oral $P2Y_{12}$ inhibitors 대비 장점 ; 작용 아주 빠름(2~3분), 흡수의 영향 없음, 반감기 짧음
    ↔ oral $P2Y_{12}$ inhibitors는 major surgery (e.g., CABG) 5~7일 전에 중단해야
  - oral $P2Y_{12}$ inhibitors or GP Ⅱb/Ⅲa inhibitors를 사용 안했던 환자서 PCI 전후 MI 감소,
    coronary revascularization 재시행, stent thrombosis 등 때 PCI와 함께 사용 허가
- IV platelet GP Ⅱb/Ⅲa inhibitors (abciximab, eptifibatide, tirofiban)
  - oral dual antiplatelet therapy (DAPT) 대비 효과 향상은 거의 없고, 출혈 위험은 증가
  - DAPT (aspirin + $P2Y_{12}$ inhibitor) 복용 중인 NSTE-ACS 환자에서는 일반적으로 권장 안됨
    ⇨ $P2Y_{12}$ inhibitor를 복용하지 않았거나, ischemic Cx. 고위험군(e.g., DM, angiography에서
    다량의 혈전), 출혈 위험이 낮고 PCI 예정이며 불안정한 환자(e.g., recurrent resting pain,
    troponin↑, EKG changes), PCI 시행 중 thrombotic Cx. 치료의 경우 등에만 고려

(4) anticoagulation

- NSTE-ACS가 진단되면 dual antiplatelet therapy와 함께 parenteral anticoagulation 시작!
- unfractionated **heparin** (UFH) IV ; aPTT monitoring 필요
  - 출혈 부작용 발생시 antidote : protamine (but, heparin 항응고 작용의 약 60%만 중화시킴)
  - 드물지만 heparin-induced thrombocytopenia (HIT) 부작용 발생 위험
- LMWH (e.g., **enoxaparin**) ; subcutaneous (SC)로 투여, monitoring 필요 없음
  - 심장사건 재발 예방 효과는 UFH보다 우수함 (특히 conservative strategy 환자에서)
  - 출혈 부작용은 UFH와 비슷, HIT 발생은 적음 (HIT 병력이 있으면 금기)
- direct thrombin inhibitor (e.g., bivalirudin) ; LMWH과 효과 비슷하면서 출혈 부작용은 적음
  ⇨ early invasive strategy 환자에서 UFH/LMWH 대신 사용 가능
  (특히 출혈 위험이 높은 환자에서 PCI 직전~시행중 선호됨)
- factor Xa inhibitors
  - indirect Xa inhibitor (e.g., fondaparinux) ; LMWH과 효과는 동일하면서 출혈 부작용 적음,
    PCI 관련 thrombosis 발생 위험은 3배 이상 → 시술시 추가로 UFH or bivalirudin 필요
  - oral direct factor Xa inhibitors (e.g., rivaroxaban, apixaban) ; 출혈 위험이 높아 권장 안됨

★ thrombolytic therapy는 효과 없고 MI 발생을 높일 수 있으므로 시행안함!
  (∵ thrombus가 계속 저절로 형성되고 분해되기 때문에)

(5) invasive therapy (revascularization) → 앞부분 참조

■ 장기적인 치료 / 2차 예방 (→ 예후 향상)

- 위험인자의 조절 (e.g., 금연, 운동, HTN/DM/dyslipidemia 치료 등)
- β-blocker → MI 발생 감소
- statins (고용량) & ACEi/ARB → <u>plaque 안정화</u>
  (statin은 금기만 아니라면 LDL level이나 식이조절과 무관하게 투여해야 됨)
- DAPT (aspirin + P2Y₁₂ inhibitor) : <u>1년 이상 병합요법 시행</u>, 이후에는 aspirin만
  - 출혈위험이 낮으면서 ischemia 고위험군은 3년까지 DAPT 시행 권장
    (e.g., prior MI, DM, vein graft stent, CHF)
  - DAPT + 경구항응고제 치료시에는 입원이 필요한 출혈 위험 3~4배 증가
- 약 10%의 환자는 경구항응고제 치료도 필요함 (e.g., AF, mechanical valves, thromboembolism)

약물치료/CABG 시행 환자	Dual therapy 1년 → 이후 평생 경구항응고제
PCI 시행 환자 (출혈 고위험군)	Triple therapy (low ischemic risk 환자는 dual therapy도 가능) 1개월 → Dual therapy 11개월 → 이후 평생 경구항응고제
PCI 시행 환자 (출혈 저위험군)	Triple therapy 6개월 → Dual therapy 6개월 → 이후 평생 경구항응고제

┌ Dual therapy: 경구항응고제 + clopidogrel (or aspirin)
└ Triple therapy: 경구항응고제 + DAPT (clopidogrel + aspirin)

* High ischemic risk 환자는 triple therapy만 1년도 가능 (e.g., prior stent thrombosis, left main stenting, 근위부의 multiple stenting, 분지부의 2 stents, diffuse multivessel CAD [특히 DM 환자에서])

c.f.) estrogen 보충요법을 받고 있던 폐경후 여성 환자는 ACS 진단시 호르몬치료를 중단해야 됨

5. 예후

- 예후는 매우 다양
- adverse events (death, MI, ACS 재발)는 대부분 퇴원 후 2~4개월 내에 발생 (단기 예후 불량)
- 3개월 내에 10~20%에서 AMI 발생

변이형 협심증 (Printzmetal's variant angina, PVA)

1. 병인

- vasospasm이 주된 기전
  - 주로 epicardial coronary artery의 focal spasm에 의해 발생
  - 특히 Rt. coronary artery에서 호발
- spasm의 원인은 정확히 모르지만, vasoconstrictor mitogens, leukotrienes, serotonin 등에 의한 혈관 평활근의 hypercontractility와 관련
- 일부에서는 migraine, Raynaud's phenomenon, aspirin-induced asthma 등과 같은 vasospastic disorders의 한 증상으로 나타날 수도 있음
- 흡연, 음주 등이 중요한 위험인자

2. 임상양상

- 다른 협심증에 비해 젊은 나이에 발생하고(30~40대) 흡연 이외의 CAD 위험인자도 적다, 남<여
- 안정시(resting), 한밤중·새벽·이른 아침에 흉통 발생 (특히 술 마신 다음 날 새벽에 잘 발생)
- 흉통은 매우 심하고, 대개 chronic stable angina로부터 진행되지는 않는다
- 운동과는 상관이 없는 경우가 많다!
- spasm에 의한 흉통 발생시 일시적인 ST elevation을 동반하는 것이 특징!
  (but, 일부에서는 ST depression도 일어날 수 있음)
- spasm이 오래 지속되면 MI로 진행할 수도 있고, spasm이 회복될 때 reperfusion arrhythmia (e.g., 전도장애, VT)에 의한 실신이나 급사도 가능
- 환자의 1/3~1/2에서는 한 개 이상의 major coronary artery의 stenosis (classic angina)도 동반
  (→ 운동시 흉통 & ST depression + 안정시 흉통 & ST elevation 공존 가능)

3. 진단

- resting pain + transient ST elevation
  - 증상이 주로 수면 중에 발생하므로 Holter (24hr EKG) 검사가 유용
  - 증상 없이 ST elevation만 나타나는 경우(silent ischemia)도 많다!
- exercise EKG는 가치 없다! (∵ 반응이 다양 ; 1/3 ST depression, 1/3 ST elevation, 1/3 변화 無)
- coronary arteriography (CAG) : 진단에 가장 도움
  - transient coronary spasm ("diagnostic hallmark")

- 협착(obstructive CAD)이 없고, PVA가 의심되지만 확진이 안 될 때 provocation test 실시
- provocation tests for coronary spasm … 확진!
  - ergonovine (IV or intracoronary), acetylcholine (intracoronary, m/c), hyperventilation
  - 진단기준 ; 전형적인 흉통, ST elevation, CAG에서 focal spasm 중 2가지 이상 유발되면
  - C/Ix ; 임신, 심한 HTN, LV dysfunction, AS, Lt. main CAD
- intracoronary vasodilator (NG) → 협착 소실!

c.f.) ┌ Rt. coronary A. : 하나의 "C" 형으로 보임
      └ Lt. coronary A. : Lt. ant. descending A.와 Lt. circumplex A.의 2개의 가지

4. 치료

- 반드시 금연!, CCB ± long-acting nitrate가 주치료
- **CCB** (DOC) : PVA의 coronary artery spasm 예방에 매우 효과적, 최대 용량으로 처방
  - 모든 1세대와 2세대 CCB의 증상 감소 효과는 비슷함, asymptomatic ischemia도 감소시킴
  - nitrate와 기전이 다르므로 synergistic effect
- **nitrate** : classic angina와 PVA 모두에게 효과적, spastic artery의 vasodilation을 일으킴
  - sublingual/IV NG : PVA attack에 의한 흉통을 즉시 경감시킴
  - long-acting nitrates : PVA attack 예방에 효과적
- β-blocker에 대한 반응은 다양
  - fixed stenosis를 동반한 경우엔 exertional angina 감소에 효과적
  - 아닌 경우에는 nonselective β-blocker 사용시 α-receptor가 대신 항진되어 vasospasm 유발
- statins : 기전은 모르지만 주요 심장 위험을 감소시킴
- prazocin (selective α_1-blocker), nicorandil (coronary vasodilator) : 일부에서 효과적
- ASA (aspirin) : prostacyclin (coronary vasodilator) 합성 억제 → vasocontriction 악화 위험!
- ACEi는 효과 없음
- coronary revascularization (PCI or CABG) : discrete, proximal fixed stenosis를 동반한 경우 도움
  - 다른 부위에서 spasm이 발생할 수 있으므로 시술 이후 최소 6개월 이상 CCB 투여
  - fixed stenosis 없이 spasm만 있는 경우에는 revascularization 금기!
- 내과적 치료에도 불구하고 ischemia-associated VF가 지속되는 환자는 반드시 ICD 삽입
- 운동은 제한할 필요 없다

5. 예후

- 대체로 내과적 치료에 잘 반응하고 장기 예후도 좋다 (5YSR 90~95%)
- 처음 6개월 동안이 angina 및 ACS 발생 흔함 (acute active phase)
  → 생존한 환자의 대부분은 점차 안정화되어 시간이 지날수록 증상 및 ACS 발생도 감소함
- 흉통시 심각한 부정맥도 발생한 환자는 급사의 위험이 높음
- 5년 동안 최대 20%에서 nonfatal MI 발생 가능
- 일부는 몇 개월~몇 년의 안정된 시기 이후에 PVA 심하게 재발 (다행히 약물 치료에는 잘 반응)

7
급성 심근경색 (AMI)

• **ACS (acute coronary syndrome)** : 혈전에 의한 급성 관상동맥폐쇄로 심근허혈 또는 괴사가
발생하는 질환 ⇨ EKG와 cardiac biomarker가 진단/분류에 중요

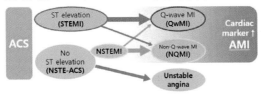

c.f.) STEMI는 3/4 이상이 남성, UA/NSTEMI는 약 1/2이 여성

• **원인 및 발생기전**

(1) coronary atherosclerosis (대부분)

: plaque의 erosion, rupture, fissure, dissection → 혈소판 및 응고 활성화, thrombogenesis
→ "thrombotic occlusion" → necrosis

(2) coronary atherosclerosis 이외의 드문 원인

① coronary emboli ; LA/LV thrombi, intracardiac tumor, prosthetic valve,
infective endocarditis, fat emboli ...

② thrombotic coronary artery dz. ; hypercoagulability (e.g., AT-Ⅲ 결핍), 경구피임약,
hemoglobinopathies, thrombocytosis, PV, leukemia, MM, macroglobulinemia 등의
hyperviscosity 상태, TTP, DIC, malaria ...

③ coronary vasculitis ; Takayasu's dz., Kawasaki's dz., PN, SLE, RA, scleroderma, 심장이식

④ coronary vasospasm ; variant angina, nitrate withdrawal, cocaine or amphetamine abuse

⑤ infiltrative & degenerative dz. ; amyloidosis, connective tissue d/o., lipid storage d/o.,
homocystinemia, DM, muscular dystrophies, Friedreich's ataxia ...

⑥ coronary ostial occlusion ; aortic dissection, luetic aortitis, aortic stenosis,
ankylosing spondylitis ...

⑦ congenital coronary anomalies ; Lt. coronary artery의 기원 이상, coronary AV fistula or
aneurysm ...

⑧ trauma ; coronary dissection/laceration, radiation ...

⑨ 심근의 산소요구량 증가 ; severe AS, AR, HCM, severe LVH, thyrotoxicosis ...

• 죽상반(plaque) rupture가 ACS의 m/c 기전이지만, plaque erosion도 점점 증가하고 있음

Plaque rupture	Plaque erosion
Lipid rich, Collagen (ECM) poor	Lipid poor, Proteoglycan & glycosaminoglycan rich
Fibrous cap 얇음	Fibrous cap 두꺼움
염증세포 풍부함, macrophages가 주	염증세포 적음, 이차적인 neutrophils 침범
Smooth muscle cells apoptosis	Endothelial cells apoptosis
남>여	남<여
LDL level ↑	TG level ↑
Red (fibrin-rich) thrombus 형성 (occlusive 흔함)	White (platelet-rich) thrombus 형성 (대개 nonocclusive)

• 심근 허혈 발생시 시간에 따른 경과 : 이완기능장애 → 수축기능장애 → EKG 변화 → 흉통

• AMI 발생 위험이 증가하는 경우

   (1) multiple coronary risk factors

       – 흡연, 비만, HTN, hyperlipidemia, DM ...

       – 고령(남>45, 여>55), 남성, 폐경(특히 조기 폐경) ..

       → 기타 CAD 및 동맥경화의 위험인자 참조

   (2) unstable angina or Prinzmetal's variant angina

   (3) 기타 coronary atherosclerosis 이외의 드문 원인들

   c.f.) 소량의 음주 → CAD risk 감소

• 유발인자 (약 1/2에서 존재)

   – 과격한 운동, 과로, 정신적 스트레스, 수술

   – 저혈압(e.g., hemorrhagic or septic shock), 심근 산소요구량 증가(e.g., AS, 발열, 빈맥, 초조)

   – 호흡기 감염, 저산소증, 폐색전, 저혈당, 맥각(ergot) 물질, cocaine, sympathomimetics,
      serum sickness, allergy, 벌에 쏘임

   – 혹독한 기후 (여름보다 겨울에 2배 많이 발생)

   – 아침에 일어난 직후 (circadian variation)

※ 역학 (우리나라)

   – 발생률은 꾸준히 감소하는 추세임 (10만 명당 약 30명, 남자가 여자보다 약 2배)

   – STEMI (약 55%) > NSTEMI (약 45%), STEMI의 비율이 조금씩 감소 추세

   – STEMI는 (NSTEMI에 비해) 젊은 연령, 남자, 흡연자에서 더 호발

   – HTN, dyslipidemia, DM, prior IHD 등은 NSTEMI에서 더 많이 동반

   – 침범 혈관 : LAD (m/c, 50% 이상), RCA (2nd m/c)

※ 예후 : 꾸준히 좋아지고 있음

   – 입원 중 & 초기(30일 이내) 사망률 5~6%, 1년 째 사망률 7~18%

   – 입원 중 & 초기 사망률은 STEMI가 높지만, 1년 이후 장기 사망률은 NSTEMI와 비슷함

   – MI 이후 ischemic Cx. 발생 위험은 발병 6개월 이내가 가장 높음, 이후에는 일정

■ 임상양상

1. 증상

  (1) **chest pain** (m/c) ; deep & visceral
- 지속적인 둔통으로.. 조이거나, 짓누르거나, 쥐어짜는 듯한 통증
- angina의 흉통과 비슷하지만, 심하고 더 오래 지속됨
- 전형적으로 가슴 한가운데 and/or 명치부(epigastrium)에서 발생
- radiation ; 좌측 팔(m/c), 목, 턱, 등 ... (배꼽 아래로는 ×)

  (2) 흔히 weakness, sweating, N/V, dizziness, anxiety 등을 동반

  (3) 호흡곤란, 의식상실, 혼돈, 심한 무력감, 부정맥, 말초색전증, 저혈압 등으로 나타날 수도 있음

* **30분** 이상 지속되는 substernal pain과 diaphoresis시 AMI를 강력히 의심!

■ <u>Silent (painless) MI</u> (= unrecognized MI)
- 전형적인 흉통이 없는 MI, 환자의 약 20~30%
- 특히 수술 직후, 고령, 여성, DM, HTN 등에서 많음
- 장/단기 예후는 symptomatic (recognized) MI와 비슷함

2. 진찰소견

  (1) 안면 창백, 발한, 손발 차가움

  (2) 심첨부 박동 촉지 ; ant. wall MI에서 dyskinetic bulging 때문

  (3) 심실기능 부전시 ; S_4, S_3, 심음 감소, paradoxical splitting of S_2 (severe)

  (4) mid/late-systolic ⓜ ; MV (papillary muscle)의 dysfunction

  (5) pericardial friction rub ; transmural MI

  (6) SV 감소로 인한 carotid pulse↓ (RV infarction시는 경정맥 확장)

  (7) 체온 : 첫 1주 동안 약 38℃까지 상승할 수 있음 (38℃ 이상 상승하면 다른 원인을 고려해야)

  (8) 심박수와 혈압
- MI 발생 1시간 이내에는 정상인 경우가 많다
  - ant. infarct의 약 1/4은 빈맥 & 고혈압 (∵ sympathetic 항진)
  - inf. infarct의 약 1/2은 서맥 & 저혈압 (∵ parasympathetic 항진)
- transmural infarct 환자의 대부분은 systolic BP가 10~15 mmHg 하강

* MI의 시간에 따른 stage
  ① acute : 처음 몇 시간 ~ 7일
  ② healing : 7~28일
  ③ healed : 29일 이후

검사소견

1. EKG

AMI의 EKG 소견	
LBBB 없을 때	1. New ST elevation (J point 기준, 연속하는 2 leads에서) 　- $V_{2~3}$ ≥0.2 mV (40세 이상 남성), ≥0.25 mV (40세 미만 남성), ≥0.15 mV (여성) 　- 나머지 leads ≥0.1 mV 2. New ST depression (연속 2 leads에서 ≥0.05 mV) and/or 　T inversion (연속 2 leads에서 ≥0.1 mV) with prominent R-wave or R/S ratio >1
LBBB 존재시	1. ST elevation ≥1 mm with (+) QRS complex - 5점 2. ST elevation ≥5 mm with (-) QRS complex - 2점 3. ST depression ≥1 mm (lead V_1, V_2, or V_3에서) - 3점 [3점 이상이면 AMI specificity 98%]

- 전형적인 시간에 따른 변화 : tall T wave (가장 먼저) → ST elevation → T wave inversion
　→ Q wave, ST normalization
  c.f.) acute pericarditis : ST elevation → ST normalization → T wave inversion
- 과거에는 Q wave 유무로 MI를 분류하였으나, 병리학적 분류(transmural MI)와 관련성이 낮음이
　밝혀지고, 조기 진단/재관류의 중요성이 높아져 요즘에는 ST elevation 유무에 따라 분류함
  ┌관상동맥의 완전 폐쇄 : <u>ST elevation</u> → 대부분(약 3/4) Q-wave MI로 진행
  └관상동맥의 불완전 폐쇄 or 일과성 폐쇄 or callateral 풍부 : <u>no ST elevation</u>
　　　→ ┌ NSTEMI → 대부분 non-Q-wave MI로 진행
　　　　└ unstable angina
- abnormal Q wave : R wave 높이의 1/4 이상, 폭 0.04 sec 이상, 원래 없는 leads ($V_{3~6}$)에 존재
- Q-wave MI (QwMI) : transmural infarction과 좀 더 관련

c.f.) MI가 아니면서 Q wave를 나타내는 경우 (pseudo-infarct Q wave)
1. Ventricular hypertrophy ; LVH or RVH, HCM 2. Chronic myocardial dz. ; myocarditis, idiopathic cardiomyopathy, tumor, amyloidosis, sarcoidosis, 　Chagas' disease, echinococcus cyst ... 3. Acute myocardial injury ; acute myocarditis, myocardial ischemia, pericarditis, hyperkalemia, 　myocardial trauma ... 4. 전도장애 ; LBBB, LAFB (left ant, fascicular block/hemiblock) or LPFB (left post. hemiblock), WPW 5. 기타 ; COPD, pulmonary embolism, Lt. pneumothorax, Lt. pneumonia, dextrocardia, MVP 6. 정상(physiologic or positional variants) ; lead Ⅲ, aVL, aVF, $V_{1, 2}$의 Q wave는 정상인에서도 흔함

- non-Q-wave MI (NQMI) : 대개 subendocardial (nontransmural) infarction
- deep symmetrical T inversion ; non-Q-wave MI, ICH, LVH
- infarct size (→ Px. 결정에 중요) : ST elevation의 합이나 ST elevation이 있는 lead의 갯수와 관련
　(ST elevation의 높이와는 관련 없다)
- signal averaged EKG : late ventricular potential을 기록 → MI 후 VT or VF 발생 가능성 평가

■ localization

① inferior : Ⅱ, Ⅲ, aVF … RCA의 lesion (RV infarct 잘 동반)

② anteroseptal : V₁~₃ … LAD의 lesion (c.f., new RBBB도 동반되면 proximal LAD의 폐쇄)

③ anterior : V₁~₄ (complete AV block 잘 동반)

④ lateral : V₄~₆ … LCX의 lesion

⑤ anterolateral : V₁~₆, Ⅰ, aVL

⑥ posterior : V₁~₃에서 reciprocal ST elevation, V₆에서 Q wave

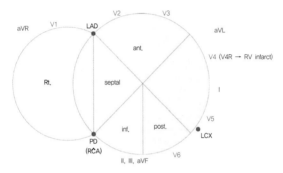

2. Serum cardiac biomarkers

	상승 시작	최고 농도	정상화	Sensitivity	Specificity
Myoglobin	1~2시간	6~7시간	1일	↑↑	↓
Troponin ★	2~6시간	10~24시간	5~14일	↑↑	↑↑
CK-MB	3~6시간	12~24시간	2~3일	↑	↑
AST/ALT	12시간	1.5~3일	5일	↓	↓
LDH	24시간	3~4일	7~14일	↓	↓

* serum cardiac marker 출현의 해석

　① 심근의 손상을 의미 (특히 cardiac specific protein의 경우)

　② 총량 (graph 아래의 면적)은 infarct size와 비례!

　　(peak level도 infarct size와 관련은 있지만 상관관계는 약함)

　③ 재관류(reperfusion)시 조기에 고농도로 상승(∵ washout) & 빨리 감소

* sensitivity & specificity의 향상으로 MI 진단에 매우 중요

* AMI 진단에는 CK-MB보다 troponin을 선호하며, 둘 다 검사하는 것은 비용-효과가 떨어짐

(1) Troponin (Tn)

- cardiac-specific troponin-I (cTnI), -T (cTnT) [정상: 0~0.4, 0~0.1 $\mu g/L$]
- CK-MB보다 sensitivity & specificity 높아 더 선호됨, 요즘엔 hsTn → 앞 장 NSTEMI 부분 참조!!
- MI 발생 약 3시간 뒤부터 상승하여 12~14시간에 peak, cTnI는 7~10일, cTnT는 10~14일간 상승 지속됨 (신부전시 cTnT ↑ → 신기능 장애의 경우 cTnI가 더 specific)
- CK-MB나 myoglobin이 AMI 발병후 극히 짧은 시간 내에 소실되는 반면, troponin은 오래 지속되므로, 병원에 늦게 도착하여 흉통이 소실되었거나 CK-MB가 정상인 환자의 진단에도 유용
- 특히 ST elevation이 없고 CK-MB도 정상인 small MI의 진단이나, skeletal muscle injury가 의심되는 경우 진단에 매우 유용 (건강한 정상인에서는 상승 안함)
- troponin이 이미 상승되어 있는 recurrent MI/angina의 진단에는 반감기가 짧은 CK-MB나 myoglobin이 더 유용함!

(2) CK (creatine phosphokinase)

- nonspecific : skeletal muscle injury 때도 상승
- MI외에 CK가 상승할 수 있는 경우 ; IM injection, muscular dz, skeletal muscle damage, DC cardioversion, cardiac catheterization, surgery, stroke, hypothyroidism ... (심장수술, myocarditis, cardioversion 때는 CK-MB도 상승 가능)
- CK-MB isoenzyme : cardiac specificity 높다!

    ┌ AMI : CK-MB가 최고 농도에 도달한 뒤엔 감소
    └ skeletal muscle dz. : CK-MB 곡선이 plateau pattern을 보임

(3) Myoglobin

- 가장 빨리 상승되고, 소변으로 배설되어 가장 빨리 (24시간 이내) 정상화됨
- 조기 진단에 도움 되지만, cardiac specificity 부족이 단점
- AMI 이후 다시 myoglobin이 상승하는 것은 새로운 myocardial damage를 감별하는데 도움

* 기타 비특이적 염증반응

  ① PMN leukocytosis (12,000~15,000/μL) : 몇 시간 이내에 나타나고, 3~7일 지속됨
  ② 급성염증표지자 (CRP, ESR) ↑

3. Cardiac imaging

(1) echocardiography

- wall motion의 이상 확인 ; 거의 대부분의 MI에서 존재, EKG 소견이 불확실할 때 진단 크기, 위치 파악 및 치료방침 결정에 도움
- RV infarct, ventricular aneurysm, pericardial effusion, LV thrombi 및 AMI의 중요 합병증인 VSD와 MR도 발견 가능

    ┌ 장점 ; 응급 상황에서 쉽고, 안전하게 진단 및 치료방침 결정에 이용
    └ 단점 ; AMI, old MI, acute severe ischemia는 구별 못 함!

- 예후 평가에도 이용 - poor Px. ; systolic dysfunction (LVEF <40%), extensive infarction (WMSI ≥1.7), restrictive diastolic filling, LV enlargement, abnormal stress test

(2) nuclear imaging

- 번거롭고 sensitivity & specificity가 낮아 흔히 이용되지는 않음 (small infarction은 진단 못함)
- infarct avid imaging (^{99m}Tc-pyrophosphate) ; hot-spot image (infarct의 위치, 크기 판정), 재발 여부도 알 수 있음 (acute와 old MI 구별 가능)
- myocardial perfusion scan (^{201}Tl, ^{99m}Tc-sestamibi) ; cold-spot image (perfusion defect), old infarct 및 scar와 감별 못함
- ^{99m}Tc-labeled RBC ventriculography (multiple-gated blood pool scan) ; MI 이후의 혈역학적 결과를 평가, WM 장애 및 ventricular EF 등을 봄 (RV EF 감소시 RV infarct 진단에 도움)

(3) MRI (CMR)

- perfusion과 reperfusion, chamber size, segmental wall motion 등을 평가할 수 있고, 다른 심근 병변 및 dissecting aortic aneurysm 등도 발견 가능
- LGE (late gadolinium enhancement)-CMR ; infarct 부위 조영↑, myocardial viability 평가
- 단점 : 환자를 CCU에서 MRI 실로 옮겨야 하므로 실제 사용에는 제약

(4) CT

- infarct 부위는 초기에는 조영↓ & 나중에는 조영↑, 관상동맥병변도 확인 가능
- pul. embolism, aortic dissection 등과의 감별진단 때 유용

■ 심근의 생존 가능성(myocardial viability) 평가하는 검사 ★
(hibernating myocardium의 detection)

① (FDG [^{18}F-2-deoxyglucose]를 이용한) PET … gold standard   → 1장 참조
② (stress-redistribution-reinjection) SPECT (^{201}Tl)
③ **dobutamine stress echocardiography**
④ contrast echocardiography   ⑤ contrast-enhanced MRI & dobutamine stress MRI
⑥ cardica CT (delayed enhancement) : 추가 시간과 방사선 노출 증가가 단점
⑦ (transcatheter) LV electromechanical mapping
* RNV (radionuclide ventriculography)와 혈관조영술(catheterization)은 부적합!

진단/분류

* **type 1 & 2 MI의 진단기준**

  ┌ cardiac biomarkers (troponin 선호)의 참고상한치(URL) 이상 상승 +
  └ 심근허혈의 소견 : 아래 중 하나 이상
     - 허혈 증상
     - 허혈성 EKG 변화 (new significant ST-T changes *or* LBBB)
     - EKG에서 pathologic Q wave 발생
     - imaging ; 새로운 viable myocardium 소실 *or* regional WM abnormality
     - angiography (or autopsy)에서 intracoronary thrombus 확인

* prior MI의 진단기준 : 다음 중 하나 이상

① 허혈 이외의 원인 없이, 증상 유무에 관계없이 새로운 pathologic Q wave 발생

② 허혈 이외의 원인 없이, imaging 상 새로운 viable myocardium 소실 (심근이 얇아지고 수축 못함)

③ 치유된 또는 치유 중인 MI의 병리학적 소견

Universal MI classification

분류	정의
Type 1	Primary coronary event (i.e., atherosclerotic plaque erosion, rupture, fissure, dissection)에 의한 spontaneous MI
Type 2	산소요구량과 공급량의 불균형에 의한 허혈로 발생한 MI (e.g., coronary endothelial dysfunction, spasm, anemia, hypotension)
Type 3	MI에 의한 SCD (sudden cardiac death); cardiac marker 측정 못함
Type 4a	PCI와 관련된 MI (troponin >5x URL or 20% 이상 상승)
Type 4b	Stent thrombosis에 의한 MI
Type 5	CABG와 관련된 MI (troponin >10x URL)

■치료

1. 내원전 관리

- AMI의 예후는 크게 ① electrical Cx. (arrhythmia)과 ② mechanical Cx (pump failure)과 관련
- 병원 도착 전 치료의 주요 요소

  ① 환자가 증상을 인식한 후 빨리 의료시설을 찾음 (m/i)

  ② 의료진의 신속한 배치 (defibrillation을 포함한 응급처치가 가능한)

  ③ advanced cardiac life support가 가능한 병원으로의 신속한 환자 이송

  ④ 신속한 재관류 치료(reperfusion therapy) 시행

- MI 환자의 병원에 오기 전 m/c 사망 원인은 VF

  (대부분 증상 발생 24시간 이내에, 이중 1/2 이상은 1시간 이내에 발생)

- time 목표 : total ischemic time **120분** 이내 (golden time 60분 이내) 목표

  - 병원 도착 후 fibrinolysis 시작 (door-to-needle/FMCTN time) **30분** 이내 [진단 후 10분 이내] or

    PCI [catheter-based reperfusion] (door-to-balloon/FMCTB time) **90분** 이내 시행 권장

  - PCI가 30분 지연될 때마다 1년 사망률의 상대적 위험도는 8% 증가됨

- STEMI 환자의 ~1/3은 24시간 이내에 막힌 관상동맥의 자연 재관류 및 경색조직 치유도 가능함

- 내원전 저혈압

  - 심한 vagotonia에 의한 저혈압 → reverse Trendelenburg position

  - 동성 서맥 & 저혈압 → atropine IV

  - hypovolemia (HR↑) 의심 → normal saline IV (HF 발생 여부 monitoring하면서)

  - hypovolemia를 교정해도 저혈압이 지속되면 inotropes or vasopressors 투여

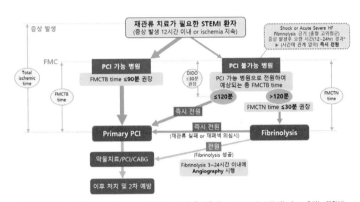

*증상 발생후 12~24시간이 지난 경우 PCI가 권장되지만, 불가능한 경우에는 fibrinolysis도 고려 가능 (but, 효과는 불확실)

FMC: first medical contact, FMCTB: FMC to balloon (PCI), FMCTN: FMC to needle (fibrinolysis), DIDO: door-in-door-out (PCI 불가능 병원에 도착 후 가능 병원으로 떠나보내기까지의 시간)

2. 초기(급성기) 치료

(1) 즉시 aspirin 투여 / hypoxia 존재시엔 <u>oxygen</u> (2~4 L/min) 투여

- 발병 전 aspirin을 복용하지 않았으면 non-enteric-coated aspirin 162~325 mg 씹어먹음
  → 이후 75~162 mg으로 유지 (∵ 고용량은 효과는 비슷하면서, 출혈 부작용 위험만 증가)
- aspirin allergy 등으로 복용 불가능하면 P2Y12 inhibitor로 대치
- 대부분의 환자에서 P2Y12 inhibitor 추가가 권장됨   → 뒷부분 or 앞장 참조

(2) 흉통의 조절

① sublingual NG (nitroglycerin)
- morphine 투여하기 전에 가장 먼저 투여 (5분 간격으로 3회까지)
- NG IV : 지속적인 통증 or 고혈압이나 폐부종(HF) 동반시에만 권장
- 심근의 산소요구량을 감소시키고, 산소 공급을 증가시킴
- 금기 ┌ 저혈압 (systolic BP <90 or 기존보다 30 mmHg 이상 감소) → normal saline 투여
      │ 심한 서맥 (<50 bpm) or 빈맥 (>100 bpm)
      │ <u>RV infarct 의심시</u> (e.g., EKG에서 <u>inferior infarct</u>, JVP↑, clear lungs, hypotension)
      └ 24시간 이내에 phosphodiesterase-5 inhibitor sildenafil (Viagra) 복용시
- nitrate에 대한 특이약물반응으로 갑자기 심한 저혈압 발생시 → atropine IV로 대개 회복됨
② morphine IV (저용량으로 5분마다) (subcut.는 흡수량을 예측할 수 없으므로 권장 안됨)
- AMI의 흉통 완화에 매우 효과적
- 부작용 : CO↓, 저혈압, 서맥, AV block, N/V, diaphoresis ...
- hypotension 발생시엔 (∵ sympathetic vasoconstriction↓) → leg elevation, IV saline
- bradycardia or heart block 발생시엔 (∵ vagotonic effect) → atropine 투여

③ β-blocker (e.g., metoprolol)
- 금기가 아닌 경우에만, 2~5분 간격으로 5 mg 씩 3번 IV 투여　　　　　　　→ 뒷부분 참조
  (e.g., HR >60회/분, systolic BP >100 mmHg, PR interval <0.24초, rales 횡격막 10 cm 이내)
- 마지막 IV 15분 뒤에 oral regimen 시작 : 6시간마다 50 mg (~2일) → 12시간마다 100 mg
- 효과 ; 심근의 산소요구량 감소 (→ ischemia↓ → 통증↓), 재경색 및 VF 발생 위험 감소
- 입원 중 사망률(특히 high-risk 환자에서) 감소 효과
  c.f.) CCB는 응급상황에서는 도움 안됨 (short-acting DHP CCB는 사망률을 증가시킴)

3. 치료 전략

(1) ST elevation 존재시 (STEMI)
- <u>reperfusion therapy (fibrinolysis or primary PCI)</u> 시행
- 시기적절한 reperfusion therapy는 infarct size 감소 및 생존율 향상에 도움
  - 1~3시간 이내에 시행해야 가장 효과 좋음 (6시간까지는 어느 정도 효과적)
  - ongoing ischemia (흉통이 지속되고, EKG상 ST elevation 지속 & new Q wave 없을 때)
    경우는 12시간까지도 시행 권장
- 허혈된 심근의 보호 (→ reperfusion으로 심근을 살릴 수 있는 시간↑)
  ; 통증 조절, CHF 치료, 빈맥 및 고혈압 조절 등을 통한 심근의 산소요구량 감소

(2) ST elevation이 없는 경우 (NSTEMI)
- fibrinolysis는 도움이 안 되며, 오히려 해로울 수 있음
- fibrinolysis를 제외한 다른 약물요법은 STEMI와 동일함
- 통증 조절, anti-ischemic therapy, anti-thrombotic therapy, anticoagulation 등
  (c.f., morphine은 UA/NSTEMI에 사용시 부작용이 증가할 수 있음)
- 흉통(ischemia) 재발시엔 nitrates (NG)　　　　　　　　　　　　　　→ 앞 장 참조

4. PCI (percutaneous coronary intervention)

(1) 개요
- primary PCI : fibrinolysis를 실시하지 않고 응급으로 바로 PCI를 시행하는 것
- PCI 가능 병원이면 primary PCI를 우선적으로 고려! (∵ fibrinolysis보다 더 효과적)
- 경험이 풍부한 병원(≥36 primary PCI case/yr) 및 의사(≥75 case/yr)에 의해 시행되면
  fibrinolysis보다 단기 및 장기 예후 더 좋다 (→ 사망률, 비치명적 재경색, 뇌출혈 등 감소)
- 70~80%에서 관상동맥 협착을 성공적으로 재개통시킴

(2) 적응증 ★
- <u>primary PCI</u>가 fibrinolysis보다 효과적인 경우
  ① STEMI의 진단이 불확실할 때
  ② high-risk STEMI (특히 75세 미만에서) ; cardiogenic shock, killip class ≥3
  ③ 출혈 위험이 높을 때, 뇌출혈의 고위험군 (70세 이상, 여성, 입원시 고혈압)
  ④ 증상 발생 후 2~3시간 이상 경과시 (∵ clot이 커져서 fibrinolysis로 쉽게 용해되기 어려움)
  ⑤ fibrinolysis 금기인 환자

- **"rescue (or salvage) PCI"의 적응**
  ① fibrinolysis 실패 : 90분 이후에도 ischemia 지속/악화 (ST elevation 50% 이상 감소×
     and/or 흉통 지속/악화), cardiogenic shock or acute severe HF
     ▷ 12시간 이내에 rescue PCI가 불가능하면 fibrinolysis 재시행보다는 보존적 치료 권장
  ② threatened reocclusion : fibrinolysis 성공 이후, 조기에 ischemia 재발
     (ST 재상승 and/or 흉통 재발)
     ▷ 2시간 이내에 rescue PCI가 불가능하면 fibrinolysis 재시행 권장
     ⇨ 이런 이유로 fibrinolysis 시행 받은 환자는 가능한 빨리 PCI 가능한 병원으로 전원이 권장됨
- fibrinolysis 치료받고 안정된 환자 → routine angiography & "elective PCI" 권장
- CABG : fibrinolysis나 PCI가 불가능한 경우 고려

  c.f.) STEMI 환자에서 emergency or urgent CABG의 적응
  ① PCI가 실패하여 흉통이 지속되거나 혈역학적으로 불안정한 경우
  ② 약물치료에 반응 없는 persistent or recurrent ischemia 환자가 심근 위험이 심각하고
     PCI나 fibrinolysis가 불가능한 경우
  ③ 경색 이후 심실중격 파열 or MV insufficiency의 수술적 교정시
  ④ 심한 multivessel or left main stenosis를 가진 75세 이하 환자에서 STEMI 36시간 이내에
     cardiogenic shock 발생하고 다른 치료법들이 효과가 없거나 불가능 or 환자가 원할 때
  ⑤ 50% 이상의 left main stenosis or triple-vessel dz.에서 생명을 위협하는 심실 부정맥 발생

(3) 방법
- PTCA (ballooning) + stenting 방법이 선호됨
- PCI 전후 antithrombotic therapy ; DAPT (aspirin + P2Y$_{12}$ inhibitor), anticoagulation,
  GP Ⅱb/Ⅲa inhibitor (일부 고위험군에서만) → stent thrombosis 예방
  (발생률은 1% 정도로 드물지만, 사망률 7~45%로 치명적)

5. Fibrinolysis (thrombolysis)

(1) 개요
- PCI보다 fibrinolysis가 선호되는 경우 ; 내원 90분 이내에 PCI 시행이 불가능하고 fibrinolysis의
  금기가 없을 때 (ST elevation이 있는 경우에만 도움!) ▶ 가능하면 내원 30분 이내에 시행
  – 증상 발생 2시간 이내에 primary PCI 시행이 불가능할 때
  – fibrinolysis 가능 시간에 비해 PCI 가능 시간이 1시간 이상 지연될 것 같을 때
- 심근이 비가역적으로 손상되기 전에 재관류 시킴으로서 부분적 소생을 목적으로 함
  (infarct size ↓, LV dysfunction ↓, severe Cx ↓)
- 흉통 발생 1시간 이내에 시행하면 사망률을 최대 50% 줄일 수 있음
- fibrinolysis 성공의 정의 : 흉통 해소, 혈역학적 안정, 90분 째 ST elevation 70% 이상 감소
- 초치료로 fibrinolysis를 시행 받은 경우 (e.g., PCI 불가능한 병원에서)
  ┌ 저위험군 → PCI 병원으로 전원 권장 (특히 증상이 지속되거나, fibrinolysis 실패 의심시)
  └ 고위험군 → PCI 병원으로 전원!, 조기에 diagnostic angiography & PCI (or CABG) 시행
    (ㄴ 심한 ST-segment elevation, LBBB, 심한 CHF and/or pulmonary edema,
     hypotension, Killip Class ≥2, EF 35% 이하인 inferior MI 등)

(2) 금기 및 합병증

Fibrinolysis의 금기 ★

Absolute C/Ix.	Relative C/Ix.
뇌혈관 출혈의 병력	잘 조절되지 않았던 만성 severe HTN 병력
구조적 뇌혈관 질환(e.g., AVM)	내원시 심한 HTN (>180/110 mmHg)*
두개내 악성종양	3개월 이전의 허혈성 뇌졸중 병력
3개월 이내의 허혈성 뇌졸중	Absolute C/Ix.에 해당하지 않는 두개내 병변
(4,5시간 이내의 급성 뇌졸중은 제외)	외상에 의한 or 10분 이상의 CPR
3개월 이내의 심한 폐쇄성 두개/안면 외상	3주 이내의 큰 수술
2개월 이내의 두개/척추 수술	2~4주 이내의 internal bleeding
Aortic dissection 의심시	Active peptic ulcer
Active bleeding or 출혈체질 (월경은 제외)	혈관 천자 부위가 지혈 안됨
조절 안 되는 심한 고혈압	임신, 치매
Streptokinase : 최근 6개월 이내에 사용했던 경우	경구 항응고제 복용 중

* Low-risk MI 환자에서는 absolute C/Ix.

- 고령(>75세)은 치료에 의한 손익을 고려하여 결정 (e.g., 금기가 없고 경색이 커 보이면 시행)
- 합병증

  ① hemorrhage (m/c) ; intracranial hemorrhage (0.5~0.9%, 치명적-가장 위험)

뇌출혈 위험이 증가되는 경우
- tPA, rPA, TNK-tPA 등이 streptokinase보다 약간 더 위험
- 고용량의 PA + heparin 투여
- 고령 (70~75세 이상), 여성, 저체중, 입원시 고혈압

  ② allergic reaction (streptokinase, anistreplase의 ~2%) : 드물게 심각한 저혈압 발생 위험

(3) fibrinolytic agents의 선택

	Streptokinase	Fibrin (clot)-specific plasminogen activators		
		Alteplase (tPA)	Reteplase (rPA)	Tenecteplase (TNK-tPA)
투여량/용법	1.5 MU (30~60분 동안 IV)	~100 mg (90분 동안 infusion)	10 U + 10 U (30분 간격 IV bolus)	30~50 mg (single IV bolus)
혈중 반감기	20분	4분	18분	20분
Fibrin clot specificity	Low	High	High	Very high
90분 뒤 개통률 (TIMI 2 or 3 flow)	60~68%	73~84%	84%	85%
TIMI grade 3 flow	32%	54%	60%	63%
부작용 뇌출혈	~0.4%	~0.7%	0.8%	~0.7%
부작용 fibrinogen 고갈	+++	+~++	++	±
부작용 알레르기	++	-	-	-

c.f.) Anistreplase : streptokinase와 비슷하면서 가격만 비싸

- fibrin (clot)-specific plasminogen activators (유전자 재조합 기술로 생산)
  - alteplase (tPA), reteplase (rPA), tenecteplase (TNK-tPA)
  - streptokinase보다 reperfusion (TIMI grade 3)에 약간 더 효과적이고, survival도 좀 더 증가됨
  - 단점 ; streptokinase보다 비쌈, 뇌출혈 위험이 약간 더 높음 (다른 부위 출혈 위험은 낮음)

- 뇌출혈 고위험군(e.g., HTN, 여성)은 streptokinase 사용이 유리할 수도 있지만, 실제로는
  reteplase (rPA), tenecteplase (TNK-tPA) 같은 bolus agents가 선호됨
- bolus agents : 투약 오류 가능성↓, noncerebral bleeding↓, 내원전 치료의 잠재력
• fibrinolytic agents 외에 보조적으로 antithrombotic therapy도 시행
• combination reperfusion regimens
  - IV GP Ⅱb/Ⅲa inhibitor + 저용량의 fibrinolytic agents
  - bolus fibrinolytics (rPA, TNK)와 효과는 비슷하지만, 출혈 위험 더 증가(특히 75세 이상에서)
    → 일상적으로 권장은 안됨
  - IV GP Ⅱb/Ⅲa inhibitor (± 저용량 fibrinolytic agents)의 PCI 예정 환자에서의 사용
    (facilitated PCI) : infarct size↓ & 예후↑ 효과 없고, 출혈 위험↑ → 일상적으로 권장 안됨

■ **fibrinolysis 이후 성공적인 재관류(reperfusion)의 소견 ★**
① chest pain이 갑자기 소실
② 빠르게 ST elevation 하강(정상화)
③ cardiac marker (e.g., troponin)가 급격히 상승 (∵ washout 되어)
④ reperfusion arrhythmia (특히 AIVR, PVCs, nonsustained VT) [but, reperfusion 실패시에도 흔함]
⑤ transient hypotension & bradycardia (특히 inferior MI에서 흔함)

6. 기타 약물 요법

(1) antithrombotic agents (antiplatelet & anticoagulant therapy)
• 치료 목적
  ┌ (reperfusion therapy와 더불어) 경색 관련 동맥의 patency 유지 (∵ <u>stent thrombosis 예방</u>)
  └ thrombosis 경향 억제 → mural thrombus or DVT (→ pulmonary embolism) 예방
• <u>dual antiplatelet therapy [DAPT]</u> (aspirin + P2Y$_{12}$ inhibitor) → 사망률↓, 반드시 투여!
  - new P2Y$_{12}$ inhibitor (prasugrel, ticagrelor) : 기존 clopidogrel보다 더 효과적이라 권장됨!
  - prasugrel : PCI 예정일 때만 사용함, stroke/TIA 병력 or 심한 출혈 위험시엔 금기
  - ticagrelor : PCI or fibrinolysis 모두에서 사용 권장
  - STEMI 환자는 최소 1년 DAPT 권장; 심혈관사망률 감소 효과는 ticagrelor가 가장 좋음
    (c.f., thrombosis 재발 고위험군은 1년 이상 장기간 DAPT or ticagrelor 단독 투여도 고려)
• glycoprotein Ⅱb/Ⅲa receptor inhibitor (e.g., abciximab, eptifibatide, tirofiban)
  - NSTEMI/UA : PCI 시행 예정이며 clopidogrel을 복용하지 않았던 환자 or high-risk
    (e.g., troponin↑) 환자에서 효과적이므로 투여 권장
  - STEMI : 조기에(내원전 or 응급실에서) 투여하면 PCI 시 coronary patency는 향상되지만
    임상경과의 향상은 불확실하므로, 일부 primary PCI 예정 환자에서만 권장됨
    (dual oral antiplatelet therapy를 받아온 환자에서 입원시 routine 사용은 효과 없음),
    항응고제를 사용해도 PCI 시술 중에 혈전이 재발하는 경우에는 사용 권장
  - CABG 예정인 환자는 short-acting agents (eptifibatide, tirofiban)가 출혈 부작용 적음
• **anticoagulants** : heparin (UFH or LMWH), warfarin
  - aspirin + fibrinolysis 치료에 heparin 추가시 fibrinolysis 촉진 및 coronary patency 향상

(출혈 위험은 약간만 더 증가됨) → 최소 2일 이상 (~8일) 투여 권장
- 2일 이상 투여할 경우에는 UFH 말고 다른 항응고제가 권장됨 (∵ HIT 위험)
  ⇨ LMWH (e.g., enoxaparin), factor Xa inhibitor (e.g., fondaparinux), direct thrombin inhibitor (e.g., bivalirudin) 등

LMWH (low-MW heparin)이 UFH (unfractionated heparin)보다 좋은 점
1. anti-factor Xa/IIa ratio↑ (→ thrombin 생성을 더 효과적으로 억제)
2. platelet factor 4에 대한 sensitivity↓ (→ 중화 안됨)
3. 더 안정적인 효과 (→ aPTT monitoring 필요 없음)
4. bioavailability 높음 (→ 피하주사로 투여 가능), 반감기 길 (→ 하루 1~2회 투여로 충분)
5. UFH에 비해 HIT (heparin-induced thrombocytopenia)의 부작용 적음
* 심각한 출혈 부작용은 약간 증가되지만 전체적인 이득이 더 크므로 LMWH 권장 (∵ 사망↓, 재경색↓)

- aPTT는 control의 1.5~2배로 정도 유지
- thromboembolism 발생 위험이 높은 경우 (e.g., ant. infarct, CHF, 심한 LV dysfunction, 광범위한 regional WM abnormality, AF, embolism의 병력, mural thrombi 존재)
  ⇨ heparin 최대 용량 투여, 퇴원 후 3개월 이상 warfarin 투여 (LV thrombi 없어질 때까지)
- 항응고제를 투여 받던 환자에서 PCI 시행시
  ① 이전에 UFH 투여 → 추가적인 UFH or DTI (direct thrombin inhibitor) 투여
  ② 이전에 LMWH 투여 → LMWH 투여 뒤 8~12시간이 지났으면 IV LMWH 투여
  ③ 이전에 factor Xa inhibitor 투여 → DTI (direct thrombin inhibitor) 추가 투여 고려

(2) β-blockers (non-ISA)

• STEMI 환자에서의 β-blockers 투여 효과
  ① 초기(acute IV 투여) ; 심근 산소요구량↓, 통증↓, infarct 크기↓, 심각한 심실 부정맥↓
    - but, 대부분 재관류 요법이 확립되기 전 과거의 연구 결과
    - 최근의 연구 결과 사망률과 심정지에서는 차이가 없고 / 재경색과 부정맥(VF)은 감소함
    - cardiogenic shock 발생은 증가! [특히 moderate~severe LV dysfunction (Killip class II↑) 환자에서]
      → 저혈압, 심부전 등의 금기가 없는 경우에만 투여 권장
  ② 장기 ; 사망률, 비치명적 재경색, 심정지 등 감소 … 2ndary prevention
• 금기인 경우를 제외하고, 모든 AMI 환자에게 24시간 이내에 투여 권장!

Heart failure (severe LV dysfunction) or low-CO 소견 (e.g., pulmonary edema)	
Cardiogenic shock 발생 고위험군	고령(>70세)
	Systolic BP <120 mmHg
	Sinus tachycardia (>110회/분) or bradycardia (<60회/분)
	STEMI 발병 후 오랜 시간 경과
기타 β-blockers의 상대적 금기	PR interval >0.24초
	2nd- or 3rd-degree heart block
	Active asthma or reactive airways disease
	심한 COPD, 심한 말초혈관질환 등

- 위 금기에 해당하지만 않으면 빈맥성부정맥이나 고혈압 동반 때도 투여하는 것이 합당함
- 특히 경색 초기에 심한 unrevascularized CAD, ischemia 재발 소견, 빈맥성부정맥 등이 있는 STEMI 환자에서는 더 큰 도움이 됨
- 초기에는 금기로 투여 못했던 환자도 24시간 이후 재평가를 거쳐 가능하면 투여 권장

- 장기 예후가 매우 좋은 환자군(사망률 <1%/yr)에서는 효과 적다
  (e.g., 55세 미만, 심실기능 정상, complex ventricular ectopy 無, angina 無)
- ISA (intrinsic sympathomimetic activity)' β-blocker는 MI or CHF에서 효과 적으므로 사용×

(3) RAA system inhibitors (ACEi, ARB, ARNI, AA)

- β-blocker와 aspirin의 효과에 더하여 추가적으로 사망률을 감소시킴
- 고위험군에서 가장 효과적! (e.g., 고령, ant. MI, prior MI, LV dysfunction, HF)
- 사망률 감소의 기전
  ① ventricular remodeling 감소 (∵ vasodilation → afterload↓)
  ② CHF, 재경색 감소
- 저혈압(systolic BP <100 mmHg) 및 ACEi의 금기가 없는 모든 STEMI 환자에서 초기부터
  (24시간 이내에) 투여 권장!
- ACEi (ARB)를 평생 투여해야 하는 경우 ; 임상적으로 뚜렷한 HF, 전반적인 좌심실 기능 저하
  (LVEF ≤40%), large regional WM abnormality, HTN, DM
- ACEi 대신 ARB or ARNI (angiotensin receptor-neprilysin inhibitor)도 장기간 투여 가능
- AA (aldosterone receptor antagonist)의 장기간 투여
  - LV dysfunction or HF 동반 STEMI 환자에서 투여시 심장관련 입원 및 사망률 감소
  - 이미 ACEi & β-blocker를 투여 받은 고위험 post-STEMI (EF ≤40%, HF, DM 등 동반)
    환자에서 금기가 아니면(신기능이상[Cr ≥2.5(女 2.0)] or hyperkalemia[K+ ≥5.0] 無) 투여 권장

(4) 기타

- nitrates
  - 요즘에는 AMI 환자에서 β-blocker와 ACEi를 사용하므로 routine nitrate IV의 효과는 적음
    (survival 차이 없음)
  - inf. MI (특히 RV infarct 동반시)에서는 과도한 preload 감소로 오히려 심근산소화 악화 위험
  - 발병 48시간 이후에도 angina or HF (LV failure) 지속시에만 투여 가능
    (but, reflex tachycardia or systemic arterial hypotension 발생하지 않도록 용량 조절)
  - 과량 투여시 드물지만 methemoglobinemia 발생 위험 (→ 혈액 산소 운반능 저하, ischemia 악화)
- magnesium
  - MI 환자에서 결핍된 경우가 흔하나, serum level은 정상일 수 있음 (∵ 주로 세포 내에 존재)
  - 모든 MI 환자는 입원시 Mg²⁺ level을 측정하여 감소된 경우 부정맥 예방을 위해 꼭 투여,
    TdP 환자는 정상이라도 투여 (모든 STEMI 환자에서 routine하게 투여하는 것은 아님)
- AMI & DM 환자에서 엄격한 혈당조절은 사망률을 감소시킴

■ 사용하면 안 되는 or 주의해야할 drugs

- steroid, NSAID (aspirin 제외) 금기!
  ∵ 이유 ┌ infarct의 치유를 방해, 심장 파열의 위험 증가, infarct scar를 크게 할 수 있음
         └ 관상동맥 저항 증가 (→ 심근허혈 부위의 혈류↓)
- NSAIDs, COX-2 inhibitors : thrombosis 촉진 가능하므로 STEMI 이후에는 금기
  - 꼭 필요한 경우에는 통증을 조절할 수 있는 최소 용량으로 단기간만 사용
- CCB : STEMI에서 사망률 감소 효과가 없고, 일부에서는 오히려 해로울 수 있음

- β-blocker가 효과 없거나 금기인 경우 심박수 조절을 위해 rate-slowing non-DHP CCB (diltiazem, verapamil)는 사용 가능 (Killip class II 이상의 LV dysfunction에서는 금기)
- nitroprusside : 관상동맥의 arteriolar dilatation 유발 → 좁아진 관상동맥의 coronary steal 유발 (c.f., nitroglycerin은 coronary steal 현상 없음)

7. 기타 입원 중 관리

(1) activity
- 처음 12시간 동안은 반드시 bed rest
- 합병증이 없으면, 24시간 이내에 침대에 다리를 걸치고 앉거나 의자에 앉기를 권장 (→ 생리적인 이득 및 PCWP↓ 효과)
- 2~3일까지 저혈압 등의 합병증이 없으면 보행 및 목욕 가능

(2) diet
- 처음 4~12시간 동안은 NPO 또는 맑은 미음만
- 지방은 30% 이하 (cholesterol 300 mg/day 이하), 복합 탄수화물은 50~55% 유지, potassium, magnesium, fiber 등은 충분히 공급, sodium은 낮게 공급

(3) bowels
- 변비 (∵ bead rest, narcotics 사용) → 실내 변기 이용, bulk diet, stool softner (e.g., dioctyl sodium sulfosuccinate) 권장
- AMI 환자에서도 rectal exam. 시행은 안전함

(4) sedation
- 많은 환자에서 입원중 sedation 필요 (e.g., diazepam, oxazepam, lorazepam)
- 주변 환경을 조용히 하는 것도 중요
- 불안/흥분 환자의 경우 (특히 노인) 약물에 의한 delirium 발생 가능성도 있으므로 확인 필요 (e.g., atropine, H_2-RA, narcotics)

(5) DM … 입원 중 혈당 조절 목표 : 90~180 mg/dL

합병증

1. 부정맥 (Arrhythmia, m/c)

: AMI 후 첫 24시간 이내에 흔히 발생 (수시간 내가 사망률 가장 높다)

(1) Ventricular premature contraction (VPC) - m/c
- infrequent, sporadic VPC는 거의 모든 환자에서 발생(→ 치료 필요 없다!)
- "warning arrhythmias" (frequent, multifocal, or early diastolic VPC) 소견을 보여도 항부정맥제 (e.g., lidocaine)는 사용하지 않는다! → sustained ventricular arrhythmia 시에만 사용
- 심한 ventricular tachyarrhythmia가 없을 때 lidocaine의 예방적 투여는 금기! (∵ bradycardia 유발 → asystole → 후기 사망률↑)

- *β-blocker* : frequent VPCs의 억제 및 VF 발생 예방에 도움 (금기가 아니면 반드시 투여)
- hypokalemia와 hypomagnesemia도 STEMI 환자에서 심실 부정맥 발생의 위험인자임
  → K^+ 4.5 mmol/L, Mg^{2+} 2 mmol/L 정도로 반드시 유지

(2) Ventricular tachycardia (VT) & fibrillation (VF)

- AMI 발병 24시간 이내에 warning arrhythmia 없이도 발생 가능 (VF : AMI의 m/c 사망원인!)
- 예방적 항부정맥제(e.g., lidocaine) 투여는 권장 안됨!
  (∵ 사망률 감소 효과 없고, 심장 외 합병증 및 bradycardia, asystole 발생 위험↑)

  ┌ stable sustained VT ⇨ amiodarone or procainamide → 반응 없으면 즉시 DC cardioversion
  └ VF or unstable VT ⇨ 즉시 defibrillation (200~300 J)

  → 반응 없으면 epinephrine or amiodarone 투여 뒤 다시 시도

- TdP (torsade de pointes) : 대개 이차적인 원인이 있으면 발생
  (e.g., hypoxia, hypokalemia 등의 전해질이상, digoxin or quinidine)
- **primary VF** : STEMI의 primary response (acute ischemia)로 발생한 것 (2일 이내)
  - 기전 : 허혈 심근의 전기적 불균일성에 의한 reentry
  - AMI 후 첫 4시간 동안 3~5%에서 발생, 이후 빠르게 감소
  - 단기 (입원중) 사망률은 높지만, 장기 예후는 좋다 (향후 부정맥 발생 증가×)
- **secondary VF** : CHF, shock, BBB, ventricular aneurysm 등과 관련되어 발생한 것
  - 대개 LV failure와 cardiogenic shock이 악화되는 과정의 마지막에 발생
  - 예후 나쁨!
- <u>late VT or VF</u> : STEMI 발병 48시간 이후에 발생한 VT/VF
  - large (or transmural) infarct 및 LV dysfunction에서 발생 증가, 혈역학적 불안정 흔함
  - 단기 & 장기 예후 모두 나쁨 → 반드시 EPS 시행 & <u>ICD</u> 삽입
- "입원기간 중 지속성 심실빈맥이 없었던 STEMI 환자"에서 향후 VF에 의한 SCD 예방 전략
  ⇨ AMI 발병 <u>40일</u> 이상 지난 뒤에 예방적 ICD 삽입 필요성 평가 ★
  ┌ EF >40% → ICD 필요 없음!
  ├ EF <<u>30~40%</u> & NYHA class Ⅱ~Ⅲ → ICD 삽입
  └ EF <30~35% & NYHA class Ⅰ → ICD 삽입

(3) Accelerated idioventricular rhythm (가속심실고유리듬, AIVR, slow VT)

- STEMI 환자의 ~20-50%에서 발생 (anterior MI와 inferior MI에서 비슷한 비율로)
  (기타 원인 ; 심장수술, cardiomyopathy, rheumatic fever, digitalis, cocaine 중독 등)
- AMI의 reperfusion 치료 이후 (보통 2일 내에) 호발 … reperfusion 이후 m/c 부정맥!
  (but, reperfusion 실패시에도 흔하기 때문에 reperfusion 성공의 단서는 아님)
- 기전 (enhanced automaticity) : pacemaker failure에 따라 발생된 심실의 escape rhythm *or*
  교감신경 자극에 의해 가속화된 심실의 abnormal ectopic pacemaker rhythm
- nonparoxysmal slow regular VT (<u>60~110회/분</u>, 대개 100 미만), 느리므로 capture beats 흔함
- slow sustained VT와 감별 필요
  ┌ AIVR : 점진적으로 시작/종료, cycle 다양, 대개 acute infarction/myocarditis와 관련
  └ slow sustained VT : cycle 일정한 편, 대개 chronic infarction or cardiomyopathy와 관련
- 대부분 <u>일시적</u>이며, 증상을 일으키거나 더 심한 부정맥(VF)으로의 진행은 드묾 → 치료 불필요!

- 혈역학적으로 불안정하거나(대개 AV dissociation 때문) 더 심각한 부정맥과 동반되면 치료 고려
  → 대개 심방가속(e.g., atropine, atrial pacing)으로 sinus rate를 높여주면 AIVR 억제됨!

(4) Supraventricular arrhythmia

- sinus tachycardia (m/c) → β-blocker
- AF/Af (HF에 이차적으로 발생하는 경우가 흔함)
  - AF는 10~15%의 환자에서 대개 첫 24시간 이내에 발생
  - 발생 위험인자 : 고령, large MI, HF, pericarditis, atrial infarct, hypoxia, hypokalemia, hypomagnesemia, pul. dz., hyperadrenergic state ...
  - Tx. ① β-blocker, verapamil, diltiazem (HF 없을 때)
       ② HF를 동반한 supraventricular arrhythmia시엔 digoxin이 TOC
       ③ 심실박동 120회/분 이상으로 2시간 이상 지속시 또는 HF, shock, ischemia 발생시
          → cardioversion (100~200 J)

(5) Sinus bradycardia

- 흔함 (AMI 관련 부정맥의 30~40% 차지), inferior MI에서 m/c, 특히 발병 첫 1시간 이내 및 Rt. coronary artery의 재개통시 호발
- 혈역학적으로 불안정하면 <u>atropine</u> 투여 (→ 반응 없으면 pacemaker)
- isoproterenol은 금기 (∵ 부정맥 유발 위험, 심근 산소요구량↑)

(6) 전도장애(AV or intraventricular blocks)

① <u>inferior wall</u> MI에서 발생시
  - AMI 발병 초기에 대개 vagal tone 증가 및 adenosine 분비에 의해 발생하므로 일시적
  - ant. wall MI에서의 경우보다 예후 훨씬 좋다 (사망률 25~40%)
  - 1st-degree AV block (m/c), Mobitz type I 2nd AV block이 주로 발생
  - complete AV block ; 드물(~5%에서 발생 가능), intranodal or supranodal lesion 때문, 약 70%는 escape rhythm (HR >40 bpm & narrow QRS), 예후 좋음 (대개 자연 소실)
  - Tx ; 대개는 필요 없음 / HR 50회 미만이고 증상이 있는 경우에 IV atropine
    - temporary pacemaker ; HF, hypotension, 심한 bradycardia, 심한 ventricular ectopic activity 등을 동반한 complete AV block 발생시에는 도움
    - RV infarct 동반시엔 → dual-chamber AV sequential pacing

② <u>anterior wall</u> MI에서 발생시
  - AV node 이하 (His-Purkinje system, bundle branches)의 "광범위한" 손상에 의해 발생
    (∵ LAD의 폐쇄로 심한 심근괴사) → 심한 LV failure or shock (사망률 60~75%!)
  - AMI 발병 12~24시간에 갑자기 complete AV block 발생 (HR <30 bpm & wide QRS), BBB도 잘 동반, 심박수는 대개 불안정하며 ventricular asystole 발생 위험도 높음
  - intraventricular block, type II 2nd AV block 선행이 흔함 (1st or type I AV block은 드묾)
  - external noninvasive pacing ("demand" mode) ; 약물치료에 반응 없는 bradycardia (<50 bpm), bilateral BBB, Mobitz type II 2nd-degree, complete AV block 등에서 시행
    * complete AV block에선 이미 심근이 광범위하게 손상되어 예후에는 별 영향이 없어 논란이지만, asystole 및 일시적 저혈압(→ 경색 확대, 악성 심실 부정맥 유발) 방지에는 도움

③ intraventricular bifascicular (or bidivisional, bilateral) block
- 예 ; RBBB + Lt. anterior/posterior divisional block, RBBB + LBBB
- large infarct 및 고령에서 호발, 다른 부정맥의 동반 비율도 높음
- AMI 이후 새로 발생된 bifascicular block은 예후 나쁨 (complete AV block 발생 및 사망↑)
  → temporary pacemaker 권장

2. 심부전 (Heart failure, ventricular dysfunction)

(1) 개요
- <u>ventricular remodeling</u> : AMI의 결과로 심근세포 소실 및 형태의 변화, 심근조직의 섬유화로 심실 전체의 모양, 크기, 두께(얇아짐) 등이 변하는 것
  - infarct expansion : AMI 초기에 경색 부위의 급성 확장 & 심근벽 얇아짐(thinning)
  - ventricular dilatation : 비경색 부위의 확장으로 주로 수개월에 걸쳐 일어남
    └ 관여 요소 ; <u>경색의 크기</u>(m/i), 위치, 심실 부하(팽창압), 관상동맥 patency, scar 형성
- 전체적인 심실의 확장 정도는 경색의 크기 및 위치와 관련
  - LV apex의 경색시 확장이 심하고 HF도 흔하고 예후도 나쁨
  - 경색의 크기가 클수록 pump failure가 심하고 사망률(초기 & 후기)도 증가됨
    - 20~25% 경색시 → LV dysfunction 발생
    - 40% 이상 경색시 → cardiogenic shock 발생
- ACEi/ARB 사용시 ventricular remodeling 및 HF 완화에 도움!
- pump failure : AMI 이후 입원 중 사망의 주 원인

(2) 임상양상
- pulmonary rales, S_3 & S_4 gallop rhythms 등이 m/c
- CXR ; pul. congestion
- 혈역학적 특징 ; LV filling pr. (PCWP)와 pul. artery pr. 증가

(3) 치료
① O_2, elevation of trunk, morphine (폐울혈 환자에 유용)
② diuretics (furosemide 등의 loop diuretics) ; 폐울혈과 LV filling pr. (PCWP) 감소시킴
  - mild HF에서 매우 효과적이나 hypovolemia 및 전해질 이상 발생하지 않도록 주의
③ vasodilators (hypotension 발생하지 않도록 주의하며 사용)
  - nitrates (→ preload 감소, ventricular compliance 개선)
  - severe HF ; sodium nitroprusside
④ inotropic agents ; dopamine, dobutamine, norepinephrine (NE), levosimendan 등
  - severe LV failure (CI <2 L/min/m²)에서 diuretics에 반응 없을 때 사용
    (산소요구량↑, HR↑, 부정맥↑ 등 위험이 있으므로, 가능한 최소 용량을 최단기간만 사용)
  - phosphodiesterase inhibitors (amrinone, milrinone) ; (+) inotropic & vasodilator,
    dobutamine과 효과 비슷하나 PCWP를 더 감소시킴 (but, 작용 시간이 긴 것이 문제)
  - digitalis : AMI 초기에는 도움 안됨 (예외 ; AF에서 심실반응 조절)
⑤ ACEi/ARB : maintenance therapy에 사용 (systolic BP ≥100 mmHg 시)

■ Hypovolemia

- hypotension 환자의 20%
- hypotension, tachycardia, LV filling pr. (PCWP) ↓
  (CVP는 LV보다는 RV filling pr.와 관련 있으므로 MI 환자의 volume 상태를 정확히 반영 못함)
- 원인 ① MI 초기의 수분섭취 감소
  ② diaphoresis, vomiting, venous tone 감소
  ③ 이전에 이뇨제, 혈관확장제(e.g., nitrates) 등의 약물 복용
- Tx : 수액 공급(N/S) → PCWP가 20 mmHg에 이를 때까지 주의 깊게 투여

* hypotension시 nitrates 및 ACEi는 금기!

3. 심장성 쇼크 (Cardiogenic shock)

- HF의 가장 심한 형태 (대개 좌심실의 40% 이상이 경색되었을 때 발생)
- 정의 ┌ 심하고 지속적인(30분 이상) 저혈압 : systolic BP <90 mmHg
  │ CI (cardiac index) <1.8 L/min/m^2
  └ PCWP (LVEDP) >18 mmHg ★
- tachypnea, oliguria (<30 mL/hr), cold extremities, cyanosis, acidosis ...
- AMI 환자의 5~8%에서 발생 (이중 90%는 입원 이후에 발생), 사망률 70~80%
- AMI 환자에서 cardiogenic shock의 원인 (→ 원인을 밝히기 위해 즉시 심초음파 시행)
  ① 심한 AMI에 의한 LV dysfunction (>80%)
  ② 기계적 합병증 ; acute severe MR (papillary muscle rupture), VSR, free wall rupture,
     tamponade, predominant RV infarction, 심한 preload 감소 (e.g., hypovolemia) ...
- 발생기전
  ┌ systolic dysfunction → CO ↓ → coronary perfusion ↓
  └ diastolic dysfunction → pul. congestion → hypoxia → ischemia 더욱 악화
     → myocardial dysfunction 더욱 악화 (악순환)
- shock 발생의 risk (poor Px.) factors ; 고령, CI ↓, 좌심실기능(EF) 감소,
  large MI (대개 **anterior MI**), previous MI or CHF, DM, renal insufficiency
- Tx. ① early revascularization (primary PCI or CABG) : 유일하게 사망률 감소 증명됨
  - AMI 36시간 이내 shock 발생, shock 발생 18시간 이내 시행 가능한 경우 (75세 이하에서)
  - fibrinolysis 시행시엔 생존율이 매우 낮아 PCI (or CABG)를 우선적으로 시행함!
  - PCI 시행 불가능하면 IABP & fibrinolysis 시행
  ② inotropic agents : 예후 개선 없고, 부작용(e.g., 부정맥) 위험 때문에 최소한으로만 사용
  - 저혈압 심하면 → norepinephrine (NE)우선 권장됨 or dopamine (NE보다 부작용 많음)
  - dobutamine, levosimendan → 혈관확장작용이 있으므로 혈관수축제와 병용해야 됨
  ③ IABP (intra-aortic balloon pumping) : aortic counterpulsation
  ┌ early diastole시 balloon은 자동적으로 inflation
  │   → coronary flow ↑, peripheral perfusion (diastolic BP) ↑
  └ early systole시엔 balloon deflation/collapse → LV afterload ↓, CO ↑
  - PCI/CABG 이전에 환자를 안정화시키는 데도 유용

- Ix ; refractory HF or cardiogenic shock, 기계적 합병증 (acute MR, VSR),
  refractory post-MI ischemia, 혈역학적으로 불안정한 recurrent intractable VT/VF
- C/Ix ; AR, aortic dissection, large AV shunt (e.g., PDA)
* volume replacement (saline infusion) → pul. edema를 더욱 악화시킴!
* NG → hypotension을 더욱 악화시킴

4. 우심실 경색 (Right ventricular infarction, RVI)

(1) 임상양상

- mild RV dysfunction ~ cardiogenic shock까지 다양한 임상양상
- inferior LV infarction 환자의 약 1/3에서 임상적으로 의미 있는 RV infarction 동반
  - 대부분 proximal Rt. coronary artery의 폐쇄 때문
  - isolated RV infarction은 드묾
- RV failure sign ; JVP↑ (경정맥 확장, prominent y descent), Kussmaul's sign, hepatomegaly ...
- hypotension : RV dysfunction에 의한 preload 감소로 발생 (LV EF는 정상이라도 CI 감소)
- pulmonary congestion은 없다! (clear lung field)
- AMI 이후 unexplained hypotension or low CO, unexplained hypoxemia 발생,
  nitrate or morphine 투여 후 심한 hypotension 발생 등 때 의심!

(2) 검사소견/진단

- EKG ; II·III·aVF leads에서 ST elevation, sinus bradycardia, high-grade AV block도 흔함
  - ★ Rt-sided precordial lead (특히 V_4R)에서 ST elevation, Q wave
    (→ RVI 진단 민감도/특이도 높다, 빨리 진단 가능)
  - proximal Rt. coronary occlusion : ST elevation, (+) T wave
  - distal Rt. coronary occlusion : ST elevation 無, (+) T wave
  - circumflex coronary artery occlusion : ST elevation, (−) T wave
- echocardiography ; RV dysfunction, RV 확장, RA 확장, RV EF↓, TR ...
  (→ RVI 진단 정확도는 V_4R보다 높고, 다른 합병증도 R/O 가능)
- PCWP 정상 or 감소 / RA pr. 증가
- constrictive pericarditis, tamponade와 증상 및 catheterization 소견이 비슷

(3) 치료

① early revascularization (PCI or fibrinolysis) : RVI 회복 및 사망률 감소에 m/i
② 수액공급(volume expansion)! (저혈압에 대한 1차 치료) → RV preload↑, LV performance↑
   (1 L 이상의 N/S bolus에도 저혈압이 지속되면 더 이상의 수액은 효과 없고, 폐울혈 위험)
③ inotropic agents (수액공급에도 저혈압이 지속되면) → 부수적으로 PCWP, 폐동맥압↓
   - dopamine 권장 (c.f., dobutamine은 말초혈관저항 감소로 저혈압 악화 위험)
   - 그래도 저혈압이 지속되면 (RV shock) → IABP or RV assist device 고려
④ sinus bradycardia : atropine, 심하면 temporary pacemaker
⑤ high-degree AV block : temporary pacemaker (atrial or atrioventricular sequential pacing)
* preload를 감소시키는 diuretics, NG, morphine 등은 금기! (β-blocker와 CCB도 주의)

(4) 예후

- isolated RVI는 LV infarction 보다 예후 좋다
  (이유) ① LV보다 pump 힘 덜 필요
  ② LV보다 collateral flow 좋음
  ③ RV wall 자체가 얇아 diffusion에 의해 직접 O_2를 공급 가능
- inferior MI에서 RV infarct이 합병되면 postinfarction tachyarrhythmia, AV block이 발생할 위험이 높아지고, inferior MI의 예후도 나빠짐

AMI의 Hemodynamic subsets ★

	CI	PCWP	Treatment	Comment
정상	>2.2	<15	필요없음	사망률 <5%
Hyperdynamic	>3.0	<15	β-blockers	tachycardia가 특징 사망률 <5%
Hypovolemic	<2.5	<10	Volume expansion	Hypotension, tachycardia 심초음파상 LV 기능은 정상 사망률 4~8%
LV failure	<2.2	>15	Diuretics	Mild dyspnea, rales, BP 정상 사망률 10~20%
Severe failure	<2.0	>18	Diuretics, vasodilators	Pulmonary edema, mild hypotension inotropic agents, IABC 필요할 수 있음 사망률 20~40%
Cardiogenic shock	<1.8	>20	Inotropic agents, IABC	IABC로 빨리 치료 안하면 사망률 >60%

* IABC = intra-aortic balloon counterpulsation.

5. 기계적 합병증

* free wall rupture, VSR, acute MR 등은 대개 STEMI 발병 1주일 이내에 호발 (각각 약 1%)
  → bimodal peak : 24시간 이내, 3~5일째

(1) Ventricular free wall rupture (myocardial rupture)

- hemopericardium → cardiac tamponade → 死 (입원 중 사망한 STEMI 환자의 ~10% 차지)
- 갑자기 pulse/BP/의식 상실 (profound shock), EKG는 slow sinus rhythm
- 발생 위험인자 : 처음 발생한 MI (이전에 angina 없던 경우), anterior MI, large Q wave, large transmural infarct, collateral 부족, 고령, 여성, HTN, fibrinolysis 이후 (PCI 대비)
- 대부분 LV에서 발생 (특히 anterior or lateral wall)
- 대개 large infarct이 확장된 이후, 경색 심근과 정상 심근의 경계 근처에서 발생
- Tx ; pericardiocentesis(확진 가능) & 응급 수술 (but, 사망률 75~90%)

* **Pseudoaneurysm (false aneurysm)** ; 불완전한 free wall rupture로, organized hematoma & thrombus 및 pericardium으로 구성된 벽 형성 (→ 좁은 입구로 LV cavity와 연결 유지됨 → 파열 위험 높음) → 치료 안하면 50% 사망 → 가능한 빨리 수술

(2) (inter)Ventricular septal rupture/defect (VSR/VSD)

• 갑자기 severe LHF (흉통, 호흡곤란, 저혈압 등), <u>pansystolic ⑩</u>, parasternal thrill, S₃ 등 발생
• MR (papillary muscle rupture)과 감별해야!
• 발생 위험인자 ; single vessel dz. (특히 LAD), collateral network 발달 부족, 고령, 여성, CKD
   [↔ 발생위험 감소 ; prior MI (∵ ischemic preconditioning), chronic angina, HTN, DM 등]
• inferior MI에서 발생한 경우 (→ basal septum 침범) anterior MI 시보다 예후 나쁨
• Dx ; color flow Doppler echo., 심도자(flow-directed balloon catheter) ⇨ L→R shunt 발견
• Tx (사망률 40~75%)
   ① 내과적 치료 ; inotropic agent (e.g., dopamine, dobutamine), 저혈압 없으면 vasodilators
      (NG or nitroprusside)로 afterload 감소, 약물치료를 감당 못하거나 실패하면 IABP
   ② 가능한 빨리 수술 (일부 혈역학적으로 안정된 환자는 경색의 치유를 기대하며 2~4주 수술 연기 가능)
   ③ 수술 불가능하고 시술에 적합하면 transcatheter closure도 고려 가능

(3) Acute MR

• papillary muscle의 dysfunctin and/or rupture에 의해 발생
   – posteromedial m. (<u>inferior/posterior</u> MI)에서 anterolateral m. (anterolateral MI)보다 흔함
   – RV papillary muscle 파열도 드물게 발생 가능 (→ massive TR, RVF)
• 대개 VSR보다 작은 infarction에서 발생, 혈역학적 이상을 초래할 정도의 심한 장애는 흔치 않음
• <u>pansystolic ⑩</u>, pul congestion, RHF에 의한 증상 (e.g., 갑작스런 호흡곤란, 저혈압)
• Dx (echo.) : flail or prolapsing MV leaflet (color flow Doppler : VSR과 감별에 유용)
   – acute severe MR에서 압력 평준화가 빨리 이뤄지면 TTE로는 진단이 어렵고 TEE가 필요함
• Tx : VSR와 비슷 (가능한 빨리 수술)

※ 혈압이 감소하며, pansystolic ⑩ 청진시 감별해야 할 합병증
   ┌ VSR (ventricular septal rupture) : LV failure 더 심함   (⇨ color flow Doppler, 우측 심도자)
   └ MR (papillary muscle rupture/dysfunction)

(4) LV aneurysm

• large/transmural (특히 <u>anterior</u> wall) MI 이후에 호발, STEMI 환자의 5% 미만에서 발생
• 심첨부에서 호발 (apical aneurysm이 m/c)
• double, diffuse, displaced apical impulse (⑩는 없음)
• AMI후 4~8주 뒤에도 ST elevation이 정상화되지 않으면 의심, echo.로 확인
• Cx (드묾) : CHF, arterial embolism, ventricular arrhythmia
• true aneurysm은 심근의 scar tissue로 구성되어 있으므로 심장 파열의 위험은 없음!
   (pseudoaneurysm의 경우는 파열의 위험이 있으므로 반드시 수술)
• Tx : 장기간의 항응고제(warfarin) 요법 / 내과적 치료에도 불구하고 HF, VT, systemic
   embolization 등이 발생하면 수술(aneurysmectomy)

6. 흉통의 재발 (recurrent ischemia & reinfarction)

- PCI 치료 받은 STEMI 환자는 5% 미만에서만 재발 (fibrinolysis만 받은 경우엔 더 흔함)
- 원인 ; PCI에 의한 원위부/분지의 폐쇄 (e.g., acute or subacute stent thrombosis),   → 앞 장 참조
  개통 혈관의 재폐쇄, 새로운 다른 혈관의 폐쇄, coronary spasm
- Px ; 합병증(e.g., HF, AV block) 및 사망률 증가
- Tx ; 즉시 coronary angiography & PCI
- 비허혈성 원인 R/O ; infarct expansion, pericarditis, pul. embolism, 심장 이외의 질환 등

7. 심낭염 (pericarditis)

- acute pericarditis는 AMI 후 2~4일째, large transmural (특히 anterior wall) MI에서 호발
- 전형적인 흉통 (↔ 재경색과 감별해야)
  - 숨을 깊이 쉴 때, 기침, 체위변화시 악화 / 몸을 앞으로 숙이면 호전
  - trapezius muscle로 radiation (AMI는 ×)
  - pericardial friction rub 동반
- *Dressler's syndrome* (post-MI syndrome) : autoimmune pericarditis, pleuritis, pneumonitis
  - 대개 AMI 발병 1~8주 후에 발생 (최근에는 크게 감소되었음)
  - malaise, fever, pericardial discomfort, WBC↑, ESR↑, pericardial effusion
- EKG : ST elevation (위로 오목)
- Tx : 고용량 aspirin (4~6시간마다 650 mg)
  - steroid와 NSAIDs는 심근조직의 치유를 지연시킬 수 있으므로 금기!
  - anticoagulation : hemorrhagic pericarditis, tamponade 등의 발생 위험을 증가시킴
    → pericardial effusion이 많거나(≥1 cm) 계속 커지면 중단

8. 혈전색전증 (thromboembolism)

- STEMI의 최대 10%에서 발생 (부검에서는 20%), 입원 중 STEMI 사망 원인의 25% 차지
- 발생위험 증가 ; large MI (특히 ant.), CHF, echo상 LV thrombi
- ant. MI 환자의 1/3에서 echo 상 LV thrombi 발견 (inf. or post. MI 환자에서는 드뭄)
- LV mural thrombi는 systemic arterial embolism을 일으킬 수 있음
- 심초음파 등에서 mural thrombi 증명 or large regional WM abnormality 존재시
  systemic anticoagulation (대개 3~6개월간)

경색 이후의 예후평가 및 관리

1. 예후가 나쁜 경우 (경색 이후 심혈관계 위험↑)

① ischemia의 지속 (spontaneous or provoked)

② LV EF (ejection fraction) <40% … STEMI 이후의 장/단기 생존율에는 LV function이 m/i

③ HF ; rales, pulmonary congestion

④ symptomatic ventricular arrhythmias

⑤ 기타 ; 이전의 MI 기왕력, 75세 이상, DM, prolonged sinus tachycardia, hypotension, "silent ischemia", abnormal signal-averaged EKG, infarct-related coronary artery의 비개통성, 지속적인 advanced heart block or 새로운 심실내 전도장애

2. 예후 (재경색 및 부정맥 발생) 평가

• 퇴원전 submaximal exercise stress test 또는 AMI 4~6주 후 maximal (Sx-limited) stress test 시행

• 목적 : residual ischemia 및 ventricular ectopy 발견

• 부하검사시 high-risk groups (→ coronary angiography and/or EPS 시행!)

① 상대적으로 낮은 부하(stress)에서 angina 발생

② 영상검사에서 large reversible defect 존재 or EF↓

③ ischemia가 증명된 경우

④ symptomatic ventricular arrhythmia 발생

• 대개 LV function의 평가도 시행 (echo. or radionuclide ventriculography)

→ ACEi 평생 투여 대상 결정 (앞의 ACEi 부분 참고)

• exercise test는 환자 개인별 운동 처방에도 도움이 됨

3. 퇴원 후 활동

• uncomplicated STEMI의 평균 입원 기간 : 약 5일

• 퇴원 후 첫 1~2주 : 걷기를 통해 활동량 증가, 성생활도 가능

• 2주 이후 : 환자 개인의 허용 운동량에 맞추어 활동량 조절

• 대부분 2~4주 이내에 직장 생활도 가능

재경색의 이차예방 (secondary prevention)

(⇨ 사망률 감소 / 생존율 증가)

■ 관상동맥 및 기타 동맥경화성 혈관질환의 2차 예방 지침
(Secondary prevention & long-term management)

1. 금연, 유산소운동, 체중조절(BMI 18.5~24.9 유지)
2. 혈압 조절(<140/90mmHg), 혈당 조절, lipid 조절
3. 항혈소판/항응고제 ; aspirin, clopidogrel, warfarin
4. RAAS blockers ; ACEi/ARB, aldosterone antagonist
5. β-blockers
6. influenza vaccination

(1) antiplatelet therapy → 재경색, CVA, 사망률 25%↓
   • PCI stent 삽입 환자는 반드시 DAPT (aspirin + P2Y₁₂ inhibitor) 1년 이상 권장
      - 1년 이내 중단시 BMS는 최소 1개월, DES는 최소 6개월 이상은 유지해야 됨
      - P2Y₁₂ inhibitor는 prasugrel or ticagrelor 권장 (ticagrelor가 더 효과적이고 1년 이상도 연구 중)
   • GI bleeding 고위험군(e.g., 고령, 항응고제/steroid/NSAID 병용) → PPI 투여

(2) ACEi/ARB → late ventricular remodeling과 재경색 예방
   • Ix ; CHF, EF↓(<40%), large regional WM abnormality, HTN, DM

(3) non-ISA β-blocker (2년 이상) → 사망률, SCD, (일부에서) 재경색↓

(4) warfarin → 후기 사망률, 재경색↓
   • 적응 : embolism 고위험군 (e.g., LV thrombi, large regional WM abnormality) → 앞부분 참조
   • aspirin + clopidogrel 병합요법 환자에게 warfarin 추가는 출혈 위험 증가
      → close monitoring (INR 2~2.5 유지) 및 PPI 투여 (GI bleeding 예방) 필요

(5) 동맥경화(AS)의 위험인자 교정
   • 금연, 운동, 스트레스 해소
   • HTN, DM, hyperlipidemia의 치료 (목표 LDL <100 mg/dL)
   • statin : 죽상판 안정화(plaque stabilization) 효과도 있음 → 새로운 CAD 발생 위험↓

* 예방적 항부정맥제 : 예후 개선 효과 없고, 오히려 사망위험 증가로 권장 안됨! (β-blocker 제외)
* AMI에서 회복된 폐경 후 여성에게는 HRT를 하면 안됨!
   - lipid profile 개선 효과는 있지만 coronary & venous thromboembolism 위험 크게 증가
   - STEMI 이전에 HRT를 받고 있던 환자도 중단해야 됨
* antioxidants
   - omega-3 polyunsaturated fatty acids : CAD 사망 및 비치명적 재경색 감소 효과
   - folate, vitamin E, vitamin C, beta-carotene 등 : CAD 예후 개선 효과 없음!

8
심근병증(Cardiomyopathies)

개요

- 심근병증(cardiomyopathy) : 다른 원인에 의한 심근장애가 아닌 심근 자체의 질환
  - primary : 원인을 모르는 경우 (e.g., idiopathic, familial)
  - secondary : 원인이 있거나(e.g., CAD, 판막질환), 다른 장기도 침범하는 질환에 동반된 경우
- 유전적 원인인 경우가 많아 유전자에 따라 분류하기도 함
- 전통적으로는, 병태생리 및 임상양상에 따라 크게 3가지로 분류함
  : dilated (m/c), hypertrophic, restrictive

비후성심근병증/비대심장근육병증 (Hypertrophic cardiomyopathy, HCM)

- LVH의 유발인자(e.g., HTN, AV dz.) 및 좌심실 확장 없이, 좌심실 벽(LV wall)이 두꺼워진 것
  - HCM without obstructive gradient (더 흔함) → but, 유발검사에서는 obstruction 많이 보임
  - HCM with obstructive gradient ; 과거에는 hypertrophic obstructive cardiomyopathy (HOCM), idiopathic hypertrophic subaortic stenosis (IHSS), asymmetric septal hypertrophy (ASH) 등으로 불리었음
- 유병률 약 1/500 (무증상인 경우도 포함하면 약 1/200), 남>여 (∵ 여자는 무증상이 많아 덜 진단됨)
- 젊은 성인에서 SCD의 주요 원인, 소아 때 발병하면 예후 나쁘고 성인 때 발병하면 양호한 편
- 보통 18~20세에 심실 벽 두께가 최대가 되고, 20세 이후에는 큰 변동이 없는 경우가 많음!

1. 병태생리

(1) heterogeneous LV hypertrophy ; 주로 asymmetric septal hypertrophy (ASH)

(2) myocardial ischemia

(3) diastolic dysfunction (이완기능의 장애) … 주 병태생리
  - 심근 비후, 섬유화 등에 의해 경직도 증가 → diastolic filling pr. 증가
  - but, 무증상 familial HCM 가족의 연구 결과, 비후보다 diastolic dysfunction이 먼저 발병함
    : resting EF & CO은 대개 정상이나, 운동시 peak CO은 높은 심박수에서 ventricular filling 감소로 EF & CO 감소될 수 있음

(4) <u>LV outflow tract (LVOT)의 pressure gradient (obstruction)</u> (at rest : HCM의 25~30%)
  - 심실 수축기에 승모판 전엽의 전방 운동(systolic ant. motion [SAM] of MV ant. leaflet)
    + 좁아진 LV outflow tract → LV outflow tract obstructive pr. gradient, MR 발생
  - resting LVOT obstruction 없는 환자의 다수도 부하(provocation)시에는 발생
    (latent obstruction : HCM의 60~70%)

■ <u>Dynamic LVOT pressure gradient (obstuction) 증가시키는 기전</u> ★
  (⇨ **pressure gradient & systolic ⓜ 증가,   증상 악화**)
  ① **LV contractility 증가** (→ ejection velocity↑ → ventricular systolic volume↓ → MV의 SAM)
    예) exercise, sympathomimetic amines (e.g., isoproterenol, dobutamine), digitalis
  ② **preload (ventricular end-diastolic volume) 감소** (→ outflow tract의 크기를 더욱 감소시킴)
    예) Valsalva maneuver, sudden standing, tachycardia, diuretics, NG, amyl nitrate, digitalis
  ③ **afterload (aortic impedance & pr.) 감소**
    (→ ejection velocity ↑ → ventricular systolic volume ↓ → SAM)

  * **ventricular volume ↑** ⇨ pressure gradient & ⓜ 감소
    ① arterial pr. ↑ ; phenylephrine, squatting, 등장(척)성운동(e.g., handgrip), Mueller maneuver
    ② venous return ↑ ; passive leg raising
    ③ blood volume ↑ ; saline infusion
  * **β-blocker** ⇨ LV contractility 감소 & preload 증가로 pressure gradient & ⓜ 감소

여러 조작에 의한 systolic murmurs의 영향

	HCM	AS	MR	Mitral Prolapse
Valsalva maneuver	↑	↓	↓ or N	↑ or ↓
Standing	↑	↑ or N	↓ or N	↑
Handgrip or squatting	↓	↓ or N	↑	↑
다리를 높인 채 누움	↓	↑ or N	N	↑
운동	↑	↑ or N	↑	↑
Amyl nitrite	↑↑	↑	↓	↑

↑= 증가, ↑↑ = 크게 증가, ↓ = 감소, N = 변화 없음

2. 유전적 원인

• 1/2 이상에서 가족력을 가짐 (<u>AD 유전</u> → 남:여 동일), ASH를 동반한 경우 더 흔함
• cardiac sarcomere와 관련된 11개 이상의 유전자에서 1500개 이상의 mutations 발견됨 (~60%에서)
  - <u>myosin-binding protein C (*MYBPC3*)[50%]</u>와 β-myosin heavy chain (*MYH7*)[25~40%]이 대부분
  - 기타 : Troponin T/I/C (*TNNT2, TNNI3, TNNC1*), α-myosin heavy chain, α-actin,
    α-tropomyosin, myosin light chains, titin 등
  - 대부분 개별 가족에 고유한 경우가 많음 ("private" mutation)

• familial HCM 환자의 직계가족의 약 1/2에서 echo.상 HCM을 보임 (대부분은 경미)

⇨ genetic testing (원인 유전자가 밝혀졌을 때에만 권장) *and/or*

screening EKG & echo. (12세부터 18~21세까지 12~18개월 마다 /정상이면 이후 5년 마다)

3. 임상양상

• 매우 다양(∵ 유전자 多), 대부분은 증상이 없거나 경미함! (가족 검사 중 발견되는 경우도 많음)

• 처음 발현이 "급사(SCD)"일 수 있음 (30세 미만에서, 특히 운동 중/후)

• 증상이 나타나는 경우는 대개 20~40대에 발현

• exertional dyspnea (m/c), chest pain (25~30%), syncope, palpitation, fatigue ...

(증상은 LVOT obstructive gradient 존재 여부 및 severity와 밀접한 관련은 없다!)

• HCM with LV outflow tract obstructive gradient의 소견

- mid-systolic ⓜ : harsh, diamond-shaped (crescendo-decrescendo), S_1 뒤에 시작

; 흉골좌연, apex에서 (apex에선 holosystolic & blowing으로 → MR 때문)

- pulsus bisferiens : "spike & dome" (처음에는 hypercontractile LV로 인하여 flow 증가,

곧 outflow obs.으로 flow 감소) → 심한 LV outflow obs.을 의미, 심할수록 급사 위험 증가

- double/triple apical impulse, rapidly rising carotid arterial pulse, S_4

• S_3 : AS에서와 같이 나쁜 징후는 아님

• JVP : a wave 증가 (∵ RV compliance 감소로 ← abnormal septum)

4. 검사소견/진단

(1) EKG

• 환자의 약 90%에서 비정상, 무증상 친척의 약 75%도 비정상 (EKG 정상이면 good Px.)

• LVH with strain (∵ septal hypertrophy 때문), LAE

• deep & narrow Q wave : pseudoinfarction

• V_{2-6}에서 deep symmetrical T wave inversion (giant negative T wave), R wave↓

→ apical hypertrophy일 가능성 높음

• ambulatory (Holter) monitoring에서 부정맥 흔함 (→ SCD 위험도 평가) : VPC, VT, SVT, AF

(2) Chest X-ray

• 정상인 경우가 흔함 or mild cardiomegaly

• LV filling pr.↑시 pulmonary interstitial markings↑, LAE 관찰될 수 (특히 MR or AF 동반시)

(3) Echocardiography (m/i)

• LV hypertrophy ; 어느 부위에서건 최대 wall 두께 >15mm (정상 <13 mm)

- septal hypertrophy (ASH) (m/c) : 심실중격 두께가 후벽의 1.3배 이상 (HTN 환자는 1.5배)

- generalized hypertrophy도 있음 (LV free wall 침범)

• 특징적으로 LV cavity는 작음 (LVESD↓), LA 확장

• systolic anterior motion (SAM) of MV (→ 심실중격과 접촉), MR도 흔히 동반됨

• Doppler echo. (resting & provocative maneuvers) ; LVOT pr. gradient 측정

- 30 mmHg 이상이면 폐쇄성(HCM with obstructive gradient) ; SAM, eccentric MR 동반

- pr. gradient가 없을 때는 유발검사에 의해 발견되는 경우가 많음
  (e.g., dobutamine, isoproterenol, amyl nitrate)
- diastolic dysfunction ; E/A ratio↑, DT↓, IVRT↓, e'↓, E/e' ratio↑ 등
- 심실중격(ventricular septum)의 ground glass appearance (∵ fibrosis)
- posterior wall의 움직임은 큰 데 비해, septum의 움직임은 적음

* 심첨부 비후성 심근병증(apical HCM)
  - 서양은 드물지만(1~2%), 동양에서는 흔함(HCM의 20~25% 차지), 예후는 양호한 편
  - EKG ; precordial leads에서 marked T-wave inversions
  - echo. ; 이완기에 "spade-shaped" LV cavity, 수축기에 LV cavity obliteration
  - CMR ; 심첨부에서 late gadolinium enhancement (LGE) 흔하게 발견됨

(4) 기타 영상검사
- MRI (CMR) : 고해상도로 심초음파보다 정확함 → 초음파에서 진단이 어려우면 MRI 시행!
  - 심근 두께를 정확히 측정 가능 → regional (asymmetric) LV hypertrophy가 HCM의 특징
  - LGE-CMR : LVH의 정확한 진단에 유용 → regional LGE (fibrosis) ; 비후 심벽 내부,
    ∟ fibrosis의 marker!   RV가 심실중격에 연결되는 지점 등에서
- radionuclide scan (thallium 201) ; mycardial perfusion defects 흔함
- cardiac catheterization ; echo. ± CMR의 발전으로 거의 필요 없음
  - LVEDP ↑ (∵ LV의 compliance 감소로)
  - systolic LVOT pr. gradient의 정량 측정 (PVC 발생시 크게 증가 ; LV pr.↑↑, aortic pr.↓)

5. 치료

(1) 치료 원칙
- 전·후부하 증가, 심근수축력 억제
- 부정맥의 교정, 감염성 심내막염의 예방
- 격렬한 운동이나 과도한 육체활동 금기, 탈수는 반드시 피해야 됨

(2) 내과적 치료
① 증상이 있는 경우 (-) inotropes인 β-blocker or CCB로 치료 시작
- β-blocker (대개 1ˢᵗ choice) ; HR↓ → 심근 산소요구량↓, 심실 filling↑ (이완기능 개선)
  - 운동시 pr. gradient의 증가 예방, 1/3~1/2의 환자에서 angina와 syncope 감소
  - but, SCD를 감소시키는 지는 확실하지 않음
- non-DHP CCB (verapamil, diltiazem)
  - 효과 ; HR & contractility↓, 심실의 stiffness↓, diastolic pr.↓, exercise tolerance↑
    (일부에서는 LVOT pr. gradient↓)
  - but, nifedipine은 HR를 증가(→ LVOT 폐쇄 악화)시키므로 금기
- β-blocker + CCB 병합이 더 효과적이라는 근거는 없음 (오히려 HR, BP 과도한 하락 위험)
- 이뇨제(furosemide) : 대부분 필요 없지만, 주로 LVOT 폐쇄가 없는 환자에서 체액 저류로
  인한 호흡곤란 증상이 동반된 경우에는 조심스럽게 사용 가능
  (but, 체액 감소로 인한 LVOT obstruction 악화, 전해질 불균형에 의한 부정맥 발생에 주의)

② 증상이 지속되거나 LVOT pr. gradient 존재시
- <u>disopyramide</u> (class Ⅰa) (with AV nodal blocking agents) ; (-) inotropic effect → pr. gradient ↓
- <u>amiodarone</u> (class Ⅲ) : supraventricular/ventricular arrhythmia와 SCD 감소!
  ↳ 증상 조절 효과도 있지만, 대개는 부정맥 조절을 위해 사용함
③ systolic dysfunction & advanced HF → 일반 HF처럼 치료(e.g., BB, ACEi/ARB, AA, 이뇨제)

★ 사용하지 말아야 할 drugs (∵ LV outflow pr. gradient를 증가시킴)	
Digitalis	β-agonist (isoproterenol), dopamine
Vasodilator (nitrates)	DHP-CCB (e.g.,nifedipine)
Diuretics (체액 저류시엔 주의 깊게 사용 가능)	Alcohol (소량만 마셔도 vasodilatation 유발)

(3) 기타

① dual-chamber permanent pacing (DDD) ; 증상이 심한 환자에서 pr. gradient 30~50% 감소,
  증상 호전 (but, 대부분에서 운동 능력 향상은 미미함)
② ICD ; 심실부정맥을 예방하여 SCD 위험을 감소시킴! → SCD 고위험군에 삽입
③ 비후 중격의 제거(surgical ventricular septal myectomy)심실중격절제술
  - 수술적 치료의 적응 : 심한 LVOT 폐쇄(pr. gradient >50 mmHg) or
    약물치료에 반응 없는 증상이 심한 (NYHA Ⅲ~Ⅳ) 환자
  - myectomy로 동반된 MR도 호전되므로, 대개 MV repair or MVR은 필요 없음
  - 95%에서 pr. gradient or 증상 호전 / 수술관련 사망률은 약 1%
④ 경피적 alcohol septal ablation (ethanol injection) ; 비후 중격의 경색/괴사 → obstruction ↓

*③,④는 증상 완화 & 삶의 질 개선이 목적이지, 수명 연장 효과는 없음

6. 합병증/예후

- 안정시 LV outflow tract pr. gradient 30 mmHg↑ → <u>심부전</u>과 심혈관계 사망률↑ (SCD는 아님)
- AF (말기에 흔함, ~25%) → poor Px!
  - atrial contraction 소실로 HCM 증상 악화 (→ HF), systemic embolization 위험 매우 높음
    → 심박수 조절(BB or CCB), 저용량 <u>amiodarone</u> (동율동 유지), 장기간 <u>anticoagulation</u> 치료
  - 저혈압(shock)을 발생시 빨리 DC cardioversion을 시행해 동율동(sinus rhythm)으로 전환시켜야!
- infective endocarditis는 드뭄 (0.14%/yr, LVOT obstruction 존재시 0.38%/yr)
  → 이전에 IE 병력이 있을 때에만 예방적 항생제 투여
- 5~10%는 벽이 얇아지고 pr. gradient도 사라지는 DCM (LV dilatation & systolic dysfunction)
  으로 진행 ("burned-out" HCM, EF↓) → refractory HF로 심장이식이 필요할 수 있음
- <u>SCD</u> (sudden cardiac death) ⋯ 주 사망원인 (1%/yr)

★ SCD의 고위험군 → 예방 조치 시행 : ICD 삽입!
Cardiac arrest or sustained VT의 병력
HCM에 의한 SCD의 가족력
설명되지 않는 잦은 실신 (특히 최근에 or 어린 나이에)
운동시 혈압 하강 or 상승X
Ambulatory EKG (Holter)에서 반복적인 non-sustained VT (NSVT)
Massive LV hypertrophy (최대 심실벽 두께 >3 cm)
CMR에서 extensive or diffuse late gadolinium enhancement (LGE) : LV mass의 15% 이상

- 증상의 severity는 SCD 위험과 관련 없다!

확장성심근병증/확장심장근육병증 (Dilated cardiomyopathy, DCM)

1.개요

- 심실의 수축기능 장애에 의한 심실의 확장(remodeling)과 그에 따른 심부전을 동반하는 증후군 (전체 심부전 환자의 약 25% 차지)
- 유병률은 HCM의 약 2배로 추정됨 (증가 추세), 중년 이후 남성에서 호발, 흑인>백인
- 주 손상은 <u>systolic dysfunction</u>

2. 원인

Inflammatory myocarditis (약 9%)
Infectious ; <u>viral</u> (m/c), rickettsial, bacterial, mycobacterial, spirochetal, parasitic, fungal
  – HIV–associated cardiomyopathy : ART (antiretroviral therapy) 도입 이후 크게 감소, poor Px.
  – Chagas dz. ; *Trypanosoma cruzi*, 중남미 DCM의 중요 원인, LV apical aneurysm 발생이 특징
Noninfectious
  <u>Peripartum cardiomyopathy</u> (약 4%)
  Collagen vascular disease (e.g., SLE)
  Hypersensitivity myocarditis (e.g., drugs)
  Transplant rejection, radiation, chemicals ...
  Granulomatous inflammatory dz. ; sarcoidosis, giant–cell myocarditis

Ischemic cardiomyopathy (약 7%), HTN (약 4%)

Toxic
  <u>Alcoholic cardiomyopathy</u>
  Drugs ; CTx (e.g., <u>doxorubicin</u>, trastuzumab, cyclophosphamide, imatinib, 5–FU), TCA,
  phenothiazines, IFN–α , hydroxychloroquine, chloroquine, emetine, anabolic steroids ...
  Heavy metals ; lithium, lead, mercury
  Occupational exposure ; hydrocarbons, arsenicals
  Catecholamines ; amphetamines, cocaine

Metabolic/Systemic dz.
  Nutritional deficiencies ; thiamine (Beriberi), selenium, carnitine
  Electrolyte deficiencies ; calcium, phosphate, magnesium
  Endocrinopathy ; thyroid disease, DM, pheochromocytoma, hemochromatosis, obesity
  Neuromuscular dz. ; Duchenne's / Becker's dystrophy, limb–girdle dystrophy, Friedreich's ataxia
  Isolated cardiomyopathy – dystrophin promoter defect
  Mitochondrial myopathy ; Kearns–Sayre syndrom

Idiopathic DCM (약 50%)
  Familial (>30%)
    Arrhythmogenic RV cardiomyopathy/dysplasia (ARVC, ARVD) → 2장 참조
    LV noncompaction (LVNC) ...

- 30% 이상은 가족력을 보임 (familial DCM) ; 대부분 AD 유전, 30~50%에서 원인 유전자 존재, tinin (가장 큰 단백, sarcomere 운동에 중요) gene (*TTN*)이 m/c (~25%)
- <u>reversible form of DCM</u> ★ ; 알코올, 임신, myocarditis, ischemic cardiomyopathy, stress cardiomyopathy, hypophosphatemia, hypocalcemia, 갑상선 질환, hemochromatosis, chronic uncontrolled tachycardia, cocaine abuse, selenium 결핍 등

3. 임상양상

- HF의 증상이 서서히 발생
  - exertional dyspnea, fatigue, orthopnea, pulmonary edema의 증상 등
  - palpitation, peripheral edema, hepatic congestion ...
  - HF 발생 위험 증가 ; 비만, sleep apnea
- vague chest pain도 가능 (typical angina는 드묾 → 발생시 IHD 동반 의심)
- systemic embolism, stroke, 부정맥에 의한 실신 등도 발생 가능
- narrow pulse pressure, dicrotic pulse, pulsus alternans (→ severe LV systolic dysfunction)
- JVP 상승 (prominent a, v wave), 경정맥 확장
- S_3, S_4 gallops, systolic ⓜ (∵ MR or TR)
- LV impulse의 lateral displacement

4. 검사소견/진단

- chest X-ray ; 전반적인 cardiomegaly (∵ LV dilatation), pul. edema
- EKG ; sinus tachycardia, AF, ventricular arrhythmias, LA 이상, 비특이적 ST-T 이상,
  심실내 and/or AV 전도장애 등이 나타날 수 있음
- 영상검사 (echocardiography, CT, MRI)
  - LV dilatation (다른 모든 chambers도 커짐) : LVEDV, LVESV 모두 증가!
  - 심장벽의 두께는 대개 정상 (or 약간 두꺼워지거나 얇아짐), systolic dysfunction (EF 감소)
  - 이완기능은 정상 ~ restrictive (restrictive 양상은 volume overload를 동반한 decompensated HF
    환자에서 흔함 → 이뇨제 or 혈관확장제로 호전됨)
  - 심실 확장에 의한 MR, TR도 흔함 (ⓜ는 크기 않아도 regurgitation 심할 수 있음)
  - mural thrombi도 발견될 수 있음 (특히 LV apex에서)
  - CMR (MRI) ; 심실의 크기와 기능 평가, 허혈성↔비허혈성 감별, mid-wall fibrosis 확인 등에
    유용, 기저부 심실중격 내의 late gadolinium enhancement (LGE)가 특징
- catheterization & coronary angiography ; LVEDP ↑, LA pr ↑, PCWP ↑, CO ↓
  - dilated, diffusely hypokinetic LV (MR 동반 흔함)
  - 대개 IHD를 R/O하기 위해 시행 → CT로 noninvasive하게 감별 가능
- transvenous endomyocardial biopsy : idiopathic or familial DCM의 진단에는 대개 필요 없음
  - 2ndary cardiomyopathy 진단시 도움 (e.g., amyloidosis, acute myocarditis)
- BNP ↑ : HF의 진단에 도움, SCD 위험 증가

5. 치료

- 원인 질환의 치료가 m/i
- 원인을 모르는 DCM의 치료는 HFrEF와 비슷함 ; 염분제한, 이뇨제, ACEi/ARB/ARNI, AA,
  β-blocker, ivabradine, digitalis, ICD/CRT 등
  - HF처럼 ACEi/ARB/ARNI, AA, β-blocker, ivabradine, hydralazine+dinitrate, ICD/CRT 만이
    질병의 경과를 호전시킬 수 있음 (survival ↑)
  - chronic anticoagulation therapy (∵ systemic embolism 흔함)

- 항부정맥제 : 증상이 있거나 심한 부정맥이 아니면 안 씀 (∵ proarrhythmic effect)
- advanced HF → VAD, 심장이식 등
• 피해야 할 약물 ; alcohol, CCB, NSAIDs 등

6. 예후

• HF 증상이 발생하면 5YSR 약 50% (약 1/4의 환자는 자연 호전 or 안정화됨)
• mild~moderate HF 때는 SCD가 m/c 사인이고, advanced HF 때는 주로 pump failure로 사망
• 원인 질환이 가장 중요한 예후인자 (e.g., PPCM은 예후 좋고, HIV cardiomyopathy는 예후 나쁨)
• Poor Px. - 원인과 별개로는 (LV dysfunction이 비가역적일 때) 일반적인 HF의 예후인자
  ; 증상(NYHA class↑), LVEF↓, LVEDV↑, RV dysfunction, 최대산소섭취량(VO₂max)↓,
  고령, 남성 등

7. 확장성 심근병증(DCM)의 예

(1) 알코올성 심근병증 (alcoholic cardiomyopathy)
• 서양에선 2ndary non-ischemic DCM의 m/c 원인 (미국 HF 원인의 10% 이상이 과도한 음주)
• 알코올과 대사산물(acetaldehyde)의 direct cardiotoxicity에 의해 발생
  - 매일 6잔씩 5~10년 마시면 DCM 발생 위험, 자주 폭음을 하는 것도 위험
  - 유전적 소인도 중요 (e.g., alcohol dehydrogenase, ACE gene)
  - 동반된 vitamin 결핍 및 toxic alcohol additives는 거의 관여 안함
• 대개 음주력 10년 이상인 남성에서 호발
• 환자의 상당수는 정신과적인 알코올중독의 특성을 보이지는 않음
• Tx. : 완전한 금주 → severe HF 발생 전이면 병의 진행을 막거나 호전 가능
  - 심한 증상을 가진 환자의 50% 이상에서도 호전을 보임 (일부는 LV EF도 정상화됨)
  - advanced HF 환자가 계속 음주하면 3YSR 25% 미만
  - anticoagulation : 순응도 및 간기능 문제로 절대적 적응 이외에는 권장 안됨!
  * Holiday heart syndrome : 과음 후 부정맥 발생 ; AF (m/c), Af, VPC 등
  * 하루 2잔 이하의 (20~30 g/day) 음주는 cardiovascular mortality를 감소시킴 (∵ HDL↑)
    ; IHD, ischemic stroke, metabolic syndrome 등의 발생 감소

(2) 분만전후 심근병증 (peripartum cardiomyopathy, PPCM)
• 발생률 1/3000~15000, 대부분 원인은 불분명
• 임신 마지막 달 ~ 분만 후 5개월 이내에 발생 (대개 분만 1주일 전후에 호발)
• 위험인자 : 30세 이상, 다산, twins, malnutrition, toxemia, HTN, 흑인 ...
• Sx & Tx는 idiopathic DCM과 비슷함!
  - hydralazine, β-blockers, digoxin, diuretics 등
  - embolism이 아주 흔하므로 EF 35% 이하면 항응고 치료 시행 (c.f., warfarin은 임신 중 조심
    → 14~37주에만 사용, 1st trimester & 분만 3주 전부터는 unfractionated heparin을 사용)
  - 주의해야할 약물 ; ACEi/ARB는 금기! (∵ fetotoxic effects), AA중 eplerenone은 금기,
    spironolactone은 임신 후기에 조심스럽게 사용 가능, carvedilol 대신 metoprolol 사용

- 사망률 약 10% (사망원인 ; arrhythmia, embolism)
- 약 50%의 환자는 내과적 치료로 6개월 내에 회복됨 (특히 EF 30% 이상이었던 경우)
- Px. : HF의 첫 episode 뒤 심장 크기의 정상화 정도/기간에 달려있음
  - 심장 크기가 정상으로 돌아오면 → 다음번에 임신해도 괜찮을 수 있음
  - 6개월 뒤에도 심장이 계속 커져 있거나 LVEF 낮으면 → 또 임신시 refractory HF 및 사망↑
- 회복되더라도 향후 임신은 피할 것을 권장 (특히 LV dysfunction 지속시)

(3) 신경근육질환

- Duchenne's progressive muscular dystrophy
  - cardiac structural protein gene (dystrophin)의 mutation
  - 심근 침범시 특징적인 EKG 소견을 보임
    ① Rt. precordial leads의 tall R waves (R/S ratio >1.0)
    ② limb & lateral precordial leads의 deep Q waves
  - posterolateral LV와 관련된 papillary muscles의 selective necrosis 때문
  - 다양한 supraventricular & ventricular arrhythmias도 흔하다
  - 갑자기 progressive CHF가 발생 가능
- Myotonic dystrophy
  - 다양한 EKG 이상이 특징 (특히 impulse 형성 및 AV 전도 장애)
  - 적응이 되면 ICD and/or permanent pacemaker 삽입
- Friedreich's ataxia ; 약 1/2에서 심장증상 발생
  - echo. : LVH, symmetric/asymmetric septal hypertrophy
  - 형태적으로 HCM과 일부 비슷하지만, cellular disarray는 없음

(4) 약물

- doxorubicin : anthracycline
  - HF 및 심실 부정맥 발생은 용량 및 <u>위험인자</u>와 관련 ; 기저 심질환, HTN, irradiation,
    연령(<4세, >70세), 이전의 anthracycline 및 기타 cardiotoxin 사용 병력,
    다른 CTx (e.g., cyclophosphamide, paclitaxel, trastuzumab) 병용
    (→ HF 발생위험 8~10배 증가)
  - troponin, echo (±stress) 등으로 LV 기능을 F/U하면서 독성이 생기지 않도록 투여량 조절
  - dexrazoxane (iron-chelator), 대용량 ACEi 등도 도움
- trastuzumab (herceptin) ; 단독 사용시 7%에서 심근병증 발생 (doxorubicin과 병용시 4배↑)
- high-dose cyclophosphamide ; 투여 즉시 or 2주 이내에 CHF 발생 가능
  (조직학적 특징 ; myocardial edema, hemorrhagic necrosis)
- cocaine abuse
  - SCD, myocarditis, DCM, AMI 등을 일으킬 수 있음
  - Tx ; nitrates, CCB, antiplatelet agents, benzodiazepine (β-blocker는 금기)

(5) Viral myocarditis

- myocarditis의 m/c 원인, 원인이 밝혀진 DCM의 m/c 원인
- 원인 ; enterovirus (e.g., coxsackie B virus)[과거의 m/c], adenovirus, influenza, HCV, CMV,
  EBV, HIV 등 → 최근에는 HHV-6와 parvovirus B19가 m/c

- 감염 이후 면역학적 기전 작용, 직접 침범, 항바이러스제 등으로 인해 myocarditis/DCM 발생
- 임상양상 ; 무증상 ~ angina-like chest pain (26%), 부정맥(55%), acute HF까지 다양
  - URI 증상 (fever, chills, myalgia 등) 선행이 흔함!
  - 진찰소견은 대개 정상 / 심한 경우 muffled S_1, S_3, MR의 ⑩ 가능
  - pericarditis도 동반 가능 (→ chest pain, pericardial friction rub) ↔ ACS와 감별해야
  - EKG ; nonspecific ST-T changes, pathologic Q waves, low QRS voltage
- 경과 (다양) ; 대부분은 후유증 없이 자연 치유됨, 초기의 주 사인은 심부전과 부정맥, 심한 LV
  dysfunction (EF <35%)시 DCM(advanced HF)으로 진행 위험, RV dysfunction 발생시 poor Px
- Dx ; echo., MRI, cardiac enzymes (troponin도 상승 가능!), viral markers (PCR) 등
  - endomyocardial biopsy (gold standard) ; sensitivity 매우 낮고 위험해 잘 시행 안됨
    ↳ 일반적인 치료에 반응이 없는 HF 환자나 전신질환 의심시 시행
- Tx ; supportive care가 주, 감염 초기에는 심한 활동 및 운동 금지
  - 심부전시 일반적인 심부전 치료(e.g., ACEi, 이뇨제, β-blocker, 항응고제), digitalis는 주의
  - immunosuppressive agents나 steroid의 효과는 불확실 (권장 안됨)
  - fulminant myocarditis → mechanical cardiopulmonary support or 심장이식

(6) Takotsubo cardiomyopathy/syndrome (stress-induced cardiomyopathy)

- AMI와 증상이 비슷한 acute reversible nonischemic cardiomyopathy
- troponin(+) ACS 의심 환자의 1~2% 차지, 중년(폐경) 이후 여성에서 호발! (평균 67세)
- 수축기에 apical LV dyskinesis + compensatory hyperdynamic basal LV segments contraction
  → apical ballooning ; 입구가 좁은 병 (tako-tsubo일본어 문어 잡는 항아리) 모양의 LV cavity
- 병인 ; catecholamine excess, coronary artery spasm, microvascular dysfunction,
  (dynamic mid-cavity or LVOT obstruction이 apical dysfunction 발생에 기여할 수도)
- 임상양상 … 대개 심한 정신적 or 육체적 스트레스 이후에 발생
  - 폐부종, 저혈압, AMI와 유사한 흉통/EKG/심근효소(troponin)↑ 양상 등
  - echo. ; 항아리 모양 LV cavity, MV의 SAM에 의한 LVOT obstruction도 발생 가능
  - CMR ; myocardial edema, LV thrombi / LGE는 안 보임 (↔ MI 및 다른 심근병증과 차이)
  - 특정 coronary artery의 혈류 공급 영역보다 훨씬 넓게 나타나는 LV 벽운동 장애
  - 일부에서는 acute QT prolongation 발생 → QT-prolonging drugs 사용에 주의
- ACS를 R/O하기 위해 coronary angiography 시행 (→ 대개 정상)
- 치료/예후 ; 스트레스 해소되면 대부분 자연 회복되므로, 보존적 치료
  - severe (LVEF <45%, 저혈압, LVOT pr. gradient >40 mmHg) → ACEi and/or BB
  - 일부는 acute HF or shock 발생 → 일반적인 HF 치료와 비슷
  - LVOT obstruction 동반시 ; inotropes, vasodilators, volume depletion 등에 주의
  - anticoagulation (약 3개월) ; severe LV dysfunction (EF <30%) or LV thrombi 존재시에만
    (LV rupture 위험으로 일상적으로는 시행 안함)
  - 대부분 1~4주 이상 심장기능 이상은 완전히 회복됨!, 회복 이후 재발률은 약 2%/yr
  - 입원시 사망률 약 4% ; cardiogenic shock, LV rupture, LV thrombi embolism)
- 임상양상 ; HF (e.g., dyspnea), embolism, arrhythmia 등이 3대 증상, SCD 위험도 있음
- 진단 (echo./CMR) ; 비치밀층(심내막) 두께가 치밀층(심외막)의 2~2.3배 이상

- 치료 : 동반된 심장질환에 따라 치료 ((isolated LVNC의 치료 여부는 논란)
  - anticoagulation의 적응 : LVEF <40%, AF 동반, embolism 과거력
  - ICD : LVEF ≤35% & NYHA Ⅱ~Ⅲ HF시 SCD 예방을 위해 삽입

제한성심근병증/제한심장근육병증 (Restrictive cardiomyopathy, RCM)

1. 개요

- 원인

① Infiltrative : 간질을 침범
Amyloidosis (열대 이외의 지역에서는 m/c)
Sarcoidosis
Gaucher's disease : glucocerebroside-laden macrophages
Hurler's disease : mucopolysaccharide-laden macrophages
Neoplastic infiltration
② Storage : 심근세포를 침범
Hemochromatosis (storage dz, 중 m/c, good Px.)
Fabry's disease
Glycogen storage disease
③ Fibrotic
Radiation
Scleroderma
Doxorubicin
④ Metabolic
Carnitine deficiency
Fatty acid metabolism defects
⑤ Endocardial
Endomyocardial fibrosis (열대 지방에서는 m/c)
Hypereosinophilic syndrome (Löffler's endocarditis)
Carcinoid syndrome
Radiation
Drugs ; serotonin, ergotamine
⑥ Idiopathic/primary (familial RCM은 드뭄)

- 심실의 충만 장애를 가진(diastolic dysfunction) 심근병증으로, 수축기능(EF)은 비교적 정상 유지됨
- 임상양상과 원인은 DCM 및 HCM과 일부 겹칠 수 있음, cardiomyopathy중 가장 드뭄
- 병태생리 : <u>diastolic dysfunction</u>이 특징 … constrictive pericarditis와 매우 유사
  (차이점 ; RCM은 말기에 systolic dysfunction도 동반됨)

2. 임상양상

- 폐울혈 증상(dyspnea, fatigue, exercise intolerance 등)으로 시작 → pul. HTN & CHF
  (Rt. & Lt. 모두) 증상으로 진행, 판막 부근 침범시 atrioventricular valve regurgitation 발생 가능
- Rt-sided HF 증상이 더 흔함 ; 진행되면 edema, ascites, tender hepatomegaly 등
- P/Ex.은 pul. HTN & CHF 양상 (심장 크기는 정상 or 경미한 심비대에도 불구하고)

- S_3 (m/c), S_4, distant heart sound
- JVP 상승 (prominent x, y descent), Kussmaul's sign (흡기시에도 JVP↑)
• constrictive pericarditis와의 차이 ; apex impulse 촉진, MR 더 흔함
• 약 1/3에서 thromboembolism 발생 (∵ 심실 충만압↑ → 심방 수축↓)
• 말기에는 systolic dysfunction, 심실 부정맥, AV block 등 발생 (→ SCD 가능)

3. 검사소견/진단

• EKG ; low voltage, nonspecific ST-T wave changes, 다양한 arrhythmias (e.g., AF)
• CXR ; constrictive pericarditis에서 보이는 pericardial calcification은 없음
• echo/CT/MRI ; 심실 확장은 없이 양심방비대(biatrial enlargement)가 특징, LV wall 두께 정상, LV volume & function은 정상 or 약간↓
• catheterization ; RV & LV EDP↑, CO 정상~↓, square root sign (LVEDP, LA pr., PCWP, RVEDP, RA pr. 간의 차이가 5 mmHg 이하)

* constrictive pericarditis와의 감별

┌ endomyocardial RV biopsy → RCM : myocardial infiltration or fibrosis
└ CT/MRI → constrictive pericarditis : 두꺼워진 pericardium

4. 치료

• HF에 대한 일반적인 치료, chronic anticoagulation도 필요
• 원인 질환의 치료 (hemochromatosis와 Fabry's dz.는 치료하면 RCM 호전됨)
• 심장이식 (c.f., amyloidosis는 금방 재발하므로 심장이식 대상에서 제외됨)
• 예후는 원인에 따라 다양하지만 대부분 나쁨

5. 제한성 심근병증(RCM)의 예

(1) Primary amyloidosis (AL amyloidosis)/Cardiac amyloidosis/Amyloid cardiomyopathy

• AL (amyloid light chain) Ig 과다 생산 형질세포질환(e.g., myeloma), ~50%에서 심장을 침범
  - 심장 침범이 m/c 사망원인 (2ndary [AA] amyloidosis에서는 심장 침범이 드묾)
  - 진행이 빠르고, 심장 외에도 여러 장기(e.g., 신장, 간, GI, 피부, 신경)를 침범하여 예후가 나쁨
• 임상양상 ; diastolic dysfunction (RCM), systolic dysfunction (진행되면), 심장전도계 침범
  (부정맥, 전도장애 → SCD[주 사망원인], 실신, 기립성 저혈압 (약 10%에서)
  - thromboembolism 호발 (약 27%, 동율동인 경우에도 약 17%) → TEE로 심장내 혈전 확인!!
  - EKG ; low voltage QRS와 pseudoinfarct 양상이 흔함, AF/Af (20%), 고도 AV block (3%)
• 진단 ; 영상검사에서 합당한 소견 & 다른 조직의 biopsy or endomyocardial biopsy
  - echo. ; 심실벽 두께 증가(cavity는 정상~↓)-EKG에서는 low voltage인데도 불구하고, 심실벽의 "speckled (starry-sky)" appearance, 심방 확장, 판막도 두꺼워질 수 있음
  - CMR (sensitivity 높음) ; global transmural or global subendocardial LGE가 특징
  - biopsy ; 복부 지방, 대장내시경, BM, 심근(다른 검사들로 진단이 어려우면) → 편광현미경 (Congo red)
  - 기타 ; monoclonal gammopathy (e.g., IFE, FLC), BM plasma cells↑

- 치료 ; myeloma에 대한 CTx., 심장이식 (재발 흔함), 흔히 BMT 등 다른 장기이식도 필요
- 예후 ; 나쁨 (비후가 심할수록), primary amyloidosis에서 HF 발생시 평균 6~12개월 생존

(2) Hypereosinophilic syndrome (Löffler's endocarditis)

- endocardium이 심하게 비후되고, myocardium도 침범
- 영상검사 ; 심실 비후 (특히 posterobasal LV wall), MR
- 심실에서 large mural thrombi도 발생 가능 (→ 심실 용적↓, embolism)
- Tx. : steroid + cytotoxic drugs (e.g., hydroxyurea)

(3) Radiation-associated cardiac disease (RACD)

- 대부분 Hodgkin lymphoma, 유방암, 폐암 등의 RTx. 때문 (용량↓ & 차폐↑로 ~2.5%로 감소)
- pericardial dz. (m/c) ; acute pericarditis (± effusion), constrictive pericarditis (5~10년 뒤)
- myocardial dz. ; non-ischemic myocardial fibrosis, ischemic myocardial scar
  → overt cardiomyopathy (e.g., RT-RCM)는 드묾 (→ HF)
- valve dz. (약 20년 이후 발생) ; AV dz. (m/c), mitral annular calcification (MS ± MR)
- vasculopathy ; CAD (15~20년 뒤), macrovascular dz. (aorta calcification 등)
- conduction system dz. ; AV block (대개 infranodal), BBB (Rt>Lt), SSS, QT interval↑

(4) 기타

- Hemochromatosis (iron-overload cardiomyopathy)
  - cardiomyopathy가 DM, LC, 피부색소침착 등과 동반되면 의심
  - Dx. : endomyocardial biopsy, MRI (T2 signal 감소)
  - Tx. : phlebotomy, iron chelators (e.g., deferoxamine)
- Sarcoidosis
  - 폐실질 침범에 의한 pul. HTN (→ Rt. HF)이 흔함, 다양한 부정맥 발생 가능
  - Tx. : steroid, 면역억제제
- Carcinoid syndrome : endocardial fibrosis + TS (TR) or PS (PR)

Cardiomyopathy	Hypertrophic	Dilated	Restrictive
주 손상	diastolic dysfunction	systolic dysfunction	diastolic dysfunction
EF (정상 ≥55%)	>60%	<30%	>30~50%
LV diastolic dimension (정상 <55 mm)	↓	≥60 mm	<60 mm
LV wall 두께	↑↑	↓	N (~↑)
Atrial size	↑	↑	↑~↑↑
Congestive Sx.	exertional dyspnea	Lt > Rt	Rt > Lt
Cardiomegaly	↑~↑↑	↑↑~↑↑↑	↑
Familial (유전적 원인)	>50%	>30%	드묾

9
심장막 질환(Pericardial diseases)

급성 심낭염/심장막염 (acute pericarditis)

1. 원인

(1) Idiopathic (80~90%) ▶ 대부분 감염성 심낭염
  - viral (m/c) ; 최근에는 CMV, HHV-6, HIV 등이 흔한 원인 / 기타 coxsackie virus, echovirus, adenovirus, parvovirus B19, HSV, EBV, HBV, influenza, mumps, checkenpox ...
  - 세균 ; 결핵과 *Coxiella burnetii* 외에는 드묾 / 기타 pneumococci, staphylococci, streptococci...
    ↳ 심낭출액 배양시 1/3에서만 결핵균이 검출됨
  - 기타 (매우 드묾) ; fungi, syphilitic, protozoal, parasitic

(2) 비감염성 심낭염
  - post-MI (early, late [Dressler syndrome]), myocarditis, pericardiotomy, aortic dissection
  - 악성종양 (대부분 effusion 동반) ; 유방암, 폐암, lymphoma, leukemia, melanoma
    (c.f., mesothelioma : 심낭의 m/c 원발성 종양)
  - 기타 ; 외상, RTx, 요독증(CKD), stress cardiomyopathy, cholesterol ("gold paint" pericarditis), chylopericardium, hypo-/hyperthyroidism, Whipple's dz., amyloidosis ...

(3) 자가면역/과민성 심낭염
  - rheumatic fever
  - 교원혈관병 ; SLE, Sjögren syndrome, RA, AS, SS, Behçet syndrome, sarcoidosis, Wegener's granulomatosis ...
  - 약물 ; procainamide, hydralazine, phenytoin, INH, minoxidil, anticoagulants, methysergide ...

* 우리나라는 결핵 및 악성종양이 흔한 원인

2. 임상양상

- chest pain (m/i) : 예리하며 왼쪽으로 치우침 (목, 등, 어깨로 radiation)
  - 흡기, 기침, 연하운동, 똑바로 눕거나, 체위변화시 악화!
  - 앉거나 상체를 앞으로 숙이면 감소됨!
    - 수시간 또는 수일 지속되며, 운동으로 악화되지 않음
  - 대개 원인이 감염, 자가면역/과민성인 경우 나타나며
  - TB, RTx., neoplasm, uremia 등에서는 없는 경우가 흔함

• dyspnea, fever, malaise
• <u>pericardial friction rub</u> (특징적!) : 비비고 할퀴는 듯한 고음 (85%에서 들림, 항상 들리지는 않음)
  → 앞으로 구부리고 앉은 자세에서 호기 말에 가장 잘 들림 (흉골 좌하연에서)
• pericardial effusion : 거의 모든 심낭질환에서 발생 가능

* *viral or idiopathic pericarditis*
  – 젊은 성인에서 호발, fever와 chest pain이 거의 동시에 발생
  – 10~12일 전에 호흡기 증상 (viral URI) 선행이 흔함
  – pleural effusion과 pneumonitis도 흔히 동반
  – WBC↑ ; neutrophilia → lymphocytosis
  – 대개 며칠~4주 뒤 회복되나, 약 1/4에서는 한번 이상의 재발 경험
  – Cx. ; mild pericardial effusion (tamponade는 드묾), constrictive pericarditis

3. 검사소견

• EKG ⋯ 연속적 검사
  ① stage 1 : ST elevation - 광범위한 leads에서 reciprocal change 없이
     (reciprocal depression은 aVR 및 때때로 V_1에서만 발생)
  ② stage 2 (며칠 뒤) : ST 정상화, T wave flattening
  ③ stage 3 : 대부분의 leads에서 T wave inversion
  ④ stage 4 (수개월 뒤) : T wave 정상화 (but, T wave 이상은 오래 지속 가능)

  – ST elevation이 정상화된 뒤에 T wave inversion이 나타난다!
  – PR depression도 흔함 (→ atrial involvement 시사)

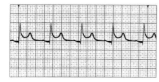

	Acute pericarditis	AMI
ST segment elevation	<u>위로 오목</u> (광범위한 부위)	위로 볼록 (혈관분포 부위)
ST reciprocal change	(−)	(+)
Q wave	(−)	(+)
ST elevation의 정상화	며칠 뒤	몇 시간 뒤

  – early repolarization (normal variant)과의 감별
    ┌ early repolarization : ST/T ratio <0.25
    └ acute pericarditis : ST/T ratio >0.25
  – 심근에 영향을 주어 arrhythmias도 생길 수 있음
• CXR ; 합병증이 동반되지 않은 경우엔 정상
• 심초음파 ; 대개 정상, 심낭 삼출을 R/O하기 위해 시행
• 심실수축기능은 대체로 잘 유지됨
• cardiac markers (CK-MB, troponin)도 상승할 수 있음 (but, AMI 때보다는 훨씬 낮음)
• 특정 원인이 의심되는 경우 해당 검사 (e.g., ANA → SLE)

4. 치료

(1) **원인 질환의 확인 및 치료가 가장 중요** (e.g., 결핵 → 항결핵 치료)

(2) acute idiopathic (or viral) pericarditis : 대부분 self-limited

> **입원이 필요한 경우 (≒ High Risk)**
>
> 고열(>38℃), subacute onset (급성 흉통 발생 無)
> Large pericardial effusion, cardiac tamponade
> 1주 이상의 aspirin or NSAIDs 치료에도 반응 없음
> 바이러스 이외의 원인 or AMI 의심시

① 안정(bed rest) (c.f., 운동선수라면 약 3개월, 증상과 검사 이상들이 완전히 정상화된 이후에 다시 운동 권장)

② empirical anti-inflammatory therapy
  - aspirin or NSAIDs (e.g., ibuprofen) : 대개 1~2주 투여하면 호전됨, 이후 (재발 방지 위해)
    매주 감량하며 2~3주 뒤 중단 (반드시 증상 및 CRP 정상화 이후에 감량 시작)
  - colchicine : NSAIDs에 반응이 없거나 재발시, 3개월 투여하면 증상 호전 및 재발 방지 효과
    (설사가 m/c Cx. / 간기능 or 신기능 이상, macrolide 병용시엔 금기)

③ glucocorticoid
  - 세균성/결핵성 심낭염이 R/O이 된 이후 투여 가능, 최소 1달 이상 투여 뒤 tapering
  - Ix. : aspirin/NSAID/colchicine의 금기 or 실패시, 원인 질환의 치료가 steroid인 경우,
    uremic pericarditis, 임신, 경구항응고제 치료 등으로 NSAID/colchicine의 상대적 금기시
  - moderate-dose로 시작한 뒤, 천천히 tapering (high-dose & rapid tapering은 재발↑)
  - colchicine도 3개월간 병용 투여 (재발한 경우엔 6개월)

④ pericardiocentesis : 화농성/결핵성 심낭염 의심되거나, 2~3주의 약물치료에도 효과 없을 때

⑤ pericardiectomy : 자주 재발하며 2년 이상 지속 & steroid에 반응 없을 때

* 항응고제는 금기! (∵ hemopericardium 및 tamponade를 일으킬 수 있음)

5. 심낭 삼출 (Pericardial effusion)

(1) 임상양상

- chest pain
- 주위 조직 압박에 의한 증상 ; dyspnea, cough, hoarseness, dysphagia
- 심음 약화(muffled heart sound), friction rub이나 apex impulse가 사라질 수 있음
- Ewart's sign : 좌측 견갑골 하부에서 dullness, fremitus, bronchial breath sounds 등이 증가
  (∵ 심낭액에 의해 좌측 폐의 하부가 눌려서)

(2) 검사소견/진단

- chest X-ray : 심장이 커져 보임 ("water bottle" 모양)
- EKG : acute pericarditis의 소견, 심하면 low-voltage QRS or electrical alternans
- **echo.** (m/g) : pericardial fluid의 위치 및 양 확인
  - transudative effusion : echolucent (echo-free)
  - organized/exudative, hemorrhagic effusion : echo-filled or ground-glass

- CT/MRI : loculated pericardial effusion, pericardial thickening, pericardial mass 등을
  확인하는 데 echo.보다 우수함

(3) 심장막천자(pericardiocentesis) : 진단 및 치료 목적으로
① intrapericardial pr. 측정
② <u>pericardial fluid</u> : 성상 확인, WBC count, cytology, microscopy, culture 등 검사
  - exudate : 대부분
  - transudate : 심부전(HF)
  - bloody : 결핵, 종양 (but, 류마티스열, 심장손상, MI, uremic pericarditis 등에서도 가능)
  * TB PCR(+) or ADA >30 U/L면 TB pericarditis 의심

(4) 만성 심낭삼출
- 자체로는 증상이 거의 없으며, 흔히 CXR상 심비대로 발견됨
- 흔한 원인 : TB (m/c), hypothyroidism/myxedema, uremia ...

6. 심장압전/심장눌림증 (Cardiac tamponade)

(1) 정의
- pericardial effusion 증가 → pericardial cavity pr. 증가 → diastole 내내 ventricular filling 방해
  → CO 감소 (c.f. constrictive pericarditis : diastole 초기에는 ventricular filling 정상)
- tamponade를 초래할 수 있는 fluid의 양은 병의 진행 속도에 따라 200 mL부터 ~ 만성인 경우
  2000 mL 이상까지 다양

(2) 원인
- pericardial effusion (pericarditis) or hemorrhage의 모든 원인이 가능
- <u>악성종양 (m/c)</u>, idiopathic pericarditis(tamponade로의 진행은 적음), 신부전(uremia) 등이 흔한 원인!
- 기타 ; 심장 수술/외상/손상(e.g., catheterization, PCI, aortic dissection), TB, hemopericardium
- 세균/진균/HIV 감염, 출혈, 악성종양에 의한 심낭삼출이 tamponade로의 진행이 빠름

(3) 임상양상
- 증상은 CO 감소 및 전신적 정맥울혈에 의한 것이 많음
  - acute, severe tamponade (e.g., trauma, rupture) ; 동맥압 감소(<u>hypotension</u>),
    전신 정맥압 상승 (<u>경정맥 확장</u>), 심음(S₁, S₂) 감소 → Beck's triad
  - 서서히 발생하는 경우는 HF의 증상과 비슷 ; dyspnea, orthopnea, hepatomegaly, ascites,
    edema, JVP↑ (폐울혈은 거의 안 생김)
- pulse pr. 감소, tachycardia, tachypnea ...
- <u>paradoxical pulse (기이맥)</u> ⋯ cardiac tamponade의 특징★
  - 흡기시 systolic pr.가 10 mmHg 이상 감소하는 것, 심하면 동맥의 맥박 감소/소실
    (∵ inspiration → RV vol. ↑ → LV 압박 → CO ↓)
  - constrictive pericarditis의 1/3 및 hypovolemic shock, obstructive airway dz.,
    pulmonary embolism 등의 일부에서도 관찰 가능
- Kussmaul's sign 및 pericardial knock은 드물다!
- JVP ↑ (경정맥 확장)

① prominet *x* descent : carotid pulsation시, 동시에 int. jugular pulse가 sharp inward movement로 느껴짐

② *y* descent 소실 (or 감소) (∵ diastole 전기간동안 ventricular filling의 장애로)

* low-pressure tamponade ; 증상은 없거나 경미 (e.g., weakness, dyspnea)
  - CVP 정상 or 약간 상승 / 동맥압 정상
  - paradoxical pulse는 관찰 안됨

(4) 검사소견/진단

• EKG ; low voltage QRS, nonspecific ST-T change, electrical alternans (특이적이나 드묾)

• chest X-ray ; cardiomegaly (구형 or 물주머니[water bottle] 모양), 폐 울혈은 드묾 (폐야 깨끗)

• **echocardiography** (m/i)
  - large pericardial effusion, inadequate ventricular filling (diastole시 RA & RV의 collapse)
  - 흡기시 ┌ TV, PV의 flow rate 크게 underline{증가}
           └ pulmonary venous, MV, AV의 flow rate underline{감소}
  - TEE ; loculated or hemorrhagic effusion 진단에 도움

• catheterization
  - "holodiastolic 4 chamber pressure equalization" : 상승되어 같아짐
    : LVEDP = LA pr. = PCWP = RVEDP = RA pr.
  - 가장 확실하지만, 응급상황이므로 실시할 수 없는 경우가 대부분

(5) 치료 (응급!)

• echo-guided pericardiocentesis (심장막천자) ; m/i

• catheter drainage : 심낭액이 다시 축적되면

• 수축기 혈압이 낮을 땐 수액 공급 (saline IV)

• surgical drainage : limited (subxiphoid) thoracotomy
  ; pericardiocentesis 경험 부족, recurrent tamponade, loculated effusion, biopsy 등 때 시행

• pericardiectomy ; 암이나 uremia로 effusion이 자주 재발할 때

7. 심낭염의 원인질환 예

(1) Post-cardiac injury syndrome

• 심낭 출혈을 동반한 myocardial injury 후에 발생

• 원인 ; 심장수술(post-pericardiotomy syndrome), 외상(e.g., stab wound),
         catheter에 의한 perforation, AMI (Dressler's syndrome) ...

• 기전 ; hypersensitivity로 생각됨 (myocardium에 대한 autoantibody 양성)

• 임상양상 ; pericarditis, pleuritis, pneumonitis, arthralgia
  - 대개 injury 후 1-4주 ~ 몇 달 뒤에 pericarditis의 흉통 발생
  - acute viral or idiopathic pericarditis와 비슷
  - tamponade는 드물다
  - 재발이 흔함 (injury 후 2년 뒤에도 재발 가능)

• 치료 ; aspirin, analgesics (재발이 반복되면 NSAIDs, colchicine, steroid)

(2) Uremic pericarditis (pericarditis of renal failure)

- CKD 환자의 1/3에서 발생하며, 만성 투석 환자에서 호발
- effusion과 friction rub은 흔하나, chest pain은 없거나 경미함
- 치료 ; anti-inflammatory agents, 혈액투석 강화
  (재발하거나 반응이 없으면 pericardiectomy)

만성교착성심낭염/협착심장막염 (chronic constrictive pericarditis)

1. 정의

- 어떠한 원인이든 염증 반응의 마지막 단계로 pericardium이 딱딱하게 비후되고 섬유화되어 ventricular filling이 제한된 것 (diastolic dysfunction)
- restrictive filling : ventricular filling이 diastole 초기에는 잘 유지되다가, 중후반에 pericardium의 탄성 한계에 이르면 갑자기 제한을 받아 감소됨 → "square root sign"
  (↔ cardiac tamponade에서는 diastole 전기간 동안 제한을 받음)

2. 원인

(1) 결핵 - 우리나라에서 m/c 원인 (↔ 서양은 viral/idiopathic, 심장수술, RTx. 등이 흔한 원인)

(2) viral or idiopathic pericarditis - 요즘 증가 (서양은 m/c)

(3) 기타 : 외상, 심장수술, mediastinal RTx., purulent infection, histoplasmosis, neoplasms, RA, SLE, protein-losing enteropathy, uremia (CKD) ...

3. 임상양상

- LC와 비슷한 임상양상 (e.g., 황달, 복수, 간기능 이상) + 경정맥 확장 존재시 의심!
  (c.f., tricuspid stenosis에서도 비슷한 양상을 보임)
- ascites, hepatomegaly/splenomegaly, jaundice, 하지의 부종 (∵ 전신 정맥울혈로)
- pleural effusion : 우측보다는 좌측 or 양측이 흔함
- exertional dyspnea, orthopnea, fatigue, weakness, exercise intolerance (∵ CO의 감소로)
- skeletal muscle mass 감소, 복부팽만, 체중증가 ...
- protein-loosing enteropathy도 드물게 합병될 수 있음
- acute pul. edema (acute LVF)는 매우 드물다!

4. 진찰소견

- JVP ↑ (경정맥 확장) ; marked x & y descent ("M or W-shaped")
  - marked y descent : rapid early diastole 때문
    ↳ carotid pulse가 없을 때 int. jugular pulse의 sharp inward movement로 느껴짐
  - effusive-constrictive pericarditis에서는 tamponade처럼 y descent 소실

- <u>Kussmaul's sign</u> : 흡기시 JVP가 감소되지 않거나 상승하는 것 (경정맥 확장) (↔ 정상은 감소)
  - 흡기시 증가된 정맥▷심장 유입 혈류를 RV에서 잘 받아들이기 어렵기 때문
  - chronic constrictive pericarditis의 특징 (but, TS, RCM, RV infarct 등에서도 나타날 수 있음)
- pulse pr. : 정상 or 감소
- paradoxical pulse (흡기시 맥박 감소/소실) : 약 1/3에서, 특히 effusive-constrictive pericarditis시
- distant heart sound, apical impulse↓ or 수축기 때 퇴축 가능 (Broadbent's sign)
- diastolic pericardial knock (= early loud S₃)
  - ventricular filling의 갑작스런 감속으로 심장이 심장막과 부딪치는 소리
  - S₂의 0.09~0.12초 뒤에 발생, 흡기시에 더욱 커짐, apex에서

5. 검사소견

(1) EKG
- low voltage QRS, T wave inversion or diffuse flattening
- P-mitrale (wide, notched P-wave) ← LA pr.의 만성적인 상승으로
- atrial fibrillation (약 1/3에서)

(2) chest X-ray
- 심장 크기 : 정상 ~ 약간 증가
- 약 1/4에서만 pericardial calcification 보임 (특히 결핵에 의한 경우)
- 폐야는 깨끗한 편 (때때로 pul. congestion or pleural effusion 동반 가능)

(3) echocardiography
- pericardial thickening, IVC와 hepatic vein의 확장, 심방 확장(특히 병력이 오래된 경우)
- early diastole 때 ventricular filling이 갑자기 정지됨
- 심실 중격의 확장기 운동 이상(septal bounce), 확장기에 LV 외벽이 편평해짐
- ventricular systolic function은 정상 or 약간 감소, 호흡에 따라 LV 직경이 변화
- Doppler echo. : 호흡에 따른 transvalvular flow rate의 변화가 심함!
  (∵ 좌우 심실간의 상호의존interdependence 때문)

Flow velocity	흡기	호기
pul. vein → LA across MV (LA→LV)	↓↓	↑↑
vena cava → RA across TV (RA→RV)	↑↑	↓↓
Ventricular septum	좌측으로 밀림	우측으로 밀림

(4) CT/MRI (CMR)
- pericardial thickening 확인에 echocardiography보다 더 정확함
- 심장막 두께 측정 및 calcification 발견에는 CT가 더 sensitive
  (정상 심장막의 두께 : CT 2 mm, MRI 3~4 mm)
- MRI (CMR) : late gadolinium enhancement (LGE)로 염증 정도 평가에 유용

(5) catheterization

- VEDV 및 stroke volume 감소
- CVP, RA & LA pr. : marked x & y descent ("M-shaped")
  (c.f., cardiac tamponade에서는 y descent 감소/소실)
- ventricular pr.
  ① "square root sign" (dip & plateau) : early diastolic dip & mid/late diastolic plateau
  ② 4 chambers의 이완기말 압력의 상승 및 평균화 (차이가 5 mmHg 이하)
     "equalization of diastolic pressure"

  c.f.) square root sign (+) ; constrictive pericarditis, restrictive cardiomyopathy
     ⇨ 감별은 biopsy or CT/MRI (앞 장 참조)

6. 치료

- 수술 (심장막제거술; pericardiectomy, pericardial resection)
  - 대부분의 환자에서 궁극적 치료법, 가능한 완전히 절제
  - 수술 사망률 높음(2~20%) ··· poor Px factor ; RTx-induced, 동반질환(특히 COPD, CKD),
     CAD, 이전의 심장수술, LVEF↓, 심한 HF 증상(NYHA class Ⅳ)
  - 수술 적응이 되면 가능한 빨리 수술하는 것이 좋음, 수술 후 심장 기능 정상화에는 몇 주 걸림
- 증상이 경미하고 건강하면, 약물치료 먼저 하면서 F/U 가능
  ; 저염식, 이뇨제 → 증상 호전 (c.f., sinus tachycardia는 보상성이므로 BB와 CCB는 금기)
- 50세 이상은 CAD R/O위해 수술 전 coronary angiography도 시행
- 결핵성인 경우 항결핵 화학요법도 시행해야 (수술 2-4주전 ~ 수술 후 1년간)

		Cardiac tamponade	Constrictive pericarditis	RCM	RV-MI
임상 소견	Pulsus paradoxus (기이맥)	++	+/−	−/+	−/+
	JVP: prominent y descent	− (y 無)	+	+	+
	prominent x descent	++	+	++	−/+
	Kussmaul's sign	−	++	−/+	++
	Pericardial knock	−	+	−	−
EKG	Electrical alternance	+	−	−	−
심장 초음파	기본특징	심낭삼출, 이완기때 RV 및 RV의 collapse	심막비후, 석회화 흔함	심근두께 증가	RV 크기 증가 및 dyskinesia
	Early filling 및 Mitral flow rate 증가	−	+	+	+/−
	Atrioventricular flow rate의 호흡에 따른 변동 증가	++	++	−	−
심도자	Equalization of diastolic pr.	++	++	−	+
	Square root sign	−	++	+	−

10
심장 판막 질환 (Valvular Heart Disease)

승모판 협착증 (mitral stenosis, MS)

1. 원인

- MS 및 MS+MR은 (과거에는) 대부분 rheumatic origin ; RHD 환자의 약 40%에서 MS 발생
  - 선진국에서는 ARF (acute rheumatic fever)의 급격한 감소에 따라 MS도 현저하게 감소되었음
  - 평균 10~12세 때 RF 발생 → 약 20년 뒤 MS의 증상 발생
    (잠복기는 선진국에서는 길고, 후진국에서는 짧다)
  - 만성 염증 → 승모판(leaflet) 비후, 경계부 유착(commissural fuse), 건삭(chordae tendineae)
    유착/단축, 석회화 등 → MV 면적 감소, 판막 첨부가 깔때기 모양("물고기 입")으로 좁아짐
    (석회화는 판막의 움직임을 제한하고 협착을 가중시킴)
- 기타 원인 ; severe mitral annular calcification (퇴행성, 주로 노인에서), SLE, RA, LA myxoma,
  IE (large vegetations)congenital (parachute valve, cor triatriatum) ...
- 2/3가 여자 (c.f., MR은 남자가 더 많음)

2. 병태생리

- 혈역학적 동태
  - LA pr.의 증가 (**LA** pressure overload)
  - LV와 LA간의 압력차이(pr. gradient) : LV pr. < LA pr.
  - LV filling (preload)의 감소
  - CO의 감소
- simplified Bernoulli equation : MV의 압력차 (다른 valve도 마찬가지로)

  $$\Delta P = 4V^2$$ (V: peak velocity, ΔP: pressure difference)

  - MV를 통과하는 혈류의 정상 속도 : 0.6~1.3 m/s
  - HR 또는 CO이 증가하면 ΔP 증가
- mitral valve area (orifice) … **정상 : 4~6 cm²** (2 cm² 이하이면 LV-LA간 압력차 발생)

  $$\text{MVA (mitral valve area)} = \frac{220 \text{ (msec)}}{\text{PHT (pressure half-time)}} \text{ (cm}^2)$$

- pressure half-time (PHT)
  - peak pr. gradient가 1/2로 감소하는데 걸리는 시간 (msec)
  - PHT = 0.29 × DT (deceleration time)
  - MS가 심할수록 PHT은 길어짐 (∵ MV area는 좁아짐) (c.f., AR은 심할수록 PHT이 짧아짐)

Very severe MS의 소견
1. Resting mean pr. gradient ≥10 mmHg
2. MVA (mitral valve area) ≤1 cm²
3. PHT ≥220 msec

- MS의 임상양상 및 혈역학적 특징은 폐동맥압과 밀접하게 관련
- MS 환자에서 pul. HTN의 발생 기전
  ① 상승된 LA pressure의 수동적 전달
  ② reactive pul. arteriolar constriction (LA 및 폐정맥 압력 상승에 의해 유발)
  ③ 소폐혈관 벽의 interstitial edema
  ④ 폐혈관계의 organic obliterative change
- 심한 MS → 폐혈관 저항 증가, pul. HTN 악화 → Rt-HF, TR, PR
- HR 증가 (e.g., 운동, 흥분, 임신, 발열, AF) → transvalvular pr. gradient↑, diastolic phase↓
  → LA pr. 상승↑, stroke volume↓ → Sx 악화

3. 증상 및 합병증

- 대부분 30대 이후에 증상 발생 (선진국에서는 고령에서 서서히 진행하는 MS 발생이 증가 추세)
- <u>dyspnea</u> (± cough, wheezing), 피로, 운동능력 저하 등이 m/c 증상
  - 운동, 흥분, 발열/감염, 빈맥, 빈혈(e.g., AF), 성교, 임신, 갑상선중독증 등에 의해 유발/악화됨
  - MS가 진행될수록 약한 자극에 의해 유발되며, 일상 활동에도 제한을 받게됨
- orthopnea, paroxysmal nocturnal dyspnea (∵ 폐로의 혈액 재분포 때문)
- chest pain (∵ coronary emboli, pul. HTN, RVH) : 약 15%에서
- <u>hemoptysis</u> (∵ 폐정맥압 상승으로 인한 소폐정맥 파열, 폐실질의 감염, 폐경색)
  : 폐혈관 저항의 큰 증가 없이 LA pr.만 증가된 경우 호발하며, 치명적이진 않음
- pul. edema (→ TLC↓, VC↓, maximal breathing capacity↓, O₂ uptake↓ 등)
- Rt-HF → edema, hepatomegaly, ascites, pleural effusion ...

- MS가 진행될수록 atrial arrhythmia의 발생도 증가됨 (∵ 좌심방의 확장)
  - <u>AF</u> → HF↑, LA의 thrombi↑ (→ embolism)
  - permanent AF 발생은 MS 경과의 분기점 → 증상 진행 가속을 의미! (poor Px.)
- systemic embolization : 10~20% (항응고제 치료로 감소), 대개 LA thrombus로부터 발생
  - 뇌혈관(약 1/2)→ CVA, 관상동맥→ MI/angina, 신장→ systemic HTN 등
  - 위험인자 : <u>AF</u>, 고령, LA size↑, CO↓
  - but, 증상 없던 mild MS 환자의 첫 증상일 수도 있음
  - 약 20%는 sinus rhythm인데도 발생 → transient AF or IE 가능성 확인해야
- infective endocarditis : pure MS에서는 매우 드무나, MR 합병 시엔 드물지 않음

4. 진찰소견

- S_1 증가 : apex에서 (calcification시는 약하거나 안들릴 수 있음)
  (S_3, S_4는 들리지 않는다!)
- OS (opening snap, 승모판 개방음) : S_2 직후, MV가 열리면서 나는 소리
  - 호기시 심첨부 또는 그 내측에서 잘 들림, A_2 0.05~0.12초 뒤에 발생
  - calcification이 심하면 작아지거나 안들릴 수 있음
  - 운동시 증가, Valsalva maneuver시 감소
  * A_2-OS interval : LA pr. (severity) 증가할수록 짧아짐 (반비례)
- diastolic rumbling (구르는 듯한) ⓜ : 저음(low-pitched)
  - 심첨부(apex)에서 잘 들림 (left lateral decubitus 자세에서)
  - 운동시 증가, MS가 심할수록 오래 들림(duration↑), intensity는 MS severity와 관련 없음
  - atrial contraction이 없어도 (e.g., AF) 들림
- presystolic ⓜ (→ AF 발생하면 약해지거나 소실됨!)
- soft systolic ⓜ : grade I ~ II/VI, MR 없이도 흔히 들림
- CO가 심하게 감소되면 MS의 특징적인 청진소견이 안들릴 수도 있음
- JVP
  - 심한 pul. HTN or TS가 동반된 환자 ; prominent a wave (∵ 강력한 RA의 수축으로)
  - AF 발생시 ; a wave 소실, single c-v wave만 보임
- pulse pressure 감소 (∵ CO↓)
- malar flush : "mitral face" (∵ 정맥의 확장으로)
- 아주 심한 경우엔 cyanosis도 관찰될 수 있음
- MS + MR 동반시 : LVE, S_3 (S_1 및 OS는 잘 들림)

MS의 severity 증가와 관련있는 청진 소견 ★
1. A_2-OS interval (or QRS-OS) 감소 (<0.07초)
2. Q-S_1 interval 증가
3. Diastolic ⓜ의 duration 증가
4. OS와 S_1의 크기(instensity) 감소 (∵ ant. MVL의 mobility와 비례)

- pul. HTN의 청진 소견 (severe MS에서 발생)
  ① S_2 (P_2) 증가, S_2 splitting 감소 (single S_2)
  ② pul. ejection ⓜ, TR ⓜ
  ③ Graham Steell ⓜ of PR - 흉골좌연에서 : high-pitched, diastolic, decrescendo, blowing ⓜ
  ④ right ventricular S_4 (RVH), S_3 (RHF)

5. 동반 질환

- Lutembacher's syndrome = ASD + MS
- MR : S_1· OS 감소, apical systolic ⓜ 및 S_3 출현시 의심
- PR : Graham Steell ⓜ (but, AR의 ⓜ와 구분 어렵다)
- AR : diastolic blowing ⓜ - Lt 3rd ICS에서
- functional TR에 의한 pansystolic ⓜ (∵ severe pul. HTN)

┌ 흡기시 증가, 호기시 감소 (Carvallo's sign)
└ Valsalva maneuver시에도 감소

6. 검사소견

(1) EKG

- LAE → P-mitrale ; lead Ⅱ에서 wide, notched P ( ), lead V_1에서 biphasic P ( )
- RAD, RVH (pul. HTN 심하면) / LVH는 없다 (LV 기능은 정상)
- AF (atrial fibrillation) 잘 동반

(2) Chest X-ray

- LA enlargement ; 심장 좌연의 직선화 (삼각형 모양의 심장)
- pul. vascularity의 redistribution, hilar prominence (main PA의 융기)
  → mean LA pr. (postcapillary pr. of lung)이 16~19 mmHg
- Kerley's B line (interstitial edema) → mean LA pr. (postcapillary pr. of lung) 20~25 mmHg
  (c.f., "alveolar edema"는 25~30 mmHg)

(3) Echocardiography (m/i)

① M-mode
  - LA enlargement, thickened MV (calcification시), EF slope 감소
  - diastolic ant. motion of PMVL ; "물고기입"모양 (PMVL이 AMVL과 동일 방향으로 움직임)

② 2D echo.
  - diastolic doming & restricted motion of MV, decreased diastolic opening of MV, LAE
  - short-axis image에서는 판막 개구면적(MVA)을 직접 구할 수 있음

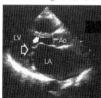

MS (diastole)의 <u>long-axis</u> view
; 경부 유착(commissural fusion) →
ant. leaflet의 doming (둥근 지붕 모양)

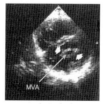

<u>short-axis</u> view
; 물고기입 모양의 두꺼워진 leaflets
→ MVA (MV area) 감소

③ color flow Doppler
  - 진단에 가장 sensitive & specific
  - 판막 사이의 압력차, PHT를 통한 판막 개구면적(MVA), 폐동맥압 등을 구할 수 있음
  - LA:LV의 크기 및 다른 판막의 이상 유무도 알 수 있음

④ TEE (transesophageal echo.)
  - transthoracic imaging보다 해상도가 뛰어나, MV의 형태/기능 더 정확히 파악 가능
  - 특히 LA thrombus 진단 능력이 우수하므로, PMBV 시행 예정이면 반드시 확인해야

(4) Cardiac catheterization
- 임상양상과 심초음파 등의 영상검사 소견이 일치하지 않을 때 유용
- 일반적으로는 필요 없으나 percutaneous mitral valvotomy (PMBV) 예정인 경우, 동반된 다른 심장 기형의 진단, CAD 위험이 높은 경우 (coronary angiography) 등 때 시행
- MS의 심도자 소견
  - PCWP (LA pr.) ↑ (정상: 2~10 mmHg)
  - diastole 때 PCWP (LA pr.) > LV pr.

Stages of Mitral Stenosis (MS) AHA/ACCF 2014

Stage	Definition	Hemodynamics	Symptoms
A	At risk of MS	이완기 때 경미한 valve doming, Transmitral flow velocity 정상	–
B	Progressive MS	Transmitral flow velocity 증가 MVA >1.5 cm², Diastolic PHT <150 ms Mild~moderate LAE, 휴식시 폐동맥압(PASP) 정상	–
C	Asymptomatic severe MS	MVA ≤1.5 cm², Diastolic PHT ≥150 ms Severe LAE, 폐동맥압(PASP) >30 mmHg (*Very severe MS: MVA ≤1 cm², Diastolic PHT ≥220 ms)	–
D	Symptomatic severe MS	" "	운동능력 저하 운동시 호흡곤란

7. 치료

(1) 무증상 환자
- 특별한 치료는 필요 없다 (운동시 호흡곤란 있으면 β-blocker or CCB)
- RF 재발 방지 : group A β-hemolytic streptococci의 재감염 예방 (benzathine penicillin G)
- anticoagulation (e.g., warfarin) : embolism 예방 위해 평생 복용 (INR 2~3 유지)
  ⇒ 적응 : AF 동반, embolism의 과거력, LA thrombus 존재
    (severe MS & sinus rhythm 환자도 LA size >5.5 cm or 자발초음파음영 존재시 고려)
- infective endocarditis에 대한 예방조치는 필요 없음!!
- F/U : 진찰 매년, 심초음파 3~5년(mild)/1~2년(moderate) 마다/매년(severe MS) 시행

(2) 증상이 있는 severe MS 환자의 내과적 치료
- 약물 치료가 큰 효과 없음 / 대개 급성 악화, 시술치료 전후 증상 조절, 시술 불가능할 때 시행
- 염분제한, 이뇨제(preload를 낮추어야) → 폐울혈에 의한 증상 호전에 도움
- digitalis : 혈역학적 이상은 변화 못시키지만, AF or Rt-HF 환자에서 심박수 조절에 도움
- β-blocker, CCB (e.g., verapamil, diltiazem) → 운동능력 향상에 도움 (특히 AF 환자에서)
- hemoptysis → 폐정맥압 감소 ; sedation, upright position, aggressive diuresis
- ACEi은 안 씀 (∵ afterload 감소시키면, LA-LV간 압력차 더 커짐)

(3) AF의 치료
- 일반적인 AF 치료와 비슷하지만, MS 환자는 sinus rhythm으로의 전환 및 유지가 매우 어려움
- 혈역학적으로 불안정하면 즉시 electrical cardioversion

- HR의 조절 (ventricular rate 떨어뜨림) … AF, RHF의 치료 시 중요!
  - acute AF ⇨ IV β-blocker or nondihydropyridine CCB → oral agents로 교체
    (반응 없으면 digoxin or amiodarone 고려)
  - chronic AF ⇨ digitalis or β-blocker (심박수는 약 60 bpm으로 유지)
- conversion to sinus rhythm (정상 동성리듬으로의 전환, pharmacological or electrical)
  - Ix : MS가 심하지 않고 AF이 최근에 (6개월 미만) 발생했을 때
  - 3주 이상 warfarin 투여 후 시행 / 급하면 IV heparin 투여 & TEE로 LA thrombus R/O
  - 효과 없는 경우 ; 심한 MS (LA size >5 cm), 1년 이상 지속된 AF

(4) 경피적 승모판 풍선성형술(percutaneous mitral balloon valvotomy/valvuloplasty, PMBV)

PMBV의 적응	PMBV의 부적합/금기
MV morphology가 PMBV에 적합하면서.. 증상이 있는 isolated MS (moderate ~ severe) : 승모판 개구면적(MVA) <1 cm²/m²[BSA] or <u>≤1.5 cm²</u> 무증상의 severe MS with new-onset AF <u>무증상의 very severe MS (MVA <1 cm²)</u> NYHA III∼IV의 심부전 증상, PMBV or MVR 이후의 재협착 있지만 수술 고위험군 (e.g., 고령, 가임기 여성, 심한 CAD, complicated pulmonary/renal/neoplastic dz.) Mild MS & 운동시 폐고혈압(PCWP >25 mmHg)	LA thrombus (∵ embolism 위험) → 반드시 TEE로 확인해야! <u>Moderate∼severe MR</u> Severe or bicommissural calcification Commissural fusion 無 <u>Severe AV or TV 질환 동반</u> CABG가 필요한 CAD 동반 ⇨ 수술적 치료 고려 Mild MS (MVA >1.5 cm²)

- femoral vein → IVC → RA → foramen ovale 천자 → LA → MV → LV 순서로
  유도철선을 삽입한 뒤 MV에서 balloon을 dilatation / 성공률 95% 이상으로 좋음
- 시술 이후 예후인자 : <u>심초음파 점수[Wilkins score]</u> (leaflet rigidity/mobility, valve thickening,
  calcification, subvalvular thickening 각 1∼4점씩 총 16점 만점)
  - Wilkins score 8점 이하면 PMV 시술 후 장단기 예후 좋음 = PMBV 적합 morphology
  - 특히 severe valvular thickening or calcification이 없는 젊은 환자에서 효과 매우 좋음
- Cx : MR, iatrogenic ASD, pericardial tamponade, LA thrombus시엔 embolism 위험, 재협착
- 수술(open valvotomy)과 장단기 예후는 비슷하지만, 시술에 따른 morbidity & mortality 낮음

(5) Surgical valvotomy

- 적응 ; 수술 고위험군이 아니면서..
  - PMBV 불가능(e.g., LA thrombus, 심한 MR or AV/TV dz.), 실패 or 협착이 재발했을 때
  - MV 변형/석회화/섬유화 심하면서(PMBV 부적합 morphology) 증상이 심한 경우(NYHA class III∼IV)
- persistent AF 환자는 수술 중에 LA maze or AF ablation 치료도 가능(→ 동율동 전환)
- 방법 : 가능하면 open valvotomy가 선호되지만, 의뢰 환자 대부분이 MV morphology가
  불량하므로 MVR을 가장 많이 시행하게 됨
  ① closed mitral valvotomy (CMV) : transatrial or transventricular approach,
    저렴하고 단순한 장점으로 후진국에서 선호되었지만, 현재는 대부분 PMBV로 대치되었음
  ② open mitral valvotomy : 개흉술(CPB(cardiopulmonary bypass)) 하에 직접 눈으로 보면서 판막 성형
    - 동반된 MR (~moderate까지도) 함께 치료 가능(annuloplasty)
    - MV의 변형/석회화/섬유화가 심하면 성적 나쁨
    - MVR보다는 양호한 환자에서 시행되므로 수술 후 장기 예후는 우수함 (10YSR 80∼100%)

③ mitral valve replacement (MVR) : PMBV or surgical valvotomy가 불가능한 경우 시행
  – MV의 변형/석회화/섬유화 여부나 severity에 관계없이, severe MR 동반되어도 시행 가능
  – 수술에서 생존한 환자의 10YSR는 약 70%
  – 장기 예후가 나쁜 경우 ; 고령, 수술전 심한 증상, cardiac index ↓↓
  – mechanical valve가 선호됨 (bioprosthetic valve는 항응고제를 복용할 수 없거나 고령인 경우 권장

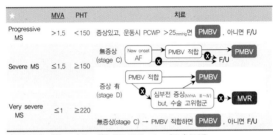

★	MVA	PHT	치료
Progressive MS	>1.5	<150	증상있고, 운동시 PCWP >25_mmHg면 PMBV , 아니면 F/U
Severe MS	≤1.5	≥150	無증상 (stage C) → New onset AF ⊗ → PMBV 적합 ⊗ → PMBV / F/U
			증상 有 (stage D) → PMBV 적합 → PMBV / 심부전 증상(NYHA Ⅲ~Ⅳ) but, 수술 고위험군 ⊗ → MVR
Very severe MS	≤1	≥220	無증상(stage C) → PMBV 적합하면 PMBV , 아니면 F/U

*PMBV 적합 : MV morphology 양호 & No LA thrombus & No/mild MR

승모판 역류/폐쇄부전 (mitral regurgitation, MR)

1. 개요

MR의 원인	
Acute	Mitral annulus 장애 ; IE (abscess formation), valvular heart surgery
	Mitral leaflet 장애 ; IE (perforation or vegetation), balloon mitral valvotomy, chest injury, tumors (atrial myxoma), myxomatous degeneration, SLE (Libman–Sacks lesion)
	Chordae tendineae 파열 ; idiopathic, myxomatous degeneration (MVP, Marfan syndrome, Ehlers–Danlos syndrome), IE, RF, balloon valvotomy, blunt chest trauma
	Papillary muscle 장애 ; CAD (MI), acute LVF, infiltrative dz, (amyloidosis, sarcoidosis), trauma
	인공 판막 장애 ; perforation (endocarditis), degeneration, mechanical failure (strut fracture) 등
Chronic	Primary : 승모판엽(MV leaflets) and/or 건삭(chordae tendineae)의 문제
	Myxomatous degeneration (MVP, Barlow click–murmur syndrome, forme fruste 등)
	Rheumatic fever (RHD), SLE, scleroderma
	IE (healed), Congenital (endocardial cushion defects [AV canal], MV clefts or fenestrations)
	Radiation, trauma
	Secondary : MV 자체는 이상이 없는 functional MR
	Ischemic cardiomyopathy/healed MI (LV remodeling)
	Hypertrophic cardiomyopathy (HOCM with SAM)
	Dilated cardiomyopathy, Aneurysmal dilation of LV
	Chronic AF에서 좌심방 확대와 승모판륜 확장(annular dilatation)이 합병된 경우
	MV annular calcification (MAC) : 대개 퇴행성(degenerative), primary와 secondary 요소를 모두 가짐

* Chronic MR에서는 병태생리/치료/예후가 다르므로 primary와 secondary의 감별이 중요함

(1) MVP (mitral valve prolapse) 등의 myxomatous degeneration : m/c (미국은 약 2/3)
- chordae tendineae 파열나 acute-on-chronic MR 발생 가능
(2) rheumatic heart dz. (RHD) : 원인의 약 1/3 차지, 남>여 (c.f., rheumatic MS는 남<여)
(3) myocardial ischemia (CAD)
- 치유된 MI에서의 ventricular remodeling or papillary ㎝의 전위/섬유화 → chronic MR
- AMI : papillary muscle dysfunction/rupture (주로 posteromedial papillary ㎝) → acute MR
- 협심증 발작 중에는 transient MR도 발생 가능
(4) cardiomyopathy ; HCM (HOCM with SAM), DCM (LVED 크기가 6 cm이 되면)
(5) mitral annular calcification (degenerative) : 고령의 (DM, HTN, CKD 동반) 여성에서 흔함
* chronic MR에서는 MR이 MR을 계속 악화시킴 (LAE → MV 기능 악화 → LAE & LVE 악화)

2. 병태생리

(1) LV volume overload (preload 증가), chronic MR에서는 LV contractility도 감소
⇨ LV failure ⇨ effective (forward) CO 감소
(LV와 LA 사이에 저항이 없기 때문에, LV 기능이 매우 떨어져 있어도 EF은 높아 보임
→ EF가 조금만 감소해도 심한 LV dysfunction을 시사)
(2) LA의 compliance가 MR의 임상적/혈역학적 소견 결정에 중요
① compliance 정상/감소 : acute severe MR
• LA & PV pr. ↑↑ (prominent *v* wave) / LA size는 정상 or 약간 증가
• pul. edema가 흔하며, 몇 달 뒤에는 RHF에 의한 증상이 나타남
② compliance 증가 : chronic severe MR
• LA size ↑↑ / LA & PV pr.는 약간만 증가 / 진행될수록 LV size↑ & contractility↓
• CO 감소에 따른 fatigue 등이 주증상 (초기에는 pul. edema 증상 경미), AF 흔함
* 실제 MR 환자는 두 가지 혈역학적 소견이 혼합된 형태가 가장 흔하다

	Acute MR	Chronic compensated MR	Chronic decompensated MR
주 기전	acute volume overload	eccentric hypertrophy	contractile dysfunction
LA compliance	N	↑	↑↑
LA size	N	↑	↑↑
LA pr.	↑↑	↑	↑↑
LVEDV	↑	↑↑	↑↑↑
LVESV	↓	N	↑↑↑
LV contractility	N	N	↓
LV EF	↑ (∵ 역류)	↑ (∵ 역류)	↓
역류 비율	50%	5%	5%
Forward CO (SV)	↓	N or ↓	↓

3. 임상양상

- fatigue, exertional dyspnea, orthopnea 등이 chronic severe MR의 흔한 증상
  (mild~moderate chronic MR은 대개 무증상)
  - hemoptysis, systemic embolism은 MS보다 드물다
  - 폐혈관질환 및 심한 pul. HTN 동반시 Rt-sided HF의 증상 발생
    (e.g., painful hepatic congestion, edema, 경정맥 확장, TR 등)
- acute severe MR ; acute pul. edema를 동반한 Lt-sided HF 증상(e.g., dyspnea, orthopnea) 및
  심혈관계 허탈(e.g., arterial pressure↓, narrow pulse pressure)

4. 진찰소견

- systolic ⑩ : grade Ⅲ/Ⅵ 이상 (severe MR의 특징적 소견)
  ┌ chronic MR : holosystolic & plateau 양상 (∵ LV-LA간 압력차가 거의 일정)
  └ acute MR : 일찍 발생, decrescendo 양상, late systole (S₂ 이전)에 종료
  - 대개 심첨부에서 가장 크게 들리고, Lt. axilla로 radiation
  - underlying mechanism에 따라 크기, 성상, radiation이 다름
  - 역류량(MR severity)과 ⑩의 크기와는 상관관계가 낮음!
    (LV 기능저하, 인공판막 폐쇄부전, 폐기종, 비만, 흉부기형 등 때에는 ⑩ 잘 안들림: silent MR)
  - regurgitant space가 작고 pr. gradient가 높을수록 ⑩ 커짐
  - isometric exercise시 증가, Valsalva maneuver시 감소 (MVP가 원인이 아닌 경우)
- S₁ 감소 (약하거나 들리지 않음)
- wide splitting of S₂ (∵ aortic valve가 일찍 닫혀서) … severe MR
- S₃ (ventricular gallop) (∵ 이완 초기 MV로의 flow 증가로) … severe MR
- S₄ – 최근에 발생한 acute severe MR에서 들림
- 혈압은 대개 정상 (severe MR에서는 arterial pulse가 sharp upstroke)
- 촉진 : systolic thrill (apex), hyperdynamic LV, rapid filling wave (S₃) …

5. 검사소견

(1) EKG
- chronic MR ; LVH & LAE (pul. HTN 심하면 RAE도)
- chronic severe MR에서는 대부분 AF 발생 (AF는 독립적인 poor Px. factor)
- AMI에 의한 acute MR ; inferior or posterior MI

(2) chest X-ray
- chronic MR ; cardiomegaly (LA & LV enlargement)
- pul. venous congestion, interstitial edema, Kerly B line 등도 가끔 보임
  (lung field : MS에 비해 가벼운 변화)
- mitral leaflet의 calcification – 오래된 MR & MS에서 흔히 보임

(3) echocardiography
- Doppler echo : MR의 진단, severity 평가, LV function 측정에 유용 (MRI도 가능)
- TEE : TTE보다 해상도가 좋음

(4) cardiac catheterization

- 심초음파로 severity 판정이 어렵거나, 수술 예정일 때 유용
- MR의 심도자 소견 ; systole 때 arterial pr. > LV pr., late systole 때 LA pr. (PCWP) ↑

Severity of Chronic MR (primary & secondary)

Severity	Central MR jet	RV	RF	ERO	VC	Angiographic grade
Mild MR	No or small (<20% LA)	<30 mL	<30%	<0.2 cm²	<0.3 cm	–
Moderate MR	20~40% LA or late systolic eccentric MR jet	<60 mL	<50%	<0.4 cm²	<0.7 cm	1~2+
Severe MR ★	>40% LA or holosystolic eccentric MR jet	≥60 mL	≥50%	≥0.4 cm²	≥0.7 cm	3~4+

RV: regurgitant volume, RF: regurgitant fraction, ERO: effective regurgitant orifice area, VC: vena contracta width

Stages of Chronic Primary MR AHA/ACCF 2014

Stage	Definition	Valve anatomy	Hemodynamic results	Symptoms
A	At risk of MR (mild MR)	판막접합(coaptation) 정상인 mild MVP 경미한 판막비후 및 판막엽(leaflet) 제한	–	–
B	Progressive MR (moderate MR)	판막접합 정상인 severe MVP 판막엽 제한 & 중심 접합 상실된 류마티스성 판막 변화 감염성심내막염(IE)의 과거력	Mild LAE No LV dilatation Normal PA pr.	
C	Asymptomatic severe MR	접합 상실 or 판막엽 연약해진(frail) severe MVP 판막엽 제한 & 중심 접합 상실된 류마티스성 판막 변화 감염성심내막염(IE)의 과거력 판막이 두꺼워진 방사선 심장병	Moderate~severe LAE LV dilatation Pulmonary HTN 동반 가능 C1: LVEF >60%, LVESD <40mm C2: LVEF ≤60%, LVESD ≥40mm	–
D	Symptomatic severe MR	" "	Moderate~severe LAE LV dilatation, Pulmonary HTN 동반	운동능력 저하 운동 시 호흡곤란

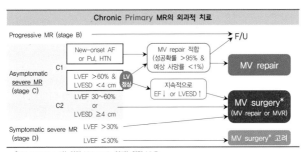

Chronic Primary MR의 외과적 치료

*MV surgery : 가능하면 MV repair, 불가능하면 MVR

Chronic Secondary MR의 외과적 치료	
CAD 치료	Stage B → F/U
HF 치료 →	Stage C
CRT 고려, etc.	Stage D (NYHA Ⅲ~Ⅳ 증상 지속) → MV surgery 고려

6. 치료

(1) 내과적 치료

• acute severe MR (e.g., post-MI papillary muscle rupture) ⇨ 대개 응급 수술(MV repair)
  - diuretics, IV vasodilator (특히 sodium nitroprusside : afterload↓ → CO↑, regurgitation↓)
  - 혈압이 낮아 vasodilator를 쓸 수 없는 경우에는 IABP 등을 시행
• chronic severe MR : 원인 질환에 따라 다를 수 있음
  - HF에 대한 치료 : 증상을 일으키는 활동의 제한, 염분섭취 제한, diuretics, β-blocker, ACEi, ARB, digitalis, biventricular pacing (CRT) 등
  - ACEi (e.g., lisinopril), ARB → afterload↓, LV volume↓, 증상 호전
  - AF → 항응고제(warfarin : INR 2~3 유지), 임상양상/LA크기에 따라 cardioversion 고려
  - Sx or HTN이 없는 경우 vasodilator는 권장 안됨! (∵ 대부분 afterload 증가 안 되었음)
• infective endocarditis (IE) 예방조치는 필요 없음

(2) 수술적 치료

• MS보다 operative mortality 높다 → 증상 없거나 경미하고 LV function이 정상이면 수술 안 함
• 수술의 적응
  ① 증상이 있는 chronic severe MR (LVEF가 30% 이하로 감소되어도 가능하면 수술 고려)
  ② 증상이 없거나 미미한 chronic severe MR
    (a) LV dysfunction이 진행되어 LVEF ≤60% and/or LV end-systolic dimension ≥4 cm
    (b) LVEF >60% & LVESD <4 cm이어도, 지속적으로 EF 감소되거나 LV 커지는 경우
    (c) LV function이 정상이어도 new-onset AF or pulmonary HTN 존재시
      (PA pr. 휴식시 50 mmHg 이상 or 운동시 60 mmHg 이상 ↵)
• 승모판 성형술(MV repair) : mitral valvuloplasty and/or mitral annuloplasty
  - 가능하면 MVR보다 MV repair가 선호됨, 수술 시기도 앞당기는 것이 추세
  - 특히 young age, MVP에 합병된 MR, annular dilatation, chordal rupture, IE에 의한 mitral leaflet perforation 등 때 효과적 (⋯ MR의 대부분을 차지)
  - 장점 : 수술 사망률 낮음(MVR의 약 1/2), 합병증(e.g., embolism, IE, 출혈) 적음, 장기적으로 LV function 잘 유지됨, 항응고 치료 필요 없음
  - 단점 : residual MR로 인한 MR 재발이 흔함, 기술적으로 MVR보다 어려움
• 승모판 치환술(MV replacement, MVR)
  - 고령에서 rheumatic fever 등으로 인한 rigid/calcified/deformed valves, severe subvalvular chordal thickening, leaflet substance 소실 등 때 시행
  - 단점 : 수술 사망률 높음, 수술 후 LV function이 악화가 흔함, thromboembolism or 출혈성 부작용(mechanical/기계판막), late valve failure에 의한 재시술 필요(bioprosthetic/조직판막)
• 최근에는 MV repair or MVR 때 minimally invasive surgery도 시행됨(e.g., 로봇수술)

(3) 경피적 치료(intervention)

- 심장수술(e.g., 개흉, 체외순환)에 따른 부작용을 피할 수 있는 장점 / 장기 예후는 아직 모름
- transcatheter MV repair (annuloplasty) ; MitraClip® (Abbot) 등
  - MR을 완전히 교정은 못하지만 증상↓, 심기능↑에 도움, 수술 불가능/고위험군에서 고려 가능
  - 심부전에 이차적으로 발생한 functional MR에서 많이 시술됨 [미국은 primary MR에만 허가]
- transcatheter MV implantation/replacement (TMVI, TMVR)
  - valve-in-valve procedure, self-expanding stent-based bioprosthesis
  - 수술 불가능한 primary & secondary MR 고위험 환자에서 고려 가능

승모판 탈출증 (MVP, mitral valve prolapse)

1. 개요

- systole 때 승모판엽(MV leaflets)이 LA 쪽으로 탈출(prolapse) 되는 것으로,
  후엽(post. MV leaflet [MVL])의 prolapse가 더 흔함
- 동의어 : floppy-valve syndrome, systolic click-murmur syndrome, Barlow's syndrome ...
- m/c valvular abnormality (인구의 5~10%), isolated severe MR의 m/c 원인
- 젊은 여성에서 흔하다 (15~30세), 일부에서는 가족력 有 (e.g., AD 유전)
- 임상경과 및 severity가 매우 다양
- 대부분은 양호한 경과 (but, 50세 이상 남성은 MR 및 endocarditis 발생 위험↑)
- 약 15%에서 10~15년 뒤 MR 발생

2. 원인/관련질환

- MV의 myxomatous degeneration 및 acid mucopolysaccharide 축적에 의한 판막조직의 과잉
- 대부분 원인은 모르고, isolated MVP로 존재
- 유전성 결합조직질환 ; Marfan syndrome, osteogenesis imperfecta, Ehlers-Danlos syndrome ...
- 선천성 흉부기형 ; straight back syndrome
- rheumatic heart dz., ischemic heart dz., cardiomyopathies ...
- ostium secundum ASD 환자의 20%에서도 동반됨

3. 임상양상

(1) 증상 : 대부분 무증상 / palpitation, syncope, chest pain, fatigue
(2) 청진 ┌ mid- or late-systolic **click** (MV가 LA쪽으로 빠지는 소리) : S_1 0.14초 이후에
　　　　└ late systolic ⓜ (빠진 틈새로 역류되는 소리) : 고음의 바람부는 소리 같음
- 발생시기 및 크기의 변화
  ① 일찍 발생 or 커짐(↑) : LV volume (preload) 감소시키는 조작시 prolapse 조장
  　; sudden standing, Valsalva maneuver, 흡기, amyl nitrate 흡입, isoproterenol

② 늦게 발생 or 소실(↓) : LV volume (LVEDV) 증가시키는 조작시 prolapse 감소
: squatting, isometric/handgrip exercise, leg elevation, 호기
• 일부에서는 click and/or ⑩가 없을 수도 있음
(3) 합병증 : TIA (∵ embolism), infective endocarditis (MR 동반시)

4. 검사소견

(1) EKG : 대부분 정상, Ⅱ·Ⅲ·aVF에서 biphasic or interted T wave,
간혹 supraventricular/ventricular premature contractions or tachycardia도 가능
(2) echocardiography (m/g)
• 정의 : 수축기에 MV leaflet이 2 mm 이상 LA 쪽으로 이동
(parasternal long-axis view, mitral annulus의 plane 기준)
• MVL의 thickening → infective endocarditis, severe MR 발생위험↑
• color flow Doppler : MR 발견 및 평가에 유용

5. 치료

• severe MR or arrhythmia 없는 무증상 환자 → 치료는 필요없고, 환자를 안심시킴(reassurance)
• infective endocarditis (IE) 예방조치는 필요 없음 (이전에 IE 병력이 있을 때에만 시행)
• β-blocker ; chest pain, palpitation, autonomic dysfunction 등 완화
• symtomatic tachyarrhythmia → 반드시 항부정맥제로 치료
• antiplatelet agents (e.g., aspirin) ; TIA의 병력이 있거나 redundant leaflet 시
→ 효과 없으면 항응고제(e.g., warfarin) 투여 (AF 발생시에도)
• severe, symptomatic MR → MR과 동일하게 치료 (e.g., MV repair)

■ 대동맥판 협착증 (aortic stenosis, AS)

1. 개요

• 원인
(1) age-related calcific (degenerative or senile) AS : m/c, 남>여
 - congenital bicuspid or normal trileaflet valve에서 발생, 고령에서 호발 (고령화에 따라 증가)
 - aortic sclerosis : doppler jet velocity 2.5 m/s 미만이면서 valve cusps의 focal thickening or
calcification을 보이는 것 (frank AS의 전단계), 65세 이상의 약 30%에서 관찰되고 약 2%는
실제 aortic stenosis를 보임 → CAD의 고위험인자
 - 동맥경화증의 위험인자는 모두 AV calcification의 위험인자 임
(e.g., 고령, 남성, 흡연, DM, HTN, CKD, LDL↑, HDL↓, CRP↑)

　(2) 선천성 ; unicuspid, bicuspid, quadricuspid AV

> ■ **Bicuspid aortic valve (BAV)**
> • 3개의 cusps 중 2개의 융합으로 발생
> • 비교적 흔한 선천성 심질환(1~2%), AVR 수술 받은 환자의 53%는 bicuspid, 4%는 unicuspid
> • 남>여, 소아 때는 대개 정상 기능, 중년 이후 calcific AS 발생, 약 20%에서는 심한 AR도 발생
> • CoA 잘 동반, infective endocarditis 발생 위험 높음
> • 대동맥 합병증 ; ascending aorta의 dilatation, aneurysm, dissection (발생 위험 5~9배), rupture

　(3) rheumatic AS : 대부분 MV도 침범하며, severe AR 동반

　(4) 기타 ; infective endocarditis, radiation, hyperlipidemia ...

• 약 80%가 남자, 50~60대에서 호발

• valvular AS 이외의 LV outflow tract (LVOT) obstruction의 원인
　; HOCM, discrete congenital subvalvular AS, congenital supravalvular AS

2. 병태생리

• LV outflow obstruction → LV와 aorta 사이에 systolic pr. gradient 발생

• 보상기전 : 동심성(concentric) LVH → 오랫동안 LV output (CO) 유지

• 심근비후(LVH) → 심근의 산소요구량↑ 및 관상동맥 압박에 의한 관상동맥 혈류 예비능↓
　→ CAD 없이도 심근(특히 subendocardium)의 허혈(angina) 발생 가능

• severe AS (→ Sx 발생↑)
　┌ mean systolic pr. gradient >40 mmHg
　└ effective aortic orifice <1.0 cm^2 (0.6 cm^2/m^2, 정상의 약 1/3)
　– LVEDP↑ (LV dilatation and/or compliance↓)
　– LA pr. pulse에서 large *a* wave가 흔함

• 말기에는 심실기능 저하로 CO과 LV-aortic pr. gradient 감소 (mean LA, PA, RV pr.는 증가)

• AF or AV dissociation 동반시에는 증상이 급격히 악화됨

• AV conduction system의 calcification도 동반 가능 → 전도장애 발생

3. 임상양상

• 3대 주요 증상
　① exertional dyspnea (m/c) : LVEDP↑ → LA pr. (PCWP)↑ 때문
　② angina pectoris : severe AS의 약 2/3에서 발생, CAD 동반도 드물지 않음
　③ syncope : 전신혈관저항 감소(저혈압), 부정맥 등에 의해 발생

• aortic orifice가 0.5 cm^2/m^2 이하로 감소해야 임상적으로 의미있는 증상 발생
　(severe AS라도 증상 없이 수개월간 지속 가능)

• 일단 증상이 발생하면 경과가 급격히 나빠짐

• 말기에 이르면 LV failure의 증상 (e.g., orthopnea, paroxismal nocturnal dyspnea, pul. edema),
　severe pul. HTN 및 Rt-HF에 의한 증상, AF, TR 등도 발생 가능

• MS가 동반된 경우 : MS에 의한 CO의 감소 → pr. gradient↓ → AS의 여러 증상이 감춰질 수

• AV calcification시 → hemolytic anemia, GI bleeding (∵ angiodysplasia) 발생↑

4. 진찰소견

- early systolic ejection click (aortic valve의 OS)
  - congenital noncalcific valvular AS의 소아/청소년에서 흔함
  - severe or calcified & rigid AS에서는 사라짐 (e.g., 노인)
- (mid) systolic ejection ⓜ : "crescendo-decrescendo", low-pitched, rough, rasping
  - heart base (우측 2nd ICS)와 흉골좌연(중간부위)에서 제일 크게 들림
  - 목 부위 (common carotid artery)로 radiation!
  - severe AS 때는 최소한 grade Ⅲ/Ⅵ 이상
- paradoxical splitting of S_2 : P_2가 A_2보다 먼저 발생 (∵ severe AS에서 LV systole이 길어져서)
- S_4 (atrial gallop) 현저 : severe AS에서 LVH, LVEDP↑를 의미
- S_3 : 말기에 LV dilatation시 발생
- systolic thrill (우흉골연 2nd ICS에서) : severe AS 때

Severe AS의 소견
1. Paradoxical splitting of A_2
2. Early systolic ejection click의 소실
3. S_4, systolic thrill
4. LV failure 소견 (e.g., 폐울혈 → rales)

- 동맥파(arterial pulse) : 맥이 작으면서 천천히 정점에 도달함(pulsus parvus et tardus)
- sustained apical impulse (특징!)
- systemic HTN은 드물다 (basal systolic BP가 200 mmHg 이상이면 severe AS는 R/O!)
- JVP : large a wave (∵ interventricular septum의 비대에 의한 RV compliance 감소 때문)

5. 검사소견

(1) EKG

- LVH, LV strain (ST-depression, T-wave inversion)
- obstruction의 심한 정도와 EKG 소견과는 밀접한 관련이 없음
  → EKG에서 LVH 소견이 없다고 severe AS를 R/O 하진 못한다

(2) chest X-ray

- 심장크기 : 정상 or 약간 확대 (∵ concentric LV hypertrophy)
  (확대 없는 hypertrophy시 → 심첨부가 둥글게 보임, LV cavity 감소)
- poststenotic dilatation of ascending aorta - severe AS
- AV (aortic valve) calcification (성인에서 calcification이 없다면 severe valvular AS는 아님을
  시사함. but, calcification이 severe AS를 의미하는 것은 아니다)
- 말기에는 LV, LA, RA, RV 등의 확장 및 폐울혈 발생 증가

(3) echocardiography

- 주요소견 ; LVH, 대동맥판 협착, calcification
- 동반된 다른 판막질환(e.g., MS, AR) 발견에도 유용
- TEE ; 좁아진 valve orifice 매우 잘 보임, bicuspid valve와 상행대동맥 확장 확인에도 유용

- doppler echo. (continuous-wave doppler) : AV 사이의 pr. gradient 측정
- <u>dobutamine stress echo.</u> : LV systolic dysfunction (EF <35%) 환자에서 severity 평가에 유용!
  (∵ low CO 환자는 AV가 완전히 안 열려서 AV area가 underestimation)

Severity	Jet velocity (V$_{max}$)	Mean pr. gradient (ΔP$_{mean}$)	Valve area	Valve area index
Mild AS	2~2.9 m/s	<20 mmHg	1.5~2.0 cm^2	
Moderate AS	3~3.9 m/s	20~39 mmHg	1.0~1.5 cm^2	
Severe AS ★	≥4 m/s	≥40 mmHg	<1.0 cm^2	<0.6 cm^2/m^2
Very severe AS	≥5 m/s	≥60 mmHg		

(4) catheterization
- LV와 aorta 사이의 systolic pr. gradient (LV pr. > aortic pr.), LVEDP 상승,
  PCWP (LA pr)에서 large *a* wave
- coronary angiography ; 대개 수술 예정인 severe AS 환자에서 시행하며, 아래의 경우 특히 <u>적응</u>
  ① AS 및 myocardial ischemia의 증상 존재, CAD 의심시
  ② multivalvular dz.
  ③ 젊고 증상이 없는 non-calcific congenital AS
  ④ sub- or supravalvular obstruction 의심시 (AV level이 아니라)

6. 경과/예후

- 증상 발현 이후 사망까지의 평균 기간 (AS에 의한 증상이 발생하면 경미하더라도 예후 급격히 나빠짐)
  ① angina, syncope : 3년
  ② dyspnea : 2년
  ③ <u>heart failure</u> : 1.5~2년 (가장 예후 나쁨!, 사망의 m/c 원인)
- AS로 인해 사망한 환자의 80% 이상은 증상 발현 기간이 4년 미만
- 급사(SCD) ; AS로 사망한 환자의 10~20% 차지, 평균 60세, 주로 부정맥 때문
  - 대부분의 SCD는 증상이 있는 AS 환자에서 발생
  - 증상이 없는 severe AS 환자에서는 매우 드물다 (매년 0.3%)
- obstructive calcific AS는 진행성으로 매년 valve area가 약 0.1 mm^2 씩 감소,
  mean pr. gradient는 약 7 mmHg 씩 증가됨

Severe AS 환자에서 나쁜 예후인자

Asymptomatic	Symptomatic
Exercise test 이상, BNP ↑	Low-flow, low-gradient, low-EF AS 환자에서
Moderate~severe valve calcification	contractile reserve 감소
Aortic velocity 매우 높음(>5 or 5.5 m/sec)	Mean pr. gradient 매우 낮음 (<20 mm Hg)
Aortic velocity가 빨리 증가	BNP ↑↑, 산소가 필요한 폐 질환
비후성 LV remodeling 증가	심한 ventricular fibrosis
LV longitudinal systolic strain 감소	쇠약, 심한 신부전
Myocardial fibrosis, Pulmonary hypertension	STS risk score 매우 높음

7. 치료

(1) 내과적 치료

- mild~moderate AS는 F/U : mild AS 3~5년, moderate AS 1~2년마다 심초음파
- HTN/CAD 치료제(e.g., β-blocker, ACEi) : 좌심실 기능이 보존된 무증상 환자에서는 대개 안전하지만, LV systolic dysfunction시에는 주의/금기 (∵ 심장기능을 저하시켜 심부전 유발)
- severe AS : 증상이 없어도 심한 육체적 활동은 제한, dehydration/hypovolemia (→ CO↓) 주의
- 수술을 하지 못하는 symptomatic severe AS 환자
  - 염분 섭취제한, 이뇨제, digitalis 등의 HF에 대한 치료
  - ACEi : 저혈압 발생에 주의하면서 저용량으로 사용 가능 (다른 vasodilators는 금기)
  - β-blocker : 심실기능을 저하시켜 LV failure를 유발할 수 있으므로 금기
- nitroglycerin : CAD 환자에서 흉통 완화에 도움
- AF or Af (severe AS의 10% 미만에서만 발생) → 즉시 치료해야(e.g., cardioversion)
  (∵ SV 유지에 atrial kick이 매우 중요하므로 심각한 저혈압 발생 위험)
- infective endocarditis (IE) 예방조치는 필요 없음 (이전에 IE 병력이 있을 때에만 시행)
- HMG-CoA reductase inhibitors (statins) : AS의 진행을 늦춘다고 하였으나, 전향적 연구 결과 AS 예후에는 영향이 없는 것으로 나타났음 → CAD의 1, 2차 예방을 위해서는 투여!
- volume overload HF 환자 : AVR 이전에 조심스럽게 이뇨제, dobutamine, nitroprusside, phosphodiesterase 5 inhibitor 등을 사용 → 증상 & 혈역학 호전 (→ 더 안전하게 수술 가능)

(2) 대동맥판 치환술(AV replacement, AVR)

- 증상이 없고 LV 기능이 정상인(EF >50%) severe AS 환자는 가능한 AVR을 연기하는 것이 좋음
  (∵ 수술 사망률 > SCD) → echo. 등으로 추적 관찰

AVR의 적응 ★	Severe AS		Moderate AS
	≥4	V_{max} (m/s)	3~3.9
	≥40	ΔP_{mean} (mmHg)	20~39
Symptomatic	O		LV dysfunction : LVEF <50%
Asymptomatic	LV dysfunction : LVEF <50% AVR 가능하면서... (*불가능하면 내과적 치료) Very severe AS [V_{max} ≥5, ΔP_{mean} ≥60] or Rapid progression (ΔV_{max} 3 m/s/yr 이상↑) 다른 심장수술(e.g., CABG) 시행시 Exercise treadmill test (ETT) 이상 (혈압↓ or exercise capacity↓)		다른 심장수술 시행시

- 가능하면 frank LV failure가 발생하기 전에 AVR하는 것이 좋음
- percutaneous transcatheter aortic valve implantation/replacement (TAVI, TAVR)
  - balloon-expandable valve, self-expanding valve 두 종류가 있음
  - 수술 위험이 높은 고령의 severe AS 환자에서 주로 시행하다가, 점점 적응이 넓어지고 있음
  - 기술이 발전하여 surgical AVR과 성적 동등하고, 내구성도 좋고, 시술 편의성도 좋아졌음
    (TAVI 이후 early stroke, paravalvular AR, heart block 등의 부작용 위험이 있지만, 점점 개선되는 중)
  - AVR 적응이면서 수술 중간 위험, 고위험, 초고위험(불가능) 환자군에서 시행 권장
- surgical AVR (SAVR) ; 과거 TOC였지만, TAVI로 많이 대치되어가고 있음 (유럽은 1/2 이상이 TAVI)

TAVI가 선호되는 경우	SAVR이 선호되는 경우
STS/EuroSCORE II ≥4%	STS/EuroSCORE II <4%
심한 동반질환 (위 지표에 포함되지 않은)	75세 미만
75세 이상	TAVI access에 부적합한 혈관
이전의 심장 수술	TAVI에 부적합한 AV 크기/형태
Transfemoral TAVI access에 적합한 혈관	Aorta or LV에 thrombi 존재
흉부 방사선치료의 후유증	CABG가 필요한 심한 CAD 동반 (→ 동시 수술)
Porcelain aorta, 심한 흉부 기형 or scoliosis	수술로 치유 가능한 심한 primary MV dz. 동반
Patient-prosthesis mismatch (PPM) 가능성	심한 TV dz. 동반
개흉술시 위험한 intact CABG 존재	Ascending aorta의 aneurysm
환자가 개흉술을 거부	Myectomy가 필요한 septal hypertrophy

* bicuspid aortic valve (BAV) ; AS or AR 합병 가능
  - AVR 예정시, 최대 상행대동맥 직경(end-diastole에 측정) 45 mm 이상이면 대동맥치환술도 시행
  - AV dz.가 없어도, 상행대동맥 직경 55 mm 이상이면 대동맥치환술 권장
  - 고위험군(e.g., CoA, 대동맥박리 가족력, 대동맥 크기↑[≥5 mm/yr])은 50 mm 이상시 권장

(3) percutaneous balloon aortic valvuloplasty (BAV, aortic balloon dilation)
  • 소아/청소년의 congenital, noncalcific AS 때는 수술보다 선호됨
  • 성인의 AS에는 효과가 떨어져 잘 안씀 (∵ 재협착↑↑)
  • AVR or TAVI 시행이 불가능한 경우 or 심한 LV dysfunction시 전단계(bridge)로 사용 가능
  c.f.) valvar PS에서는 balloon pulmonary valvuloplasty (BPV)가 TOC

■ 대동맥판 역류/폐쇄부전 (aortic regurgitation, AR)

1. 원인

(1) primary valve dz.
  • 약 3/4이 남성, MV dz.를 동반한 경우는 여성이 더 많음
  • rheumatic heart dz. (m/c, AR의 2/3) : isolated AR은 비교적 드뭄
  • VSD (약 15%에서 aortic cusp prolapse 발생)
  • congenital bicuspid AV, congenital membranous subaortic stenosis, congenital AV fenestration
  • ankylosing spondylitis, syphilis, myxomatous (prolapse), trauma ...
  * severe AS + AR은 거의 대부분 rheumatic or congenital AR

(2) primary aortic root dz. (aortic dilatation)
  • 일차적인 AV의 침범 없이 aortic annulus가 넓어진 것
  • aortic dissection
  • cystic medial degeneration ; Marfan syndrome, bicuspid AV, familial aneurysm
  • aortitis, severe HTN, osteogenesis imperfecta, syphilis, ankylosing spondylitis

■ acute AR ; infective endocarditis, aortic dissection, trauma, sinus Valsalva aneurysm rupture ...

2. 병태생리(chronic AR)

- MR과 달리 (높은 압력인 대동맥으로부터) 역류되는 양 많음 → 심장질환 중 volume overload 최대
- LV volume overload : LVEDV (preload) 증가 ⇨ <u>LV dilatation</u> (LV mass↑) ··· 주 보상기전
  - LV dilatation & hypertrophy로 인해 large SV 가능
  - total (forward + regurgitant) SV 증가 (→ LV ejection time↑ → diastolic time↓)
  - 따라서, severe AR에서도 effective forward SV 및 LV EF (total SV/EDV)는 정상일 수 있음
- LaPlace's law (wall tension = 압력×직경/벽두께)에 따라 LV dilatation이 심해지면 systolic wall tension (= afterload)↑ ··· LV preload와 afterload가 모두 증가 ⇨ eccentric hypertrophy
- compensated AR : 충분한 심실벽 비후로 정상 직경/벽두께 비율 유지 (wall tension 유지)
- AR이 장기간 심해지면 심실벽 비후가 더 이상 못 따라감 → wall tension 증가 (afterload ↑↑)
  ⇨ 좌심실 기능 감소 ; forward SV↓ & EF↓ ··· LVED(S)V↑↑↑ (cor bovinum황소심장)
  (LVEDP 증가는 아주 심하지 않음 = LV compliance↑)
- 말기에는 LA, PCWP, PA, RV 등의 압력도 크게 증가하며, 안정시에도 forward CO 감소
- myocardial ischemia (angina)의 발생 기전
  ① LV dilatation & systolic tension↑ → 심근의 산소요구량↑
  ② aortic diastolic pr. & time↓, CO↓ → coronary perfusion↓

	Acute AR	Chronic compensated AR	Chronic decompensated AR
LV size	N	↑↑	↑↑↑
LVEDV	↑	↑↑	↑↑↑
LVESV	N	N	↑↑
LVEDP	↑↑↑	N (~↑)	↑↑
LV contractility	N	N	↓
Total SV	↑ (∵ 역류)	↑↑ (∵ 역류)	↑ (∵ 역류)
Forward SV	↓	N	↓
EF	↑	↑~N	↓
BP (systolic/diastolic)	↑/↓~N	↑↑/↓	↑~↑↑/↓

3. 임상양상

- chronic AR은 장기간(10~15년) 증상 없이 지낼 수 있음
- 초기 증상 ; 불쾌한 심장박동 느낌, 심계항진 등 (누우면 심해짐)
- Lt-HF의 증상이 m/c ; exertional dyspnea, orthopnea, paroxysmal nocturnal dyspnea, fatigue
- anginal chest pain : severe AR에서 흔함 (AS보다는 드묾)
  - resting, exertional, nocturnal (심한 발한 동반 가능)
  - 오래 지속되며 sublingual NG에 반응이 안좋을 수도 있음
- 말기에는 전신체액저류로 인한 울혈성 간비대, 부종 등도 발생 가능

■ acute severe AR : LV가 확장될 시간이 없으므로, LVEDP↑↑ (→ LA pr.↑) & SV↓
  → 빠르게 pul. edema and/or cardiogenic shock 발생 가능

4. 진찰소견

(1) 동맥파(arterial pulse)

- wide pulse pressure (chronic AR) ; systolic pr.↑↑, diastolic pr.↓
  ① Corrigan's pulse : 급격히 상승했다가("water hammer" pulse) 떨어짐
  ② Quincke's pulse : 손톱 끝을 누르면 손톱 바닥에서 pulsation이 보임
  ③ Traube's sign : femoral A. 위에서 booming, "pistol-shot" sound 들림
  ④ Durozlez's sign : 청진기로 femoral A.를 누르면 to-and-fro ⓜ 들림
  ⑤ Hill's sign : femoral A.의 수축기압이 brachial A.보다 40 이상 높음
  ⑥ De Musset's sign : 심장 수축에 따라 머리를 끄덕임
- pulse pr.의 크기는 AR의 severity와 반드시 일치하지는 않는다
- pulsus bisferiens (이단맥)

(2) 청진 : "double murmur"

- A₂는 감소 or 소실, S₃와 systolic ejection sound는 흔함, 때때로 S₄도 들릴 수
- diastolic ⓜ : high-pitched, decrescendo type … 특징적인 AR의 ⓜ
  - Erb's point (좌측 3rd ICS)에서 잘 들림 (우흉골연에서 들리면 aortic root dilatation을 시사)
  - AR이 심할수록 ⓜ가 커지고 길어진다
  - ⓜ가 작을 때는 청진기의 diaphragm으로, 앉아서 몸을 앞으로 기울이고, 숨을 크게 내신 후 멈춘 상태에서 잘 들림
- mid-systolic ejection ⓜ : 보통 heart base에서 가장 잘 들림
- Austin Flint ⓜ : soft, low-pitched, rumbling, middiastolic or presystolic ⓜ
  - diastolic AR flow에 의한 MV의 진동으로 발생
  - apex에서 가장 잘 들림 … severe AR 때
  * AR의 ⓜ ┌ 증가 ; isometric exercise (e.g., handgrip), squatting
           └ 감소 ; amyl nitrate 흡입, Valsalva maneuver

(3) acute severe AR

- pulse pr.의 widening이 경미하거나 없음 (∵ LVEDP↑↑), tachycardia
- S₁은 약하거나 안 들림
- AR의 diastolic ⓜ : soft, short
- mid-diastolic sound (∵ MV가 빨리 닫히면서 나는 소리 ← LVEDP↑↑)

5. 검사소견

(1) EKG

- severe chronic AR ; LVH, LV strain (ST depression, T wave inversion)
- LAD and/or QRS prolongation → diffuse myocardial dz., poor Px.

(2) chest X-ray

- severe chronic AR ; 심한 LV dilatation ("황소 심장")
- primary aortic root dz. ; aortic dilatation 소견 → echo/CT가 더 정확

(3) echocardiography

- 좌심실(LV)의 확장, 수축력(SV) 증가
- AR flow에 의한 MV의 diastolic fluttering (특징적 소견)
  - severe AR : regurgitant volume ≥60 mL/beat (fraction ≥50%), diastolic MR
  - acute AR : MV의 premature closure
- color flow Doppler : AR의 발견 및 severity 평가에 유용

(4) cardiac catheterization & angiography

- AR 및 LV function의 정확한 평가
- AR의 심도자 소견
  - diastolic 때 LV pr. = arterial pr.
  - severe AR : early diastole 때 LV pr. > LA pr. (PCWP)
- 심한 경우 proximal descending thoracic aorta에서 diastolic flow reversal이 나타날 수 있음
- coronary angiography : 수술 예정인 환자에서 시행

AR Severity	Jet width (% of LVOT)	Vena contracta (VC)	Regurgitant volume (RV)	Regurgitant fraction (RF)	ERO** (cm²)	Angiography grade
Mild AR	<25%	<0.3 cm	<30 mL	<30%	<0.1	1+
Moderate AR	25~64%	0.3~0.6 cm	30~59 mL	30~49%	0.1~0.29	2+
Severe AR*	≥65%	>6 cm	≥60 mL	≥50%	≥0.3	3~4+

* Severe AR의 추가 소견; 근위 복부대동맥에서 holodiastolic flow reversal, LV dilation
** ERO: effective regurgitant orifice

6. 치료

(1) 내과적 치료 (chronic AR)

- 다른 판막질환들과 마찬가지로, 판막질환의 진행을 늦추거나 사망률을 낮추는 약물치료는 없음
- AS와 비슷하게, 증상이 없으면 severe AR도 장기간 생존하며, 증상이 발생하면 급격히 생존율↓
- 동반 HTN, CAD, 심방 부정맥 등의 심장질환은 각각 가이드라인에 따라 치료 권장
- 혈압조절이 중요함 : 목표 <140 mmHg
  - vasodilator (e.g., ACEi, DHP-CCB, hydralazine, nitrates) : afterload↓, BP↓
    → LV 기능 개선이나 AVR 시기를 늦출 수는 없지만, Sx↓ or 특히 AVR 전 안정화에 도움
  - nitrates는 angina 감소 효과는 없지만 사용 가능, β-blocker도 기능적으로 도움
- AVR/수술 필요하지만 불가능 or 거부 환자는 HF에 대한 강력한 약물치료
  ; 염분 섭취제한, 이뇨제, ACEi/ARB, β-blocker, 혈관확장제 등
- β-blocker, ARB : 젊은 Marfan's syndrome 환자에서 aortic root 확장 속도를 늦출 수 있음
- severe AR 환자는 (특히 다른 대동맥 질환 동반시) isometric exercise 금기
- infective endocarditis (IE) 예방조치는 필요 없음! (이전에 IE 병력이 있을 때에만 시행)

(2) 대동맥판 치환술(AV replacement, AVR)

- chronic AR은 LV dysfunction이 발생하기 전까지는 대개 증상이 없다
- 너무 오래 지연되면 AVR을 해도 정상 LV 기능을 회복 못하는 경우가 흔함
  → severe AR 환자가 증상이 없고, 좌심실 기능도 정상이면 최대한 수술(AVR)을 연기
  ; careful F/U with noninvasive test (echo.) 6개월 마다

AVR의 적응 ★	Severe AR	Moderate AR (stage B)
Symptomatic	O (stage D)	다른 심장수술 시행시
Asymptomatic (stage C)	LV dysfunction : LVEF <50% Severe LV dilation : LVESD >5 cm LVEDD >6.5 cm (low surgical risk) 다른 심장수술(e.g., CABG) 시행시	다른 심장수술 시행시 (아니면 F/U: 1~2년 마다 echo.)

*Stage C중 (severe AS라도) LVEF ≥50%, LVESD ≤5 cm, LVEDD ≤6.5 cm인 경우엔 F/U

- 대부분 surgical AVR (SAVR), TAVI는 아직 연구중 (수술이 불가능한 경우 고려는 가능)
- aortic annulus는 대개 AS 때보다 크기 때문에 큰 인공판막이 필요함
- aortic aneurysmal dilation도 동반된 경우에는 대동맥치환술도 같이 시행

■ **Acute severe AR**
- 좌심실 정상이어도 acute, severe volume overload를 감당하기 힘듦 ⇨ 24시간 이내 응급 수술!
- 수술 준비 중 IV inotropics (dopamine or dobutamine) and/or vasodilator (nitroprusside) 투여
- IABC 및 β-blocker는 금기 (∵ 혈역학적 불안정 초래 위험)

삼첨판 역류/폐쇄부전 (TR, tricuspid regurgitation)

1. 원인

(1) functional (secondary) TR (m/c) : 우심실 or TV annulus의 확장에 이차적으로 발생
- severe pul. HTN을 동반한 CHF or MS 말기
- IHD (e.g., inf. wall MI with RV infarct), DCM, cor pulmonale (COPD) ...

(2) organic (primary) TR
- infective endocarditis (primary TR의 m/c 원인)
- rheumatic fever (흔히 TS, MV dz.도 동반), RV (papillary muscles) dysfunction/infarction, TV prolapse, carcinoid heart dz., endomyocardial fibrosis, trauma ...
- congenitally deformed TV ; AV canal defect, Ebstein's anomaly ...

2. 임상양상

- Rt-HF의 증상/징후 (+ LV dysfunction 동반시엔 exertional dyspnea)
- systemic venous congestion
  - 경정맥 확장 : prominent **v** wave, rapid y descent

- 심한 hepatomegaly (→ RUQ pain), 간의 systolic pulsation
- ascites, edema, pleural effusion ...
- CO 감소 → fatigue, peripheral pulse 감소 ...
- pul. HTN 환자에서 TR 발생시 → 폐울혈 증상↓, Rt-HF 증상↑
  (LV dysfunction or MS가 원인인 경우 pulmonary rales 들릴 수 있음)
- prominent RV pulsation : 좌흉골연 따라
- blowing pansystolic ⑩ : 좌흉골 하연(4th ICS)
  ┌ inspiration시 증가
  └ expiration, standing, Valsalva maneuver시 감소

3. 검사소견/진단

- EKG ; RVE (e.g., inferior wall MI, severe RVH), 대개 AF도 동반됨
- chest X-ray ; RA & RV enlargement
- echocardiography ; RV enlargement, tricuspid leaflet prolapse
  - Doppler echo ; TR의 severity, PA pr. 측정 등에 유용
  - severe TR ; paradoxical IVS motion, hepatic vein systolic flow 역전

4. 치료

(1) pul. HTN이 없는 isolated TR ; 대개 잘 견딤, 수술 필요 없음
   (e.g., infective endocarditis, trauma)
(2) fuctional TR ; 원인 질환의 치료 (e.g., CHF, MS 치료)
(3) 수술 (e.g., annuloplasty, valvuloplasty, TVR)
   - severe organic TV dz.
   - RF에 의한 TV의 변형에 따른 severe TR (특히 심한 pul. HTN 없을 때)

판막질환	심잡음	심잡음 위치	흉부 X선 소견
MS	diastolic	심첨부	LA 확장
MR	systolic	심첨부	LA & LV 확장
AS	systolic	흉골우연상부	LVH
AR	diastolic	흉골좌연하부	심한 LV 확장
TR	systolic	흉골좌연하부	RA & RV 확장
PS	systolic	흉골좌연상부	RVH

11
심장 종양

종류

1. Primary cardiac tumors

Benign (>80%)	Malignant (약 20%)
Myxoma (m/c, 50%)	Sarcomas (대부분)
Lipoma	Lymphoma
Rhabdomyoma (소아에서 m/c)	
Fibroma	
Hemangioma	

2. Secondary cardiac tumors - 훨씬 흔함! (20~40배)

Direct extension	Venous extension	Metastatic spread
Lung ca. (m/c)	RCC	Leukemia
Breast ca.	Adrenal ca.	Lymphoma
Esophageal ca.	Liver ca.	Melanoma
Mediastinal tumors		

- 모든 종양이 심장에 전이 가능하며(1~20%), 전이의 상대 위험도는 malignant melanoma, leukemia, lymphoma 등에서 특히 높다
- 절대적인 빈도는 폐암(m/c), 유방암, 식도암 등이 가장 흔히 전이됨
- 침범 : <u>pericardium</u> (69%) > epicardium (34%) > myocardium (32%) > endocardium (5%) ...
  - ↳ 흉부 종양의 직접 침범으로 인해 가장 흔히 침범됨

점액종 (Myxoma)

1. 개요

- m/c primary (benign) cardiac tumor
- 40~50대 여성에서 호발 (남:여 = 1:3)
- 발생부위 ; <u>LA</u> (>80%) > RA > RV > LV

- 양성 종양 (→ 악성 변화 안 함), 크기는 1~15 cm (대개 4~8 cm)
- 약 90%는 <u>sporadic</u> ; 대부분 solitary, 주로 심방에 위치 (특히 LA), 수술 후 재발 드묾
- 나머지는 familial (AD 유전) 또는 여러 질환들과 복합된 syndrome 형태 (Carney complex)
  ; 젊은 연령에서 호발, multiple 흔함, 심실에도 위치, 수술 후 재발 흔함
  - myxomas ; 심장, 피부, 유방 등
  - lentigines and/or pigmented nevi
  - endocrine overactivity ; 부신피질질환(e.g., Cushing's syndrome), 고환종양, 뇌하수체선종 ...
- 병리 : gelatin 구조, glycosaminoglycans이 풍부한 기질과 myxoma cells로 구성

2. 임상양상

- mitral valve dz. 비슷한 양상 (m/c) : 특히 MS with "ball valve" thrombi
- systolic ⑩ (약 50%에서 들림) ; valves 손상, leaflets 이상, 종양에 의한 outflow 폐쇄 등 때문
- "tumor plop" : tumor가 움직임에 따라 들리는 diastolic sound (~15%에서 들림)
  → MS의 OS, diastolic rumbling ⑩ 등과 유사 (··· functional MS)
- 특징적으로 Sx & signs (e.g., dyspnea)은 자세에 따라 변하고, 간헐적이며, 갑자기 발생함
  (∵ 중력에 따라 tumor의 위치가 변하므로)
- systemic embolization (e.g., CVA)도 일으킬 수 있음 (약 30%에서)
- LV outflow obs. Sx. : ventricular myxoma에 의해 발생
- 전신증상도 흔함 ; fever, weight loss, cachexia, malaise, arthralgia, clubbing, Raynaud 현상,
  anemia, polycythemia, leukocytosis, platelet ↑/↓, ESR↑, CRP↑, globulin↑ ...

3. 진단

- echocardiography : screening에 유용 (TTE보다 TEE가 훨씬 정확)
- CT/MRI
- catheterization (angiography) : 대개 필요 없다! (오히려 embolism 위험)
- * MS와의 감별점
  ① systemic dz.의 소견을 보임
  ② OS 無
  ③ 체위변화에 따라 청진소견도 변화
  ④ LA에 echo-producing mass
  ⑤ angiography상 lobulating filling defect

- * D/Dx ; endocarditis, collagen vascular dz., noncardiac tumor ...

4. 치료/예후

- embolization or cardiovascular Cx. (SCD 포함) 위험이 있으므로 발견되면 바로 치료함
- 크기에 관계없이 surgical excision (cardiopulmonary bypass 하에)

• 재발 가능 → 평생 F/U 필요

$\begin{cases} \text{sporadic : } 1\sim2\% \ (\because \text{ inadequate excision}) \\ \text{familial : } 12\sim22\% \ (\because \text{ multifocal lesions}) \end{cases}$

• 약 26%의 환자에서는 수술 이후 심방 부정맥 or AV 전도 장애 발생 가능

기타 심장 양성 종양

1. 지방종(Lipoma)

• 2nd m/c benign cardiac tumor (8~12%), 남녀여, 모든 연령에서 발생 가능
• RA, atrial septum, LV 등에 호발
• MRI (다른 지방 조직과 같은 양상) ; T1-weighted images에서 high signal intensity
• 무증상이 흔하지만, 위치나 크기에 따라 다양한 증상/합병증 발생 가능(e.g., 부정맥 ~ SCD)
• 증상을 동반하거나 지속적으로 커지기 때문에 수술

2. 횡문근종(Rhabdomyoma)

• 소아의 m/c benign cardiac tumor, 대개 심실벽 or AV valves에서 발견됨
• 80~90%는 tuberous sclerosis (or tuberous sclerosis complex [TSC])와 관련, AD 유전
  └ TSC ; 뇌, 눈, 심장(48%), 폐, 간, 신장, 피부 등의 multiple benign hamartomas
• Sx. ; 대부분은 무증상, 일부 부정맥, HF ...
• 대개 나이가 들면 작아짐 (부정맥 등의 증상이 심한 경우에만 수술 고려) → F/U

육종 (Sarcoma)

• primary cardiac malignant tumor의 대부분을 차지, 30~40대에 호발
• angiosarcoma가 m/c (소아에서는 rhabdomyosarcoma가 m/c)
• 우측 심장에 호발, rapid growth & pericardial space invasion
• Sx. ; dyspnea (m/c), chest pain ...
• CT/MRI ; 비균일한 signal density
• 증상 발생시에는 약 29%에서 원격전이 존재 (폐가 m/c) → 수술 불가능
• 다른 sarcomas와 달리 예후 매우 나쁨 : 진단 후 평균 6~25개월 생존
• Tx. ; 가능하면 수술 + adjuvant CTx. (e.g., doxorubicin + ifosfamide)
• 모든 치료에 반응은 안 좋음 (예외 ; lymphosarcoma는 CTx + RTx에 반응)

MEMO

12
선천성 심장병(Congenital Heart Disease, CHD)

원인

(1) 비청색증형(non-cyanotic CHD)
- bicuspid aortic valve (m/c) : 전체 인구의 약 2%
- ASD : 성인에서 발견된 CHD의 약 1/3 차지
- VSD : 소아에서 m/c, 자연 폐쇄가 많아 성인에서는 덜 흔함
- 기타 ; PDA, CoA, ECD, PS ...

(2) 청색증형(cyanotic CHD)
- TOF : 성인에서 발견되는 m/c cyanotic CHD
- TGA (transposition of great arteries)
- 기타 ; tricuspid atresia, Ebstein's anomaly ...

L-to-R Shunt를 동반한 비청색증형 CHD

1. 심방중격(사이막)결손 (ASD, atrial septal defect)

(1) 개요
- 성인에서 발견된 CHD의 약 1/3 차지, 남:여 = 1:2~3
- 해부학적 위치에 따른 분류(type)
  ① ostium secundum (foramen ovale) defect : 중격 중앙 부위의 결손 (m/c, 65~75%),
     ASD의 약 3/4 차지, patent foramen ovale와 감별 어렵다
  ② ostium primum defect (15~20%) : 중격 하부(atrioventricular valves 주위)의 결손,
     Down syndrome에서 호발 (흔히 복합 심장기형의 일부로)
  ③ sinus venous defect (or SVC type, 5~10%) : 중격 상부(SVC 입구 부근)의 결손
  ④ coronary sinus defect : coronary sinus roof 결손으로 발생, 드묾,
- Lutembacher's syndrome = secundum ASD + acquired MS
- 해부학적 위치와 관계없이 ASD를 통한 L-to-R shunt에 의해 혈역학적인 변화 발생
  ① 우심장의 용적 과부하 → RV & RA의 확장
  ② 폐혈류의 증가 → 폐혈관의 확장

③ LV와 aorta의 크기 감소
- 소아 때는 증상 발생이 드물고, 대부분 성인이 되어 운동능력 저하로 나타나 나이 들수록 심해짐

(2) 진찰소견
- S_2의 wide & fixed splitting (∵ 호흡에 따른 좌우 CO의 변화 감소)
- midsystolic ⑩ : pulmonic area (흉골좌연 2~3 ICS)에서 (∵ relative PS)
- middiastolic rumbling ⑩ : 흉골좌연 4th ICS에서 (∵ TV 지나는 혈류량↑)
  - L-to-R shunt 자체에 의한 ⑩는 들리지 않음
- pul. HTN (폐혈관 저항 증가) 발생시 → Lt-to-Rt shunt 감소 (Qp/Qs 감소)
  → P_2↑, $A_2 \cdot P_2$ fusion, ⑩↓ (PR의 diastolic ⑩ 발생)

* primum type에서는 apical thrill, holosystolic ⑩

(3) EKG 소견
- RAD, incomplete RBBB (Rt. precordial lead에서 rSr'), RVH & RAE
- 30세 이후에는 atrial arrhythmia 발생 증가 (e.g., AF)
- primum type : LAD
- sinus venosus type : ectopic pacemaker, 1st-degree AV block

(4) chest X-ray
- cardiomegaly (RA & RV enlargement)
- 폐동맥 및 분지의 확장, 전반적인 폐혈관 음영 증가

(5) echocardiography
- PA, RV, RA dilatation / Lt→Rt shunt (Valsalva maneuver시 venous return 감소로 증가)
- RV volume overload → paradoxical IVS (interventricular septal) motion (anterior systolic or flat)
- MVP or MR 동반도 흔함
- TEE ; small shunt, patent foramen ovale 보는데 좋음 (TTE 소견이 애매하면 시행)

(6) catheterization
- SVC, IVC보다 RA의 O_2 saturation이 높음
- 진단이 불확실하거나, 심한 pul. HTN, 동반 기형, CAD 등 의심시 시행

(7) 경과/예후
- 1세 이후에는 자연 폐쇄 드묾, 5~15%는 20대에 pul. HTN or Eisenmenger synd.으로 사망
- ostium secundum 및 sinus venous type은 40대 이전에 사망하는 경우는 드묾
- 40~50대 이후 LV compliance↓ → Lt→Rt shunt 양↑ (HTN, CAD, 심근병증에 의해 더 악화)
  → 합병증 발생 증가(e.g., atrial arrhythmia, pul. HTN, MR, HF, respiratory tract infections)
- infective endocarditis의 위험은 매우 낮다 (∵ 압력차 작음)
  → 동반된 판막 질환이 없으면 예방적 항생제 투여 필요 없음!

(8) 치료
- surgical repair (or percutaneous transcatheter device closure [secundum ASD 환자 일부만])
- 적응 ⇨ significant ASD : pul./systemic flow ratio (Qp/Qs) >1.5 or RV volume overload
  (RA & RV enlargement) or 지속적인 증상 동반

- 소아에서는 2~5세 때에 수술하는 것이 m/g (RV volume overload 오래되어 HF 발생하기 전)
- 치료 안하는 경우
    ① small defect & 경미한 Lt-to-Rt shunt (Qp/Qs <1.5)
        (c.f., <u>paradoxical emboli</u>의 과거력이 있거나 예방이 필요한 경우엔 치료 권장)
        ↳ 정맥 내 혈전이 심장내 결손을 통해 전신 동맥 순환계로 들어가 embolism을 일으키는 것
    ② severe pul. HTN (pul. HTN 환자도 Qp/Qs >1.5 or 혈관확장제에 폐동맥이 반응하면 repair 권장)

2. 심실중격(사이막)결손 (VSD, ventricular septal defect)

(1) 개요
- 해부학적 분류
    ① perimembranous (m/c, 70%) : 자연 폐쇄될 확률 높음
    ② muscular/trabecular (20%) : 동양인은 드묾, 영아기에 HF 및 pul. HTN 심함
    ③ subarterial (5%) : 동양인에 많음(25~30%), AR 오기 쉬움
- 5~10%에서 우심실 유출로 협착(RV outflow tract obstruction) 동반
- 혈역학적 변화와 증상 발생은 VSD의 크기(shunt의 양)에 좌우됨

(2) 진찰소견
- harsh, pansystolic ⓜ : 흉골좌연 하부에서 잘 들림
- apical mid-diastolic rumbling ⓜ (∵ MV 지나는 혈류량의 증가로)
    → pul/systemic flow ratio (Qp/Qs) >2 임을 의미!
- P$_2$ (A$_2$) 항진, S$_2$의 splitting (∵ AV가 일찍 닫혀서)

(3) 검사소견
- EKG ; LVH, biventricular hypertrophy (small VSD에서는 정상)
- chest X-ray ; PA와 양심실 커져, "inverted comma sign", 폐혈관음영 증가
- echocardiography (Doppler) ; shunt의 크기와 PA pr. 측정 가능
- 심도자술 ; RV의 O$_2$ 농도↑ (RA보다 높음)

(4) 경과/예후
- 예후는 VSD의 크기와 폐혈관저항에 의해 결정됨
- 6세 이전에 약 90%가 자연 폐쇄됨 (small VSD에서 흔함), 이후 자연 폐쇄는 드묾!
    → 성인기에는 환자가 많지 않음, 성인에서 발견되면 대개 small or moderate VSD
- 심한 경우는 영아기에 심부전이나 반복되는 호흡기 감염으로 사망 (5%)
- large VSD 일부는 Eisenmenger syndrome (심한 폐혈관폐쇄, pul. HTN)으로 진행 → poor Px.
    - hemoptysis, exertional dyspnea, chest pain, syncope, Qp/Qs <1
    - Rt-to-Lt shunt에 의해 cyanosis, clubbing, erythrocytosis도 발생 가능

(5) 치료
- surgical repair (or percutaneous transcatheter device closure)
- 적응 : moderate~large defect (shunt), 비가역적 pul. HTN이 생기기전에 교정해야
    - pulmonary/systemic flow ratio (Qp/Qs) >2 & LV volume overload
    - 폐동맥압/저항이 전신동맥압/저항의 2/3 미만이면 Qp/Qs >1.5

- infective endocarditis의 병력 (Qp/Qs에 관계없이)
- 심내막염의 병력이 없는 small VSD에서 Qp/Qs 1.5 미만이면 수술 권장 안됨
- 비가역적 심한 pul. HTN은 (Rp/Rs >0.7 or Rt→Lt shunt) 수술 불가능
  (∵ 수술 후 pul. HTN에 의한 Rt–HF 악화)
- infective endocarditis (<1%) : AR 등 다른 합병증 동반시엔 발생 위험 증가 → 예방적 항생제
- isolated noncomplicated VSD or 수술로 잘 교정된 경우 예방적 항생제 투여는 필요 없음

3. 동맥관 개존/열림증 (PDA, patent ductus arteriosus)

(1) 개요

- 출산후 정상적으로 폐쇄되어야 할 동맥관(ductus arteriosus, DA)이 막히지 않아
  aorta → DA (→ PA)로의 shunt 발생
- 발생↑ ; 고산지대, 미숙아나 산모의 풍진 감염
- L→R shunt 크기에 따라 분류

  ┌ silent ; 검사(대개 echo.)를 통해서만 발견되는 tiny PDA
  │ small ; continuous ㎜ 흔함, Qp/Qs <1.5
  │ moderate ; continuous ㎜ 흔함, Qp/Qs 1.5~2.2
  │ large ; continuous ㎜ 들릴 수, Qp/Qs >2.2
  └ Eisenmenger syndrome ; continuous ㎜ 無, 심한 pul. HTN, differential hypoxemia/cyanosis

(2) 진찰소견

- bounding (= water hammer) pulse, wide pulse pressure
- continuous machinery ㎜ : 흉골좌연 상부에서 … 가장 큰 특징!
  (pul. HTN시에는 diastolic ㎜는 사라지고, systolic ㎜만 들리거나 들리지 않을 수, P₂↑)
- systolic ejection ㎜ : heart base에서
- diastolic decrescendo ㎜ (∵ pul. insufficiency로 인해)

(3) 임상양상

- PDA의 크기가 큰 경우 피로감, 호흡곤란, 두근거림 등의 증상 발생
- differential cyanosis : 심한 pul. HTN시 shunt가 역전(R→L)되어, 손가락은 정상이지만
  발가락의 cyanosis & clubbing 발생 ("Eisenmenger syndrome")
- chest X-ray ; LA, LV, PA enlargement, 폐혈관음영 증가
- 사인 ; infective endocarditis, HF, pul. HTN (치료하지 않으면 40세 이전에 약 1/3이 사망)

(4) 치료/경과

- 성인에서.. 교정하지 않으면 infective endocarditis의 위험이 높음 → 예방적 항생제
- (small 이상 크기면) 가능한 빨리 교정 !! … 대부분 transcatheter device closure 시행
  - 비가역적 심한 pul. HTN (Rt→Lt shunt) 있으면 금기
  - 수술 ; device closure가 어려운 매우 큰 or 복잡한 PDA의 경우
- 교정 이후에도 shunt 남아 있으면 예방적 항생제 필요 (silent or small PDA는 필요 없음)

■ Eisenmenger syndrome

- large VSD, PDA, ASD 등에서 large Lt-to-Rt shunt에 의한 결과로 severe pul. HTN이 발생하여 shunt가 Rt-to-Lt or bidirectional로 역전된 것
- 임상증세가 호전되었다가, 다시 CHF의 증상 발생 ; exertional dyspnea, syncope, chest pain, cyanosis, digital clubbing, hemoptysis, polycythemia, hyperuricemia, bleeding diathesis ...
- JVP ; prominent *a* wave (PR 발생시엔 *v* wave)
- P₂ 증가, RVH (Lt. parasternal heaving)
- TR의 ⑩ 흔하나, RVF 발생하면 carvallo's sign (흡기시 ⑩ 증가) 사라짐
- Graham-steell ⑩ ; blowing diastolic ⑩ (∵ PR)
- EKG ; RAE, RVH, RAD
- CXR ; RV, RA, PA 확장, hilar vascular marking 증가, peripheral marking은 감소
- 비가역적, 특별히 효과적인 치료법이 없고 수술 금기!
- 내과적 치료 ; oxygen, prostacyclin, endothelin receptor antagonist (bosentan), phosphodiesterase inhibitor (sildenafil)
- 이식 ; lung transplantation + intracardiac defect repair, total heart-lung transplantation

4. Aortic root to right heart shunts

(1) Valsalva sinus aneurysm

- aortic root의 base에 3개의 sinuses 존재
  - right coronary sinus (65%)
  - left coronary sinus (드묾)
  - non-coronary sinus (25%)
- sinus wall이 약해지면 aneurysm 발생
- "rupture" or fistula ; Rt. heart 쪽으로 발생하는 것이 특징
  - 보통 20~30대에 발생, 심한 운동 후에 종종 발생
  - 갑자기 chest pain, dyspnea, bounding pulse, loud & continuous ⑩, thrill 등
  - CXR ; cardiomegaly, shunt vascularity, pul. venous congestion
  - Dx ; echocardiography, catheterization, aortography 등
  - Tx ; 응급 수술

(2) coronary arteriovenous fistula

- coronary artery와 다른 cardiac chamber (e.g., coronary sinus, RA, RV) 사이의 교통
- 흉골 중하부에서 loud, superficial, continuous ⑩
- shunt가 크면 coronary steal syndrome 발생 ; ischemia, angina, ventricular arrhythmias

(3) anomalous origin of Lt. coronary artery from pul. trun

Shunt를 동반하지 않은 비청색증형 CHD

1. 대동맥 축착 (coarctation of the aorta, CoA)

(1) 개요
- 대동맥이 좁아진 것, 대부분은(98%) Lt. subclavian artery 기시부의 바로 아래에서 발생
- 대부분 선천성 (CHD의 4~6% 차지), 남>여 (6:4), 대부분 sporadic
- gonadal dysgenesis 잘 동반 (Turner syndrome 환자의 약 ~30%에서 CoA 동반)
- 임상양상은 obstruction의 위치/정도, 동반 심장기형(bicuspid aortic valve [BAV]가 m/c [~50%])
  에 따라 정해짐, renal hypoperfusion에 의한 renin 상승도 혈압 상승에 일부 기여함

(2) 임상양상
- 대부분의 성인은 증상이 없는 경우가 많음 (고혈압으로 진찰 중 우연히 발견)
- 두통, 코피, 사지의 저온증, 운동시 호흡곤란/claudication
- 상지 BP↑ (대개 우측>좌측) / 하지 BP↓, pulse의 지연 또는 심한 감소/소실
- 상체의 발육이 하체보다 좋음
- midsystolic ⓜ : 흉골좌연 및 등(interscapular area)에서 잘 들림
  (lumen이 좁아지면 continuous ⓜ로 될 수도 있음)
- collateral vessels에 의한 systolic & continuous ⓜ가 흉벽 측면에서 들릴 수도 있음
- 합병증 (주로 severe HTN에 의해) ; cerebral aneurysm/hemorrhage, aortic dissection and/or
  rupture, premature CAD, LVF, infective endocarditis ...

(3) 검사소견
- EKG ; LVH, 진행되면 LAE
- chest X-ray
  - "3 sign" : coarctation 부위의 indentation, pre- & poststenotic dilatation
  - rib notching (∵ collateral vessels의 박동에 의한 erosion으로) → CoA에 specific
- echo. ; CoA를 확인하기는 어려움 (TEE는 가능), 주로 동반 질환(e.g., BAV) 확인 위해
- **3차원 CT or MRI angiography** : obstruction 및 collateral vessels의 길이/중증도 확인
- aortography : CoA 전후의 압력차 측정, intervention (balloon or stent) 예정인 경우 시행

(4) 치료
- 적응 : CoA 전후의 최대 압력차가 20 mmHg 이상인 경우
       (20 mmHg 미만이라도 영상검사에서 현저한 collateral flow가 동반된 심한 CoA인 경우)
- 수술 (e.g., resection & end-to-end anastomosis)
  - 40세 이후에는 수술 후에도 약 50%에서 HTN이 지속됨
  - 수술 후 HTN 지속 여부는 수술 전의 HTN 기간과 관련 (c.f., 소아라면 가능한 어릴 때 수술)
- percutaneous catheter intervention : 수술 후 재협착시 or 초치료로 이용 증가 (성인에서)

2. Congenital aortic stenosis (AS)

3. Pulmonary stenosis (PS)

- 드물며, 대부분 판막의 선천성 기형으로 인해 발생 ; bicuspid, uni-/acommissural, dysplastic PV
  - Noonan syndrome (dysplastic PS), tetralogy of Fallot, Williams syndrome 등에서도 동반 가능
  - 후천적; rheumatic heart dz. (PV 침범은 매우 드묾), carcinoid syndrome, tumors 등
- 대개 무증상으로 지내다가 성인기에 진단되는 경우가 많음, 대부분 양호한 경과, Rt-HF는 드묾
  (심한 협착의 경우 운동시 흉통/실신 가능, 돌연사는 극히 드묾)
- systolic crescendo-decrescendo ejection ⓜ : 흉골좌연 상부에서 잘 들림
  (c.f. 기타 흉골좌연 상부에서 들릴 수 있는 ⓜ ; ASD, PDA, subarterial VSD)
- 흉골좌연에서 RV impulse, 흉골좌연 상부에서 systolic thrill도 촉지될 수 있음
- 심장초음파 (또는 우측 심실 조영술)에서 RA 및 RV의 확장, RV pr.↑
- 치료 (balloon valvotomy/valvuloplasty) : RV와 폐동맥의 수축기 압력차가 40 mmHg 이상이거나,
  RV 수축기 압력이 50 mmHg 이상인 경우

청색증형 CHD

1. Tetralogy of Fallot (TOF)

- 성인에서 발견된 cyanotic CHD의 m/c 원인 (CHD의 5~7%)
- 구성 (해부학적 특징)
  ① large VSD
  ② aorta가 LV + RV (interventricular septum)에 걸쳐있음(overriding)
  ③ RV outflow tract (RVOT) obstruction (pulmonary stenosis) ⇨ R→L shunt
  ④ RVH (∵ 위 ①, ②, ③ 때문)
- 혈역학적 변화와 임상양상은 RVOT obstruction (PS)과 VSD의 크기에 좌우됨
- 임상양상
  - RVOT obstruction이 심할수록 폐동맥 혈류↓↓ → VSD를 통해 다량의 비산소화된 혈액이
    전신으로 순환됨 → cyanosis, erythrocytosis, hypoxemia 등 발생
  - 운동을 한 다음에 웅크리고 앉는 특징적인 자세를 취함
  - 심부전은 잘 안 생김
  - P_2 감소, single & large S_2
  - systolic ejection ⓜ : PS 때문, 흉골좌연에서 (VSD에 의한 ⓜ는 안 들림!)
- EKG ; RAD, RVH
- chest X-ray ; 정상 크기의 장화 모양("boot-shaped") 심장, 폐혈관음영 감소
- 합병증 ; infective endocarditis, paradoxic embolism, 심한 erythrocytosis, coagulation defect,
  cerebral infarction/abscess ...
- 치료 : 수술적 교정 (수술 안 하면 1/2 이상이 5세 이전에 사망)

2. Ebstein's anomaly

- 특징 ; 삼첨판(TV)이 정상보다 아래쪽(RV apex 쪽)에 붙어 있음 (→ 대부분 TR 발생)
  → 우측 심장이 RA, atrialized RV, true RV의 3부분으로 나뉨
- 약 80%에서 ASD or patent foramen ovale 동반 (→ R→L shunt 발생)
- EKG ; RAE, giant P wave, RBBB, WPW syndrome (약 20%에서) ...
- CXR ; 크고 둥근 심장, 폐혈관음영 감소
- echocardiography
  - 삼첨판(TV)의 전위 (→ TV와 MV의 비정상적인 위치 관계)
  - RA enlargement, TR, R→L shunt
- 치료 ; TV repair (or replacement) 및 동반 기형, 부정맥의 교정 등

3. 폐동정맥기형 (pulmonary arteriovenous malformation, PAVM)

- 폐의 동맥과 정맥이 직접 연결 (폐내 Rt→Lt shunt) → hypoxia, dyspnea, hemoptysis, cyanosis, clubbing, paradoxical embolism (말초 정맥의 색전이 전신 순환으로 넘어가 뇌경색 발생 가능)
- 진단 – agitated saline contrast echocardiography (Rt→Lt shunt 확인)
  ; 정맥으로 agitated saline을 주입하여 미세기포를 생성시킨 뒤 좌심실(LV)에서 관찰
  ┌ 미세기포(agitated saline bubble)는 폐에서 흡수되어 LV에서는 안 보여야 정상
  └ 3~5회 심박동 이내에 LV에 나타나면 심장내 shunt, 6회 이후에 나타나면 폐내 AV shunt
- 기타 CT, MRI, pul. angiography 등으로도 진단 가능
- 치료 ; 수술로 기형 부위를 제거 (일부에서는 transcatheter intervention도 시도 가능)

13
대동맥 및 혈관 질환

■ **대동맥류/대동맥자루 (aortic aneurysm)**

1. 개요

- 정의 : 대동맥 내강이 정상의 1.5배 이상 비정상적으로 확장된 것
  - true aneurysm : 혈관벽의 3층이 모두 확장된 것
  - pseudoaneurysm (false aneurysm) : 내막/중막이 파열되어 터져나온 혈액이
    외막에 의해 벽이 유지되는 것으로 실제 aneurysm은 아님
- 형태에 따른 분류
  - fusiform (m/c) : 혈관 둘레 전체를 침범 (→ 광범위하게 확장됨)
  - saccular : 혈관 둘레의 일부만 침범 (→ 일부만 삐져나옴)
- 위치에 따른 분류
  - ascending aorta (sinus of Valsalva 포함)
  - aortic arch
  - descending thoracic aorta (thoracoabdominal aneurysm)
  - abdomen (m/c) : 대부분 renal artery 아래에서 발생
  - c.f.) 흉부 대동맥류는 평균 1년에 4 mm, 복부 대동맥류는 3 mm 정도 커짐

2. 원인/위험인자

(1) atherosclerosis (m/c) : 3/4이 distal abdominal aorta를 침범
  - 원위부로 갈수록 atherosclerosis가 원인인 경우 증가
  - 복부 대동맥류의 경우 대부분 atherosclerosis가 원인
(2) cystic medial necrosis : 특징적으로 proximal aorta를 침범
  - 예 ; Marfan's syndrome, Ehlers-Danlos syndrome, 판막질환, 임산부, HTN
  - 대동맥류 환자의 약 20%는 가족력을 보임
(3) infections ; TB, syphilis, mycotic aneurysm
(4) vasculitides ; Takayasu's arteritis, giant cell arteritis, ankylosing spondylitis,
    RA, PsA, relapsing polychondritis, Reiter's syndrome, Behçet's dz. ...
(5) trauma : descending thoracic aorta를 가장 흔히 침범
(6) congenital ; primary or secondary (e.g., bicuspid AV, CoA)
(7) chronic aortic dissection

3. 흉부 대동맥류 (thoracic aortic aneurysm, TAA)

(1) 개요

- ⌈ ascending aorta : cystic medial necrosis가 m/c 원인
  ⌊ aortic arch & descending aorta : atherosclerosis가 m/c 원인
- 성장속도 : 0.1~0.2 cm/yr (Marfan syndrome 및 aortic dissection에서는 더 빠름)
- 파열 위험 : 크기 및 증상과 관련 (직경 <4.0 cm 이면 2~3%/yr, >6.0 cm이면 7%/yr)

(2) 임상양상

- 대부분은 무증상 (→ 검사중 우연히 발견되는 경우 많다)
- 흉통, 호흡곤란, 기침, 쉰소리, 연하곤란 등 (∵ 인접 조직의 압박/미란)
- ascending aorta 침범시
  ⌈ AR → CHF 발생 가능
  ⌊ SVC 압박 → 머리, 목, 상지 등의 울혈 발생 가능

(3) 검사소견/진단

- CXR ; mediastinum의 확장, 기관 또는 좌측 주기관지의 전위/압박
- echo. ; 특히 TEE가 유용
- CT/MRI/aortography ; 흉부 대동맥류 진단/평가에 sensitive & specific

(4) 치료

- 내과적 치료
  ① β-blocker : 동맥류의 팽창 속도를 감소시킴 (특히 Marfan's syndrome에서)
  ② 혈압 조절을 위해 다른 항고혈압제도 반드시 투여
     (e.g., ACEi/ARB는 Marfan 환자에서 동맥류 팽창 속도를 감소시킴)
  ③ statin : 예후 향상에 도움 (∵ matrix metalloproteinases와 plasminogen activator 억제)
- 시술(repair)의 적응증
  ① 증상이 있거나 파열된 TAA : surgical repair
  ② 증상이 없는 TAA (bicuspid AV 포함) : 직경 ≥5.5 cm or 성장속도 >0.5 cm/yr
     - bicuspid AV 환자에서 AVR 시행시엔 직경 >4.5 cm
     - Marfan's syndrome 환자는 직경 ≥5.0 cm (고위험군*은 직경 ≥4.5 cm)
        *고위험군 ; dissection의 가족력, progressive AR, 성장속도 >0.5 cm/yr
     - degenerative (sporadic) descending TAA : 직경 ≥6.0 cm
        (endovascular repair는 증상이 없고 직경 ≥5.5 cm면 고려 가능)
     ⌈ ascending TAA → open surgical repair (OSR) : prosthetic graft
     ⌊ descending TAA → OSR or endovascular repair

4. 복부 대동맥류 (abdominal aortic aneurysm, AAA)

(1) 임상양상

- 남자에서 더 흔하며, 90% 이상이 atherosclerosis와 관련
- 대부분 renal artery 아래에서 발생 (infrarenal aneurysm)

- 대부분 증상이 없어서 진찰/검사시 우연히 발견되는 경우가 많음
  - palpable, pulsatile, nontender mass
  - 대동맥류 커지면 통증/압통 동반 가능 (→ 파열 위험 → 내과적응급)
- 예후는 동맥류의 크기 및 동반 CAD or CVA의 severity와 관련

(2) 합병증

- rupture (m/c) → severe back/abdominal/flank pain, hypotension
  - 선행 증상 없이 갑자기 발생하는 경우가 더 흔함
  - 파열(rupture) 위험은 동맥류의 크기와 비례 (여성이 좀 더 높음)
  - 5년 뒤 파열 확률 : 직경 <5 cm이면 1~2%, >5 cm이면 20~40%
- diatal embolization (∵ mural thrombi) → 하지 동맥 폐쇄 위험
- aortoenteric/aortocaval fistula
- infection
- chronic consumptive coagulopathy

(3) 검사소견/진단

- abdominal X-ray : 75%에서 동맥류 벽의 calcification 소견 (달걀 껍질 모양)
- ultrasonography : aneurysm et mural thrombi의 확인, F/U에 유용
  ⇨ US를 이용한 복부 대동맥류 screening 권장 대상
    - 흡연력이 있는 65~75세 남성
    - 복부 대동맥류 환자의 형제/자녀
    - 흉부 대동맥류 or 말초 동맥류 환자
- CT (with contrast) 및 MRI : 대동맥류의 위치/크기를 정확히 진단, 치료 방침 결정에 도움
- aortography : 약간의 부작용 위험, mural thrombi에 의해 내강이 실제보다 작아보일 수 있음

(4) 치료

- 직경 5.5 cm 미만이고 증상이 없는 경우는 내과적 치료 & 6~12개월 마다 CT F/U
  (c.f., 심한 동반질환으로 기대 수명이 2년 미만인 경우에는 5.5 cm 이상이라도 repair or F/U 안함 권장)
- 내과적 치료
  - β-blocker : 수술 전후 이환율/사망률을 감소시킴
  - β-blocker를 포함한 항고혈압제들의 AAA expansion(팽창) 감소 효과는 거의 없음
  - AAA 환자는 coronary equivalent로 고려해 statin 및 aspirin도 투여 (∵ 심혈관 예후 향상)
- 시술(repair)의 적응증
  ① (증상이 없어도) 직경 ≥5.5 cm (여성은 >5 cm)
  ② 크기가 빨리 커질 때(>1 cm/yr or >0.5 cm/6months)
  ③ 동반질환; iliac/femoral/popliteal artery aneurysms, symptomatic peripheral artery dz. 등
  ④ 증상(복통, 압통) 또는 합병증 발생
- open surgical repair (OSR) : excision & prosthetic grafting (인조혈관)
  - 수술 사망률 : 약 1~2% (rupture시 응급수술 때는 45~50%)
  - 수술 고위험군 ; CAD, CHF, 폐질환, DM, 고령
- endovascular aortic aneurysm repair (EVAR) : stent graft … 미국은 80% 이상에서 시행됨
  - 개복수술의 위험이 높은 환자에서 해부학적으로 적합하면 시행 고려

- 개복수술 대비 단기 이환율/사망률은 낮고, 장기 사망률은 비슷함, 합병증은 더 많음
- 시술 1개월, 6개월, 이후 매년 CT로 F/U 필요 (∵ endoleaks 등의 합병증 감시)

┌ access site Cx. (9~16%) ; hematoma (m/c), distal embolization, dissection, AV fistula ...
└ graft Cx. (16~30%) ; endoleak (∵ inadequate fixation), graft migration, vascular injury,
　 endograft component separation, stent fracture, graft 꼬임/접힘, infection ...

■ 대동맥 박리 (aortic dissection)

1. 개요

- 정의 : 대동맥의 내막이 찢어지고 혈류에 의해 내막과 중막이 박리되면서 false lumen을 만든 것
　(대부분 혈류 방향과 동일하게 박리가 일어나지만, 드물게 역행성 박리도 발생 가능)
- 응급상황이므로, 시간당 치사율이 약 1%
- 내막 파열(intimal tear)의 호발부위
　┌ ascending aorta의 Rt. lateral wall
　└ ligamentum arteriosum 바로 아래의 descending thoracic aorta
- aortic dissection의 variants
　① intramural hematoma (IMH) : AAS의 10~20% 차지 (동양인에 더 흔함)
　　 - intimal flap (tear) or false lumen이 없음, 맥관벽혈관(vasa vasorum)의 파열 때문
　　 - descending thoracic aorta에서 호발 (60~70%) → dissection or rupture로 진행 가능
　　 - 임상양상 및 치료는 classic aortic dissection과 유사함
　　　(but, 좀 더 고령에서 발생, descending aorta 침범이 더 흔함)
　② penetrating atherosclerotic ulcer (PAU) : AAS의 2~7% 차지
　　 - 대개 한 곳에 국한되며 넓게 퍼지지 않음, 주로 descending thoracic aorta의 중하부에서 발생
　　 - 심한 동맥경화증이 원인, intramural hematoma를 동반하는 경우도 흔함
　　 - pseudoaneurysm, aortic rupture, late aneurysm 등으로 진행 가능

⇨ aortic dissection, aortic intramural hematoma, aortic ulcer, aortic rupture 등을 함께
　"acute aortic syndrome (AAS)"으로 통칭하기도 함

Normal

Dissection

IMH

PAU

2. 분류

(1) DeBakey clasification

- type Ⅰ : ascending aorta에서 intimal tear가 발생해서, descending aorta까지 침범된 것
- type Ⅱ : ascending aorta에만 국한된 것 (subclavian A. 기시부 이전까지)
- type Ⅲ : descending aorta에서 intimal tear가 일어나, 아래쪽으로 박리된 것
    (IIIa : descending aorta에 국한, IIIb : abdominal aorta 이하까지 침범)

(2) Stanford classification

- type A (proximal dissection) : ascending aorta를 침범 (type I, II) ⋯ 2배 더 흔함
- type B (distal dissection) : descending aorta를 침범 (type III)

(3) clinical

- acute : 박리 발생 2주 이내
- chronic : 2주 이후

3. 원인/위험인자 (대동맥류와 비슷)

(1) HTN (m/c, 70%), 고령
(2) cystic medial necrosis (e.g., Marfan's syndrome, Ehlers-Danlos syndrome)
(3) inflammatory aortitis (e.g., Takayasu's aortitis, giant cell arteritis)
(4) congenital anomalies (e.g., bicuspid aortic valve, CoA, PDA)
(5) penetrating atherosclerotic ulcer
(6) 기타 ; 임신 (3rd trimester), 대동맥 외상/수술, cacaine 중독 ...
c.f.) Marfan's syndrome에서 발생할 수 있는 심장질환 ; dissecting aneurysm, AR, MVP

4. 임상양상/합병증

- 50~60대에 호발, 남:여 = 2:1
- pain (m/c) : 갑자기 시작된 극심한(찢어지는 듯한) 통증으로 수시간 이상 지속
    - 위치 : 앞가슴 또는 등 (견갑골 사이가 흔함)
    - migrating pain : 대동맥 박리의 진행 경로와 관련
- syncope, dyspnea, diaphoresis, weakness ...
- hypertension or hypotension, pulse 소실 or 말초 pulse/BP의 비대칭성
- 관련된 동맥의 침범(폐쇄)에 의한 증상
    - 신경학적 증상 ; 편마비 (경동맥 폐쇄), 하반신 마비 (척수 허혈)
    - 기타 ; 맥박 소실, 장 허혈, 혈뇨, 심근 허혈 ...
- 인접 구조물 압박에 의한 증상 ; Horner's synd, SVC synd, hoarseness, dysphagia, dyspnea 등
- acute AR : proximal dissection의 50% 이상에서 발생 가능
    : diastolic ⑩, bounding pulse, wide pulse pr., CHF (pul. edema) ...
- hemopericardium & cardiac tamponade : proximal dissection의 약 20%에서 발생 가능
    : 저혈압, 실신, 의식저하 ...
- 드물게 AMI를 동반 가능 (∵ 관상동맥 기시부로 dissection될 경우)

5. 검사소견/진단

(1) chest X-ray : sup. mediastinum의 확장, 대동맥 음영의 확대, pleural effusion

(2) EKG : AMI를 R/O하기 위해 시행

(3) echocardiography : 신속하고 간편, 혈역학적으로 불안정한 경우에도 유용
- TTE : sensitivity 60~85%, aortic arch 및 descending thoracic aorta는 제대로 관찰할 수 없음
- TEE (transesophageal echo.)
  - ascending & descending thoracic aorta의 dissection 진단에 매우 유용
  - intimal flap/tear, false lumen을 정확하고 안전하게 진단 가능
  - ascending thoracic aorta의 윗부분과 aortic arch의 일부를 제대로 관찰할 수 없음
    → 다면식 경식도심초음파(multi-plane TEE)로 극복 가능
- pericardial effusion 및 판막기능(e.g., AR)도 확인 가능 → 수술 전 반드시 TEE 시행

(4) contrast-enhanced CT, MRI : 매우 정확 (sensitivity & specificity >90%)
- intramural hematoma나 penetrating ulcer도 발견 가능
- MRI : blood flow의 방향도 알 수 있음 (but, 응급상황에서 빨리 시행하기 어려운 단점)

(5) aortography : CT/MRI보다 정확도가 떨어져 잘 이용 안함

* 진단 : 임상양상과 false lumen & intimal flap의 영상학적 증명
　(신속하게 시행 가능한 CT, TEE가 진단방법으로 선호됨)

* D/Dx : ACS (UA, AMI), pericarditis, PE (pul. embolism), acute AR, aortic aneurysm,
　mediastinal tumors ...

6. 치료

(1) 내과적 치료

- 심박동수(PR)와 혈압(BP)을 동시에 낮추어야! (초기 치료원칙) → 대동맥부하(dP/dt) 감소
  ① PR↓ : 60 bpm 이하로 유지
  - IV β-blocker (propranolol, metoprolol, esmolol)
  - 반감기가 짧은 esmolol이 선호됨
  ② BP↓ : systolic BP를 100~120 mmHg로 유지
  - IV labetalol (α- & β-blocker) : 단독으로도 사용 가능!
    (→ 혈압, 심근수축력을 동시에 낮추어 단일 약제론 DOC)
  - IV nitroprusside : SBP 120 mmHg 이상이면 (반드시 β-blocker 먼저 투여!)
  - IV CCB (verapamil, diltiazem) : nitroprusside, β-blocker, labetalol 등을 사용 못할 때
  - IV ACEi (e.g., enalaprilat) : refractory HTN시에 유용
- 저혈압의 경우 → norepinephrine or phenylephrine 사용 (dopamine은 dP/dt를 증가시킴)
- pain control : morphine, fentanyl

내과적 치료의 적응
1. Uncomplicated distal (type B) dissection
2. Uncomplicated chronic proximal (type A) dissection
3. Aortic arch에 국한된 stable dissection

⇨ 6~12개월 마다 CT/MRI로 F/U

- 사용하면 안 되는 drugs (금기) ★
  ① direct vasodilator (diazoxide, hydralazine) : 대동맥부하(dP/dt)를 증가시켜 dissection 악화
  ② α-blocker : reflex tachycardia 유발   ③ fibrinolytics : 심각한 출혈 유발 위험
- uncomplicated distal (type B) dissection은 내과적 치료를 먼저 시도하고, 추후 적응이 되면 수술
- chronic proximal (type A) dissection도 적합한 경우에는 수술이 권장됨
  (특히 5.5 cm 이상의 ascending aortic aneurysm, AR, 증상이 있는 경우 등)

(2) 수술(repair)

수술의 적응증 ★

1. <u>Acute proximal dissection</u> (type I & II / type A)의 모든 예 ⇨ 응급 수술

2. 합병증을 동반한 distal dissection (type III / type B)
   ① Rupture or impending rupture (크기 증가, saccular aneurysm 형성)
   ② Vital organ ischemia (malperfusion)
   ③ Ascending aorta로의 역행성 박리   ④ Aneurysmal dilation (>5.5 cm)
   ⑤ Major branches까지 박리된 경우 (e.g., renal artery)
   ⑥ Marfan's syndrome 환자에서 박리 발생시
   ⑦ Pleural space로의 출혈 (hemorrhagic pleural effusion)
   ⑧ 내과적 치료에도 불구하고 통증 or HTN 지속

- 가능하면 응급 수술 전 우선 약물 요법(e.g., β-blocker)을 시행하여 환자 상태를 안정시켜야 됨
- 수술 고위험군에서 해부학적으로 적합하면 endovascular repair도 시행 가능

(3) cardiac tamponade의 치료

- pericardiocentesis : 대동맥 내압을 높여 false lumen에서 pericardial space로 빠져나가는 혈액량
  증가로 fatal cardiac tamponade로 악화 가능 (비교적 안정적인 환자에서는 위험이 더 큼!)
- 비교적 안정된 환자는 응급 수술
- 혈역학적으로 매우 불안정하면 (e.g., 무맥박, 불응성 저혈압) 수술 전에 pericardiocentesis 먼저
  시행 고려 → 환자를 안정화시킬 수 있는 정도의 양만 배액함

(4) aortic dissection의 variants의 치료

- intramural hematoma (IMH) → classic aortic dissection과 같음
- penetrating atherosclerotic ulcer (PAU)
  ┌ ascending PAU → surgical repair
  └ stable type B PAU → 내과적 치료 & close F/U (surgical/endovascular repair의 적응
    ; 출혈, hematoma, pseudoaneurysm 확장, saccular aneurysm 형성, 통증 지속, 파열 등)

7. 예후

- 적절히 치료를 받은 경우 장기 예후는 좋은 편임 : 10YSR 약 60%, type A와 B 비슷함
- 수술 받은 환자의 병원 내 사망률은 약 15~25%이고, 주요 사인은 MI, paraplegia, renal failure,
  tamponade, hemorrhage, sepsis 등임 (c.f., type A를 약물로만 치료한 경우 사망률 >50%)
- 내과적 치료를 받고 있는 환자의 병원 내 사망률은 10~20% (∵ 보통 uncomplicated case)
- poor Px. ; 70세 이상, 갑자기 흉통 발생, 발병시 저혈압/shock/tamponade, renal failure,
  pulse deficit, EKG 이상 (특히 ST elevation), prior MI, prior AVR ...

TAKAYASU'S ARTERITIS (= Pulseless disease)

1. 개요

- large- & medium-sized arteries의 inflammatory & stenotic dz.
- aortic arch 및 그 분지들을 주로 침범 (→ aortic arch syndrome으로도 불림)
- 동양의 젊은 여성에서 흔하다 (남:여 = 1:7, 3/4이 10대에 발생)
- renovascular HTN의 흔한 원인 (우리나라 2nd m/c 원인)

2. 임상양상

- 대동맥으로부터 분지되는 large arteries의 기시부를 주로 침범
  - subclavian A. (93%, m/c) ; arm claudication, Raynaud's 현상
  - common carotid A. (58%) ; 시력저하, 실신, TIA, stroke, carotidynia (~25%)
  - abdominal aorta (47%), celiac axis, superior mesenteric artery
    ; 대개는 증상이 없으나 복통, N/V 등이 발생 가능
  - renal A. (38%) ; renovascular HTN (abdominal bruit), renal failure
  - aortic arch or root (35%) ; aortic insufficiency (AR), CHF
  - vertebral A. (35%) ; 시력저하, 어지러움
  - pulmonary A. (10~40%) ; 비전형적 흉통, 호흡곤란
  - coronary A. (<10%) ; 흉통(angina), MI
- peripheral pulses의 감소/소실, 좌우 혈압의 차이 (>30 mmHg)
- HTN (50~60%) ; 상지의 맥박이 약하므로 인식하기 어려움
- arterial bruit : 경동맥 및 복부대동맥에서 호발
- acute phase 때는 전신증상도 발생 가능 ; 발열, 전신무력감, 피곤, 식욕감소, 체중감소, 관절통
  (혈관침범 증상이 현저해지기 몇 달 전에 발생)
- m/i Cx ; arterial occlusion

c.f.) 상하지의 혈압차이, peripheral pulses의 지연을 일으킬 수 있는 질환들
    ; coarctation of aorta, aortic dissection, Takayasu's arteritis

3. 진단

- 젊은 여성에서 말초 맥박의 감소/소실, 좌우의 혈압 차이, 동맥 잡음 등 발생시 의심!
- lab (acute phase) ; CRP↑, ESR↑, mild anemia, leukocytosis, immunoglobulin↑
- arteriography (확진) : irregular vessel wall, stenosis, poststenotic dilatation, aneurysm, occlusion,
  collateral circulation 증가 ...
  - 가능하면 complete aortic arteriography로 시행
  - 비침습적 방법으로 CT (or MR) angiography가 선호됨
  - 조영증강 CT, MRI에서 조영이 증가되는 부위가 active arteritis 부위로 생각됨
- PDG-PET : dz. activity와 관련성이 있다는 연구도 있지만, 아직 불확실함
- 조직검사 : 확진에 도움은 주지만, 조직을 얻기가 거의 불가능

4. 치료/예후

- active phase 때는 corticosteroids (e.g., prednisone)가 주치료 → 약 1/2 정도는 호전됨
- steroids에 반응이 없거나 의존성/재발성인 경우
  - cytotoxic drugs : azathioprine, mycophenolate mofetil, MTX, cyclosporin, cyclophosphamide
  - tocilizumab (IL-6 receptor Ab)
  - anti-TNF (e.g., etanercept, infliximab)
- 심혈관계 위험인자의 철저한 조절 (dyslipidemia, HTN, 생활습관 등)
- anticoagulation & antiplatelet agents (e.g., aspirin) : thrombotic occlusion 방지
- angioplasty or surgical revascularization (bypass)의 적용 : 약물치료 이후 remission 기간에 시행!

  1. Renovascular stenosis에 의한 고혈압
  2. Coronary artery stenosis에 의한 심근허혈
  3. 일상 활동에도 발생하는 팔다리의 파행(claudication)
  4. 뇌허혈 and/or 3개 이상 뇌혈관의 심한 stenosis
  5. Aortic regurgitation
  6. 직경 5 cm 이상이 흉부/복부 대동맥류
  7. 심한 대동맥협착(coarctation of aorta)

- progressive AR → surgical valve replacement/repair 고려 (판막의 염증으로 어려울 수)
- 진행성이고 완치법은 없으며, 예후는 다양함 (5년 뒤 사망률 0~35%)
  (주요 사인 ; CHF, CVA, MI, aneurysm rupture, renal failure)

■ 동맥경화성 만성 동맥폐쇄질환
: 말초동맥질환(Peripheral arterial disease, PAD)

1. 개요

- 대개 distal abdominal aorta 이하 (renal artery 아래)를 침범
- atherosclerosis가 PAD의 m/c 원인 (40세 이상에서)
  (기타 원인 ; thrombosis, embolism, vasculitis, FMD, trauma ...)
- 침범부위
  - abdominal aorta & iliac arteries (30%)
  - femoral & popliteal arteries (80~90%)
  - tibial & peroneal arteries 등의 원위부 동맥 (40~50%)
- CAD와 마찬가지로, 산소의 수요/공급 불균형에 의해 허혈 증상이 발생
- 50~60대 이상, 남자에 호발
- 위험인자 ; HTN, hyperlipidemia, DM, smoking, hyperhomocysteinemia, CKD
  (젊은이에서 발생한 atherosclerosis에서는 가족력이 중요할 수 있으나, 노인에서는 가족력 안 중요)

2. 임상양상

- 간헐적 파행(intermittent claudication) - m/c ··· 동맥폐쇄 부위의 아래쪽에서 발생
  - 보행시 다리에 쥐가 나는 것 같은 증상
  - 휴식시 소실, 심해지면 안정시에도 통증 발생
- 폐쇄 부위 아래의 pulse 감소/소실, 창백, 위축(muscle atrophy)
- 좁아진 artery 위에서 bruit 들림
- 발기부전도 동반될 수 있음 ("Leriche syndrome")
- 심한 경우 ulcer나 gangrene도 발생 가능
- DM 환자 : 다발성으로 원위부를 더 많이 침범, 증상이 흔하고 진행속도도 빠름

3. 검사소견/진단

- 대개 병력과 진찰소견만으로도 진단 가능
- noninvasive tests
  ① ABI (ankle-brachial index, 발목상완지수) = 발목의 SBP / 양팔의 SBP 중 높은 값
    - ABI에 의한 말초동맥질환(PAD)의 진단
      - 정상 : 1.0~1.4 (borderline 0.91~0.99) (∵ 정상적으로 발목이 약간 더 높음)
      - ≤0.9 ⇨ PAD 진단 (50% 이상의 stenosis 진단에 sensitivity 69~73%, specificity 83~99%)
      - ≤0.8 ⇨ leg claudication 증상, ≤0.5 ⇨ 심각한 허혈(critical limb ischemia, CLI)
    - 1.4 이상이면 noncompressible artery → toe-brachial index (TBI) 측정 등
  ② treadmill exercise test (운동부하 ABI test) : functional limitation을 평가
    - resting ABI가 실제 허혈보다 양호하게 나왔다고 추정될 때 시행 (e.g., proximal PAD)
    - 보행 이후 claudication 증상 & ABI 25% 이상 감소하면 PAD 진단
  ③ segmental limb pressure measurement (구획 하지 혈압 측정)
  ④ digital pulse volume recording
  ⑤ Doppler flow velocity waveform analysis
  ⑥ duplex ultrasonography (B-mode imaging + pulse-wave Doppler) : m/g
  ⑦ transcutaneous oximetry
  ⑧ tests of reactive hyperemia
  ⑨ photoplethysmography
- angiography (CT, MRA 포함) : revascularization (e.g., 수술, PTA) 예정일 때에만 시행

4. 예후

- 주로 동반된 관상동맥질환(CAD) 및 뇌혈관질환에 의해 결정됨
  (증상이 있는 PAD 환자의 1/3~1/2에서 CAD도 동반)
- 5년 뒤 사망률 15~25%, 사인은 대부분 CAD 때문 (e.g., SCD, MI)
- 흡연을 지속하거나, DM 환자의 경우는 예후 나쁘다
- critical limb ischemia (CLI)의 경우 20~50%에서 결국 절단, 1년 내 사망률 약 30%

5. 치료

(1) supportive care
- 발 관리 ; 청결 유지, 외상 방지, 보습 크림, 보호 신발 사용 등
  (elastic support는 피부의 혈류를 감소시키므로 금기!)
- 운동 (30~45분/day, 3~5회/주 & 12주 이상, 파행 발생까지 & 휴식, 증상 없어지면 재개)
  ; 걷기 , 자전거, 수영 등 → 근육 효율을 향상시키고, 걸을 수 있는 거리를 늘림 (증상 호전)

(2) 동맥경화의 위험인자 조절
- 금연, 생활습관교정 (체중 감소, 운동)
- DM, HTN, hyperlipidemia 등의 철저한 치료 ...
  - ACEi : 증상이 있는 PAD 환자의 심혈관 합병증 감소
  - severe PAD의 경우 β-blocker는 금기 (mild~moderate에서는 사용 가능, 특히 CAD 동반시)
  - LDL 치료 목표 : <100 mg/dL (PAD는 CAD equivalent)

(3) 약물 요법
- antiplatelet therapy (aspirin or $P2Y_{12}$ inhibitor) → symptomatic PAD에서 심혈관계 사건 감소
  - DAPT (aspirin + $P2Y_{12}$ inhibitor) : 논란, PAD or prior MI 환자에서는 추가적인 예후 향상
  - vorapaxar (protease-activated receptor-1 antagonist, thrombin 억제) 추가
    : 동맥경화(PAD 포함) 환자에서 심혈관계 사건 더욱 감소, acute limb ischemia도 감소
      (but, moderate~severe bleeding 위험이 증가하므로 주의)
- anticoagulants (warfarin) : 심혈관계 사건 예방 효과는 antiplatelet therapy와 비슷하지만 심각한
  출혈 위험이 3배 이상 증가 → chronic PAD 환자에는 권장 안됨
  (rivaroxaban + aspirin : 심혈관계 사건 예방 효과는 증가하지만, 출혈 위험↑)
- 증상 호전(claudication 감소)을 위한 치료
  - cilostazol (phosphodiesterase inhibitor) : 혈관확장 & 혈소판억제 작용
    → 증상 호전 (claudication distance 40~60% 증가) 및 삶의 질 개선 (survival 향상은 없음)
  - pentoxifylline, statin, propionyl-L-carnitine, prostaglandins 등의 효과는 불확실함
  - α-blocker, CCB, papaverine, 기타 vasodilators는 효과 없음 (∵ 정상 부위로 steal 현상)
- angiogenic growth factors 및 progenitor cells 치료는 아직 효과 없음

(4) revascularization
- 적응증
  ① 내과적 치료에도 불구하고 계속 진행하는 심한 허혈 증상(claudication)
  ② 직업상 증상의 치료가 필요한 경우
  ③ critical limb ischemia (CLI)
- 비수술적 방법(endovascular interventions) ; PTA (percutaneous transluminal angioplasty),
  stent grafts, atherectomy 등
  - iliac artery 병변의 PTA & stenting 성공률은 그 아래 부위 병변들보다 높음
  - iliac PTA 시술의 초기 성공률 90~95%, 3년 patency >75%
  - femoral-popliteal PTA의 초기 성공률 약 90%, 3년 patency 60%

- 수술 : aortoiliac 및 femoral-popliteal 병변에서 선호
  - aortoiliac dz. : aortobifemoral bypass (m/c, knitted Dacron grafts 사용),
    axillofemoral bypass, femoral-femoral bypass, aortoiliac endarterectomy 등
  - femoral-popliteal dz. ; in situ & reverse autologous saphenous vein graft, PTFE
    (polytetrafluoroethylene) 등의 synthetic grafts, thromboendarterectomy 등
  - 5년 patency : aortoiliac (>90%) > femoralpopliteal (70~80%) > infrapopliteal (60~70%)
  - 수술 사망률 1~3%, 대부분 IHD 때문
  - 수술로 인해 심장 합병증 발생 위험이 높아지는 경우 ; 협심증 환자, 이전의 MI 과거력,
    ventricular ectopy, HF, DM
  - β-blocker : 수술 후 심혈관계 합병증 발생 위험↓

급성 동맥 폐쇄 (Acute arterial occlusion) Acute leg ischemia (ALI)

1. 개요/원인

: 동맥 순환이 갑자기 차단되는 경우로 크게 두 가지 원인으로 분류

(1) 급성 동맥 색전증 (acute arterial embolism)
- 대개 심장, 대동맥, 큰 동맥 등에서 유래한 emboli가 원인
  (심장질환 ; AF, AMI, ventricular aneurysm, cardiomyopathy, 판막질환, infective endocarditis,
  atrial myxoma, 인공심장판막 등)
- 혈관의 분지 부위에서 호발 (잘 걸림)
- 하지 : femoral A. 분지부 > iliac A. 분지부 > aorta 분지부 > popliteal A. 분지부

(2) 급성 동맥 혈전증 (acute arterial thrombosis)
- 대부분 atherosclerotic vessels에서 발생 (e.g., atherosclerotic plaque, aneurysm, bypass graft)
- 기타 원인 ; trauma, arterial puncture, catheterization, thoracic outlet compression syndrome,
  polycythemia, hypercoagulable dz., CHF ...
- superficial femoral artery에서 호발
  - thrombosis를 시사하는 소견 ; 신체 다른 부위 (특히 사지)에 동맥경화성질환의 임상소견 존재,
    intermittent claudication의 과거력
  - embolism을 시사하는 소견 ; 심장질환(e.g., AMI, AF, 심장판막질환)의 임상소견이나 과거력 존재,
    허혈 증상이 더 급격하고 심하게 발생, 측부혈행(collateral circulation) 無

2. 임상양상

- 증상 (6P) ; pain (m/c), pallor, pulseless, paresthesia, paralysis, poikilothermia (냉감)
- 증상은 폐쇄 부위, 기간(측부혈행의 발달 정도), 폐쇄 정도 등과 관련
- 진단은 대개 임상소견만으로도 가능
- 확진 : MRA, CTA, arteriography

3. 치료

- 진단 즉시 anticoagulation (heparin IV) : 혈전의 확산/증식 방지
- 재관류술(revascularization) : 심한 허혈로 특히 사지의 생존이 위험한 경우
  ① catheter-based intra-arterial thrombolysis + mechanical thrombectomy (m/c)
    - alteplase (tPA), reteplase, tenecteplase 등의 thrombolytic agents : 보통 24~48시간 사용
    - platelet GP IIb/IIIa inhibitors 추가는 thrombolysis 시간은 단축하지만 예후 개선은 없음
    - mechanical thrombectomy ; aspiration, fragmentation, high-energy ultrasound 등
    - 허혈 기간 14일 이내의 매우 심하지는 않은 ALI 환자에서 권장
  ② surgical revascularization : thromboembolectomy + arterial bypass
    - ①과 ② 이후의 사망률 및 절단(amputation)율은 비슷하지만, ①은 출혈 부작용↑
    - 매우 심각해 즉시 재관류가 필요하거나, 14일 이상 경과된 ALI 환자에서 권장
- 사지의 생존이 위험하지 않은 경우 → 보존적 치료
  ; anticoagulation (IV heparin → oral warfarin) 하면서 관찰
- long-term antithrombotic therapy (재발 예방)
  - long-term anticoagulation : 심장 유래 embolism인 경우(e.g., AF) 권장
    (IE, atrial myxoma, 인공심장판막 등은 원인을 제거하기 위한 수술도 흔히 필요함)
  - PAD 환자에서 발생한 ALI는 dual antiplatelet therapy 권장

ATHEROEMBOLISM (Cholesterol embolism syndrome)

- 급성 동맥폐쇄의 일종으로, fibrin/platelet/cholesterol의 작은 덩어리들이 근위부의 동맥경화성병변/동맥류로부터 떨어져 나와 작은 혈관의 embolism을 일으킨 것
- 원인 ; large protruding aortic atheroma, intraarterial procedures
  - 가장 흔한 원인은 aorta의 instrumentation ; cardiac catherization (약 0.1% 에서 발생), PTCA, angioplasty, IABP 등
- 임상양상
  ① skin ; pulse는 보존, acute pain & tenderness, pallor, livedo reticularis
    - 손/발가락에 발생하면 "blue toe" syndrome, (cyanosis) necrosis, gangrene 등 일으킬 수 있음
  ② kideny ; nonoliguric AKI, CKD & ESRD로 진행
  ③ CNS (드뭄) ; focal neurologic deficits, paralysis, encephalopathy ...
  ④ mesentric embolization
- 검사소견 ; eosinophilia, ESR↑, complement level↓
- 진단 ; 임상양상(cardiac instrumentation과 증상 발생의 시간 관계)
- 확진 ; skin/muscle biopsy (cholesterol crystal)
- 치료 ; surgical revascularization 이나 thrombolysis 모두 효과 없다
  - platelet inhibitors : 일부에서 atheroembolism 예방
  - recurrent atheroembolism을 일으키는 atherosclerotic vessel or aneurysm의 수술적 제거 또는 bypass가 필요할 수 있음

폐쇄혈전혈관염 (Thromboangiitis obliterans [TAO], Buerger's disease)

1. 개요

- 상하지 말단부의 small- & medium-sized arteries/veins을 침범하는 염증성 질환
  - cerebral, visceral, coronary vessels도 침범할 수 있음
  - large arteries는 침범하지 않음
- 아시아, 동유럽의 40세 이하의 남성에서 호발
- 원인 (잘 모름) : <u>smoking</u>, HLA-B5 & A9 등과 관련

2. 임상양상

- 증상(triad)
  ① intermittent claudication (m/c) : 주로 원위부에서 발생
  ② Raynaud's phenomenon (40%)
  ③ migratory superficial vein thrombophlebitis (40%)
- 진찰소견
  - radial / ulnar / tibial / dorsalis pedis pulses의 감소/소실 (brachial / popliteal pulses는 정상!)
  - severe digital ischemia의 경우 ulcer (pain), gangrene도 발생

3. 진단

- 임상소견 만으로도 진단이 가능!
- arteriography
  - distal vessels의 smooth, tapering segmental lesions이 특징
  - 폐쇄 부위의 collateral vessels (cork screw 모양)
  - 근위부의 atherosclerotic lesion은 없음!
- excisional biopsy (확진) : 궤양 발생 위험으로 흔히 이용은 안함

4. 치료

(1) 금연 (m/i) : 병의 진행을 막을 수 있는 유일한 방법
  - gangrene이 없는 환자가 금연하면 절단(amputation)이 거의 필요 없음
  - 흡연을 지속하면 40~45%에서 한번 이상의 절단이 필요
(2) 내과적 치료
  - PG analogue (iloprost), cyclophosphamide 등이 증상 개선에 도움
  - VEGF : 일부에서 ulcer 치유 및 증상(rest pain) 개선 효과
  - 필요시 antibiotics, local debridement ..
  - anticoagulants 및 glucocorticoids는 효과 없다

(3) 수술
  - arterial bypass surgery : 일부 환자에서 large vessels 침범시
    (but, segmental 양상과 원위부 혈관 침범으로 대부분 불가능)
  - autologous saphenous vein bypass graft
  - 절단(amputation) : 모든 치료에 실패시

정맥 질환

1. 깊은/심부정맥혈전증 (Deep vein thrombosis, DVT)

- 심부정맥 : 장골정맥(iliac vein), 대퇴정맥(femoral vein), 슬와정맥(popliteal vein) 등
- Sx ; 통증/압통, 열감, 피부색 변화, 창백(blanching), 오목부종(pitting edema),
  측부(collateral) 표재정맥 확장 등
- Dx ; duplex sono, MRA, venography 등
- Tx ; 폐색전증(PE) 예방이 m/i → 항응고제(heparin, warfarin)
  (thrombolytic therapy : PE 예방에 항응고제보다 더 좋다는 증거는 없음)

→ 호흡기내과 12장 참조

2. 얕은/표재혈전정맥염 (Superficial thrombophlebitis / SVT)

- 병태생리 & 위험인자는 DVT와 비슷
- Sx ; 표재정맥의 확장(→ 단단하고 굵은 줄처럼 만져짐), 혈전 부위에 국한된 통증/압통
- Tx ; 보존적 (e.g., 온열찜질, 압박스타킹, NSAID 등)
- 드물지만 인접 심부정맥을 침범하여 DVT (± PE)로 진행할 수도 있음

14
류마티스 열 (Rheumatic fever)

개요

- 정의 : group A streptococci 감염의 후유증으로 발생하는 염증 질환 (CTD or CVD로 분류)

  | GAS 인두염 | ⇨ | ARF | ⇨ (감염 재발/지속, ARF 재발) ⇨ | RHD (rheumatic heart dz.) |

- group A β-hemolytic streptococci (S. pyogenes)에 의한 pharyngitis 후에만 발생
  - 치료받지 않는 streptococcal pharyngitis 환자의 약 3%에서 발생
  - 다른 부위 (skin, soft tissue 등)의 감염은 ARF (acute rheumatic fever)를 일으키지 않음
- pathogenesis
  - "autoimmune" phenomena : streptococcal M protein이 인체 조직과 유사
  - 유전적인 감수성도 관여 (인구의 약 3~6%)
- 빈곤, 위생불량 지역에서 호발 (선진국/우리나라에서는 급격히 감소하여 매우 드물)
- 주로 5~18세에서 발생 (약 20%는 성인에서도 발생)

임상양상

* streptococcal pharyngitis 뒤 ARF 증상이 나타나기까지의 잠복기 : 1~5주 (대개 2~3주)

1. 심염 (carditis)

Rheumatic carditis에 의한 판막역류 진단기준 – Doppler echo.
1. 최소한 2개 이상의 views에서 역류 관찰
2. 1개 이상의 view에서 역류 제트(regurgitant jet)의 길이 ≥2 cm (MR) / ≥1 cm (AR)
3. 최대 속도(peak velocity) ≥3 m/s
4. 1개 이상의 포락선(envelope)에서 pansystolic (MR) / pandiastolic (AR) jet
[1~4 모두 만족해야]

- ARF 환자의 약 40~60%에서 RHD (rheumatic heart dz.) 발생
- valve (m/i), endocardium, myocardium, pericardium 등을 다 침범 (pancarditis)
- 판막 침범(valvulitis) ; MV (m/c, 70~75%), MV & AV (20~25%), AV 단독 (5%)
  - 치유되면서 stenosis and/or regurgitation의 후유증을 일으킬 수 있음
  - infective endocarditis 발생 위험↑ (but, constrictive pericarditis는 안 일으킴)

- 빈맥, 판막역류에 의한 ⑩, pericarditis (friction rub), 심비대 등
- PR prolongation 및 심부전도 나타날 수 있으나 비특이적임
- 심각하고 영구적인 기질적 장애나 사망을 초래할 수 있으므로 가장 중요한 Sx
- Aschoff (~Geipel) bodies ; myocardial biopsy ⋯ rheumatic carditis의 특징

2. 관절염 (arthritis)

- 성인의 ARF의 m/c 첫 증상 (75%), 대개 fever도 동반, 보통 2~3주 뒤 자연소실
- asymmetrical & migratory polyarthritis, 발목, 손목, 무릎, 팔꿈치 등 주로 사지의 큰 관절을 침범 (손과 발의 작은 관절과 고관절의 침범은 드묾)
- 통증이 매우 심함 (→ 진단이 확정될 때까지 salicylates 등의 진통제로 조절)
- 항염증제 투여로 금방 호전됨, 영구적인 관절손상은 일으키지 않음

c.f.) post-streptococcal reactive arthritis (ReA) ; 작은 관절을 침범, 잠복기 짧음(대개 1주 미만), 치료에 대한 반응이 느림, ARF의 다른 양상(특히 심염)이 없음

3. 무도증 (Sydenham's chorea)

- 보통 단독으로 or 다른 Sx 들이 다 사라진 뒤 늦게 발생 (<10%)
- sudden, rapid, aimless, irregular, involuntary movements (수면시엔 증상 소실)
- 대부분 self-limited (수주~수개월 뒤 소실), 신경학적 후유증은 남기지 않음

4. 경계홍반 (erythema marginatum, 유연성홍반)

- 드물다(5~13%), 일과성의 담배연기 고리 모양의 홍반
- 몸통과 사지의 근위부에서 주로 발생 (얼굴엔 절대 안 생김)
- 가렵지 않고 induration 없고, 압력을 가하면 소실됨

5. 피하결절 (subcutaneous nodules)

- 드물다(0~8%), rheumatic heart dz.가 장기간 지속된 경우 발생, 처음 ARF가 발생했을 때에는 극히 드묾, 대개 1~2주 뒤 사라짐
- firm, painless, 다양한 크기(0.5~2 cm)의 작은 결절, 고정×
- 관절과 뼈의 extensor surface에 발생

6. 기타

- fever : 거의 모든 ARF 환자에서 발생, 대개 고열(≥39℃)
- arthralgia, abdominal pain, chest pain, epistaxis ...
- acute phase reactants (ESR, CRP) ↑↑ : 대부분에서 상승, dz. activity를 반영!
- leukocytosis (PMN↑), anemia, prolonged PR interval
- RF (rheumatoid factor)는 음성임!

진단

AHA-Revised Jones criteria 진단기준 (2015)

	Low-Risk Populations (e.g., 선진국, 우리나라)	Moderate~high-Risk Populations
주증상 (Major criteria)	Carditis Arthritis (polyarthritis only) Chorea Erythema marginatum Subcutaneous nodules	Carditis Arthritis (mono-/polyarthritis, polyarthralgia 등) Chorea Erythema marginatum Subcutaneous nodules
부증상 (Minor criteria)	Polyarthralgia Fever (≥38.5℃) ESR ≥60 and/or CRP ≥3.0 Prolonged PR interval (carditis 없을 때)	Monoarthralgia Fever (≥38℃) ESR ≥30 and/or CRP ≥3.0 Prolonged PR interval (carditis 없을 때)
GAS 감염 증거	Streptococcal Ab test 양성 or Throat culture 양성 or Rapid antigen test 양성	

* 진단 : 선행 group A streptococci (GAS) 감염의 증거가 있고
  ARF 첫 진단 = <u>2개의 주증상</u> or <u>1개의 주증상 + 2개의 부증상</u> 존재
  Recurrent ARF = <u>2개의 주증상</u> or <u>1개의 주증상 + 2개의 부증상</u> or <u>3개의 부증상</u> 존재

■ A군 연쇄구균 (GAS) 감염의 확인

(1) Streptococcal antibody tests
  - anti-streptolysin O (ASO) ; 가장 많이 사용, ARF의 80%에서 (+) (but, 정상인도 20% +)
  - anti-deoxyribonuclease B (anti-DNase B, ADB) : ASO와 함께 검사하면 민감도 >95%

(2) rapid antigen tests ; 특이도는 높지만(>95%), 민감도가 낮음(60~80%)

(3) throat culture ; gold standard이긴 하지만, 민감도가 매우 낮음 (10~25%에서만 양성)

치료

1. 각 증상에 대한 치료

- ARF의 증상을 완화시키기 위한 치료 (RHD 발생 예방 효과는 없다)
- arthritis, arthralgia, fever
  - aspirin (salicylate)이 DOC ; 대개 12~24시간 이내 증상 호전, 2주 투여 뒤 2~3주간 감량
  - 투여 중단 이후 최대 3주까지 fever, 관절 증상, APR↑ 재발 가능
    → 질병의 재발이 아니므로 salicylate 단기간 재투여
  - NSAID (naproxen)도 증상 호전 효과 좋음
  - 관절 증상 단독으로는 steroid 사용하지 않음! (∵ 다른 질환을 masking할 수)
- mild~moderate carditis도 aspirin (salicylate) 4~8주
- severe carditis (HF 발생 위험) ⇨ steroid (prednisone or prednisolone) 단기간 (며칠 ~ 최대 3주)

- chorea
  - 경미한 경우는 조용한 주위 환경 조성
  - 심하면 항경련제 투여 (e.g., carbamazepine, valproic acid) : 증상 완화 효과만 있음
    → 증상이 소실된 뒤 반드시 1~2주 더 투여
  - IV Ig : 다른 치료에 반응 없는 심한 경우 고려할 수 있지만, 일반적으로 권장 안됨

2. A군 연쇄구균 감염의 치료

- 진단 당시 culture에서 균이 증명되지 않더라도 모든 ARF 환자에서 즉시 항생제 투여!
- penicillin (DOC) : oral (e.g., phenoxymethyl penicillin or amoxicillin 10일간) or
  IM benzathine penicillin G 120만 단위 single IM injection (penicillin allergy시는 EM)
- ARF의 경과나 carditis의 예방에는 영향을 못 미침, 다른 사람에게 전염되지 않도록 남아있는
  group A streptococci를 박멸하는 것이 목적

3. 이차 예방(2ndary prophylaxis)

- 재발을 방지하기 위해 초치료 뒤 반드시 시행 (∵ ARF는 재발 위험이 매우 높음)
- Benzathine penicillin G IM : 120만 단위 (2~4주 마다)^(가장 효과적!) or
  oral penicillin V (or penicillin allergy 시는 EM) 하루 2회 투여
- 최소한 5년 이상 투여 (∵ 발병 후 5년 이내가 재발 위험 가장 높음)
- 권장 투여기간
  ① carditis가 없었던 RF 환자 : 마지막 발병 후 5년 or 21세까지 중 긴 것
  ② carditis는 있었지만 판막 후유증은 없는 환자 : 마지막 발병 후 10년 or 21세까지 중 긴 것
  ③ 영구적인 판막 질환 발생 환자 : 마지막 발병 후 10년 or 40세까지 중 긴 것, 때때로 평생
  - streptococcal infection 고위험군(e.g., 군인, 학교 등 단체생활자, 병원종사자)은 더 오래

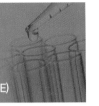

15
감염성 심내막염(Infective endocarditis, IE)

개요/분류

- 정의 : 심장 내막에 미생물이 감염되어 증식(<u>vegetation</u>)한 것으로, 판막을 가장 흔히 침범함
  - ↳ 미생물 미세군집, platelet, fibrin 등의 덩어리
- 대개 인구 10만명당 매년 4~7명의 환자가 발생, 발생 연령 증가 추세, acute IE가 증가 추세
- 심장판막 질환 같이 와류(turbulent flow)가 생기는 경우 호발
- 병인 : 손상되지 않은 endothelium은 대부분의 세균에 저항을 가짐
  - endothelial injury → 독성균의 직접 감염 or NBTE 발생
  - NBTE (nonbacterial thrombotic endocarditis) : 감염 안된 platelet-fibrin thrombus
    → 향후 일시적인 균혈증 때 미생물 부착을 유발
    (NBTE의 유발인자 ; MR, AS, AR, VSD, complex CHD, hypercoagulable state 등)
  - 감염된 미생물이 증식하면서 fibrin 축적, 혈소판 응집과 함께 infected vegetation 형성

감염성 심내막염의 고위험군(risk factors)

환자요인 ; 고령, 남성, IV drug user, 구강 위생불량/감염
심장판막질환 ; rheumatic heart dz., MVP, AV dz. 등
선천성 심장질환, 교정된 경우 포함 (예외 ; isolated ASD, 교정된 VSD, 교정된 PDA)
인공심장판막, Transcatheter aortic valve implantation/replacement (TAVI, TAVR)
Cardiac implantable electronic device (CIED), Intravascular device, Chronic hemodialysis
  ↳ implantable cardioverter-defibrillator (ICD, 더 위험), permanent pacemaker에서 주로
Hypertrophic cardiomyopathy
이전의 감염성 심내막염 병력

Infective endocarditis (IE)의 원인균 (%)

Native Valve		Prosthetic Valve				CIED	IVDU	
			<2개월	2-12개월	>12개월			
Streptococci	40	CoNS	33	32	11	41	_S. aureus_	57
S. aureus	25	_S. aureus_	22	12	18	36	Streptococci	12
Enterococci	12	Gram(−) bacilli	13	3	6	6	_Enterococci_	9
CoNS	7	Fungi (candida)	8	12	1	2	Gram(−) bacilli	8
HACEK group	2	_Streptococci_	1	9	31	2	Polymicrobial	7
G(−) bacilli	2	_Enterococci_	8	12	11	4	Fungi	4
Culture-negative	6~7	Culture-negative	5	6	8	6	Culture-negative	3

* CIED = cardiac implantable electronic device, IVDU = Intravenous drug user, CoNS = Coagulase (−) _Staphylococcus_

1. Native valve endocarditis (NVE)

(1) 원인균

- *Streptococci* (m/c) : 30~50%, viridans (α-hemolytic) streptococci가 대부분
  - 주로 subacute IE를 일으킴, <u>community-acquired NVE</u>의 m/c 원인균
    ↳ 구강, 피부, 상기도 등을 통해 감염
  - *S. gallolyticus* (이전의 *S. bovis*) : 소화기 상재균, 위장관의 polyps 및 colon tumor와 관련
- *Staphylococci* (2nd m/c) : 25~45% (증가 추세, 대형병원 위주로 조사하면 m/c)
  - 주로 acute IE를 일으킴, *S. aureus*가 대부분
  - <u>health care-associated (nosocomial) NVE</u>의 m/c 원인균 (증가 추세), 대개 MRSA
    ↳ 혈관내조작(e.g., catheter, pacemaker), 혈액투석, nosocomial wound & UTI 등과 관련
  - catheter-associated *S. aureus* bacteremia의 6~25%에서 IE 발생
- *Enterococci* (*E. fecalis*, *E. faecium*) : 10~15%
  - 비뇨기계 및 소화기계 수술/시술에 의한 IE에서 흔함
  - acute or subacute IE를 일으킴
- group A β-hemolytic streptococci (*S. pyogenes*)와 *S. aureus*는 판막의 급격한 손상 유발 가능

(2) 역학

- 남>여, 대부분 50세 이상, 25~35%는 health care-associated
- rheumatic valvular dz. (mitral valve를 가장 흔히 침범)는 점점 감소 추세
- MVP, degenerative valvular dz., 심근경색후 등이 주요 기저질환으로 증가 추세
- 고령화 및 입원의 증가에 따라 *S. aureus*에 의한 acute IE가 점점 증가

	Acute	Subacute
진행	수일~수주	수주~수개월
주 원인균	*S. aureus*	*Streptococcus viridans*
발생	정상 판막에서	손상된 판막에서
증상	심함	심하지 않음
Metastatic infection	+	—
치료 안 하면	6주 내에 사망	6주~1년 뒤 사망
치료율	50% 이하	90% 이상

2. Prosthetic valve endocarditis (PVE)

- 어떠한 intravascular prosthesis도 endocarditis를 유발할 수 있음, 증가 추세
- 전체 endocarditis의 16~30% 차지, valve replacement 후 6~12개월에 발생률 가장 높음, 16~30%는 health care-associated
- <u>early-onset</u> endocarditis : 수술 2개월 이내에 발생한 IE
  - nosocomial infection (대개 수술 중 오염 때문)
  - coagulase(-) *Staphylococci* (*S. epidermidis*)가 m/c 원인균 (대부분 MRSE)

- late-onset endocarditis : 수술 2개월 이후에 발생한 IE
  - 2~12개월에도 coagulase(-) Staphylococci가 m/c 원인균
  - 1년 이후에는 streptococci가 m/c 원인균 (감염경로가 community-acquired NVE와 비슷)
- 인공판막 주위로 감염 확산 흔함 ; perivalvular abscess, ventricular septal abscess, valve dehiscence

* cardiac implantable electronic device (CIED) endocarditis
  - device가 접촉하는 부위에 호발, 때때로 AV or MV 감염도 동반 가능
  - 약 1/3은 3개월 이내에, 1/3은 4~12개월에, 1/3은 12개월 이후 발생
  - S. aureus와 CoNS가 대부분을 차지, MR (methicillin resistant) 흔함

3. IV drug abusers (IVDU)의 endocarditis

- S. aureus가 m/c 원인균 (50% 이상), 대부분 MRSA
- 보통 급성으로 정상 valve에서 잘 발생, 주로 젊은 남자에서 발생
- TV (tricuspid valve)를 가장 흔히 침범(>50%) (c.f., left-sided ; $AV_{(25\%)}$ > $MV_{(20\%)}$)
  - S. aureus가 80~90% 차지 (↔ left-sided IVDU endocarditis의 원인균은 다양)
  - septic pulmonary emboli에 의한 pneumonia나 pulmonary embolism 흔함
- 심잡음이나 심부전은 드물다, 폐렴을 잘 동반
- non-IVDU의 NVE보다 완치율 높다 (>90%)

■ culture-negative endocarditis (5~15%)

- 약 1/3~1/2은 이전의 항생제 사용으로 인해 배양 음성
- 나머지는 배양이 까다로운(fastidious) 균
  - nutritionally variant organisms (Granulicatella, Abiotrophia spp.)
  - HACEK group (Haemophilus, Actinobacillus, Cardiobacterium, Eikenella, Kingella)
    ; 아주 큰 vegetation을 만듦
  - 기타 ; Coxiella burnetii (Q fever, 유럽), Bartonella spp. (유럽), Brucella spp. (중동), Tropheryma whipplei (indolent, afebrile endocarditis), Abiotrophia spp. ...
- 혈청검사, 조직검사, PCR 등으로 확인

■ 임상양상

1. 전신 증상

- fever (m/c, 80~90%) ; subacute IE는 low grade (<39.4℃), acute IE는 high fever (~40℃)
  (fever가 없을 수 있는 경우 ; 고령, 심한 쇠약, 심부전, 신부전, 미리 항생제를 투여 받은 환자 등)
- chilling, arthralgia and/or myalgia, 피로감, 식욕감퇴, 체중감소

2. 심장 증상

- <u>murmurs</u> (∵ 판막의 손상/파괴나 chordae tendineae의 파열 때문) ; 대부분(80~85%) 나타나나, acute endocarditis의 초기나 IVDU에서 tricuspid valve가 침범된 경우는 나타나지 않는 때도 있음
- CHF (30~40%에서) ; valvular dysfunction (m/c), myocarditis, intracardiac fistula, coronary artery embolization 등에 의해 발생
- perivalvular abscess ; 감염이 valve leaflets을 넘어 인접 조직으로 확장되어 발생
  - 새로운 murmurs를 동반한 심장내 fistula 유발 가능
  - pericarditis ; aortic valve annular abscess가 epicardium으로 퍼진 경우 발생 가능
  - heart block ; 심실중격 상부로 퍼져 conduction system을 침범한 경우 발생 가능
- coronary emboli (2%) ; myocardial infarction 유발 가능 (transmural infarction은 드묾)

3. 심장 외 증상

(1) 전신 색전증 (systemic emboli)

- 20~50%%에서 발생 (→ 항생제 치료시 발생 감소)
- MV에 위치한 직경 1 cm 이상의 vegetation에서 호발
- 사지, 비장, 신장, 위장관, 뇌 등을 주로 침범
- embolic stroke (주로 middle cerebral artery를 침범)
- pulmonary embolism : IVDU의 endocarditis에서 흔함 (S. aureus)

(2) 신경계 증상

- 20~40%에서 발생, S. aureus 감염시 호발
- embolic stroke (m/c), 뇌출혈 (5%), mycotic aneurysm (2~10%)
  (c.f., mycotic aneurysm : 버섯모양 동맥류로 원인이 진균이란 뜻은 아님, 증상 없으면 치료×!)
- meningitis (aseptic > purulent)
- 기타 ; 심한 두통, seizure, encephalopathy ...

(3) 신장 증상

- 신부전 (<15%) : IC-mediated <u>GN</u>에 의해 발생 (→ 항생제 치료로 호전됨)
- embolic renal infarct ; flank pain, hematuria (신기능 장애는 거의 안 일으킴)

(4) 기타

- splenomegaly (15~50%), clubbing (10~20%)
- 근골격계 증상 ; myalgia/arthralgia, back pain ...
- 말초 증상/소견 (최근에는 드묾)

Petechiae (m/c, 10~40%) : 주로 결막, 구강점막, 사지 등에 발생
Splinter hemorrhages : 손톱 밑의 선상 출혈(linear, dark-red streaks)
Roth spots : oval retinal hemorrhages with pale center (2%에서 발생)
Osler nodes : 손/발가락의 small tender nodules
Janeway lesion : 손/발바닥의 painless erythematous hemorrhagic lesions

검사소견/진단

1. Blood culture (m/i)

- 3회 혈액배양에서 95% 이상 양성 (2회 이상 동일균이 동정되야 진단)
  (→ 음성이면 *Haemophilus* 같이 까다로운 균 or 진균이 원인일 가능성이 높음)
- 최근 2주 이내에 항생제를 사용한 적이 없어야 됨
- 2시간 이상의 간격을 두고 서로 다른 부위에서 3회 시행 (24시간 동안)
- 2~3일 뒤에도 음성이면
  ① 2~3회 추가 배양 실시 (lysis-centrifugation culture 포함)
  ② 까다로운 균에 대한 검사 (e.g., 배양시간↑, 특수배양)
- bacteremia : continuous (지속적으로 균 배출)
  → 특정 시기나 체온일 때만 시행할 필요는 없다 (아무 때나 가능)
- 동맥혈이나 골수가 정맥혈보다 더 도움이 되지는 않는다
- * 원인균에 대한 혈액배양 이외의 검사법
  ① 혈청검사 : 일부 배양 어려운 균 확인에 이용(e.g, *Brucella, Bartonella, Legionella, C. burtnetii*)
  ② vegetation or emboli의 culture, special stains, PCR 등

2. Echocardiography

- 목적 : IE의 해부학적 확인, 우종(vegetation)의 크기 결정, 심장내 합병증 발견, 심장 기능의 평가
  ┌ TTE : noninvasive, 2 mm 미만의 vegetation은 발견 못함 (sensitivity 65~80%)
  └ TEE : sensitivity >90%, PVE 및 심장내 합병증 진단에 더 좋음
- IE 의심되는 모든 환자에서 TTE 먼저 시행, TTE 음성이면 IE 위험군은 TEE 시행
  (위험군 : *S. aureus* bacteremia, 새로운 ⑩, prior IE, 선천성심장질환, 인공심장판막 or intracardiac device 등)
- 모두 음성이라도 IE를 R/O 할 수는 없음 (6~18%는 위음성) ⇨ 반드시 7~10일 뒤 재검
- blood culture가 음성일 때 IE 진단에 유용하나 sterile vegetation도 있을 수 있음 (e.g., 치료된 IE)
- 예후나 수술 가능성 결정에도 도움 (큰 vegetation 있으면 예후 나쁨)
- 치료 중 vegetation의 크기 변화로 치료 효과를 판정할 수는 없음

3. 기타

- 다른 영상검사 ; 3차원 TEE, cardiac MRI/CT, cardiac CT angiography (CTA), PET-CT 등
- catheterization : 수술 예정인 고령의 환자에서 관상동맥 평가 위해 주로 시행
- normocytic normochromic anemia (70~90%), leukocytosis (20~30%)
- ESR, CRP, RF (6주 이상 지속된 환자의 1/2 이상에서 +), circulating IC 등의 상승,
  complement는 감소
- proteinuria, microscopic hematuria (30~50%)

IE 진단기준 (modified Duke criteria, 2000)

■ **Definitive diagnosis** : (1) or (2)
　(1) 임상적 기준
　　　① 2 major criteria *or*
　　　② 1 major + 3 minor criteria *or*
　　　③ 5 minor criteria
　(2) 병리학적 기준 : 수술/부검시 얻은 vegetation, abscess의 pathology or microbiology (+)

■ **Possible diagnosis**
　(1) 1 major + 1 minor criteria
　(2) 3 minor criteria

Major Criteria ★
　1. **Blood culture 양성**
　　(1) 2회의 배양검사에서 전형적인 원인균 증명 *or*
　　　(e.g., Viridans streptococci, *S. gallolyticus*, *S. aureus*, enterococci, HACEK)
　　(2) 지속적인 균혈증 *or*
　　　① 12시간 이상 간격으로 시행한 혈액배양 양성 *or*
　　　② 3회 이상 (대개 4회 이상) 시행한 혈액배양에서 3회 양성 (처음과 마지막은 1시간 이상의 간격)
　　(3) *Coxiella burnetii* 한번 양성 or phase Ⅰ IgG Ab titer >1:800
　2. **Endocardium 침범의 증거**
　　(1) Echocardiography : Oscillating intracardiac mass (vegetation), valve ring abscess,
　　　　　　　　　　　　new partial dehiscence of prosthetic valve
　　(2) 새로운 valvular regurgitation 발생 (기존의 ⑩가 커지거나 변화한 것은 해당 안됨)

Minor Criteria
　1. 질병의 소인 ; 기저 심장질환 or IVDU
　2. 발열 ≥38℃
　3. 혈관계 소견 ; 동맥색전증, 폐색전증, 진균성동맥류, 뇌출혈, 결막출혈, Janeway 병변
　4. 면역학적 소견 ; 사구체신염(GN), Roth 반점, Osler 결절, RF(+)
　5. 미생물학적 소견 ; 혈액배양은 양성이나 위의 major criteria에는 미흡 or IE에 합당한 원인균의 serologic test (+)

■ **IE가 아닌 경우**
　　① 다른 진단이 확정되었을 때
　　② 4일 이내의 항생제 치료로 증상이 소실된 뒤 재발이 없을 때
　　③ 4일 이내의 항생제 치료 뒤 시행한 수술/부검에서 병리학적 소견 음성
　　④ possible diagnosis의 기준에도 못 미치는 경우

치료

* 치료의 목표 ┌ 원인균 제거
　　　　　　└ 감염으로 인한 각종 합병증 교정

1. 항생제 치료

(1) 원칙

　① 살균성(bactericidal) 항생제를 사용
　② 혈중농도를 높게 유지하기 위해 Ⅳ로 투여 (→ vegetation에 투과되도록)
　③ 장기간의 치료로 완전 멸균을 목표로 함

(2) 경험적 항생제 요법 (acute IE)

- IE가 강력히 의심되는 급성 병색 환자는 30~60분 간격으로 최소 2회의 (가능하면 3회) 혈액배양용 검체 채취 뒤 즉시 시작! (심하지 않거나 IE 가능성이 낮으면 혈액배양 결과 나온 이후로 연기)
- 일반적으로 staphylococci (methicillin 감수성 & 내성), streptococci, enterococci 모두를 대상
  ⇨ vancomycin + GM + ciprofloxacin

(3) 원인균별 항생제 요법

① penicillin-susceptible streptococci, *S. gallolyticus* (MIC ≤0.12 μg/mL)
- penicillin G 4주 (4/day) or
  - ceftriaxone (1/day) : nonimmediate penicillin allergy시
  - vancomycin (2/day) : severe/immediate β-lactam allergy시
- penicillin G (or ceftriaxone) + GM 2주

② relatively penicillin-resistant streptococci (MIC 0.12~0.5 μg/mL)
- penicillin G (or ceftriaxone) 4주 + GM 2주

③ penicillin-resistant streptococci (MIC ≥0.5 μg/mL), nutritionally variant organisms
- penicillin G (or ceftriaxone) + GM 6주

④ enterococci
- oxacillin, nafcillin, cephalosporins 등에는 내성
  - penicillin, ampicillin, teicoplanin, vancomycin에만 감수성
- penicillin G + GM/SM 4~6주
- ampicillin + GM (cepha.나 carbapenem은 쓰면 안 됨) 4~6주
- vancomycin + GM (penicillin allergy or resistance시) 4~6주

> ■ enterococci 감염시엔 반드시 GM과 SM에 대한 고도내성 검사, β-lactamase 검사, penicillin/ampicillin/vancomycin의 감수성검사 등을 시행해야 됨!
> (1) AG 고도내성시엔 (MIC; GM ≥500 μg/mL, SM 1000~2000 μg/mL) AG 사용 금지
>   → AG 빼고 8~12주 치료 or *E. faecalis*는 high-dose ampicillin + ceftriaxone/cefotaxime
>   → 실패하거나 모든 항생제에 내성을 보이면 수술 고려
> (2) β-lactamase 양성이면 → ampicillin/sulbactam or vancomycin
> (3) penicillin/ampicillin MIC >16 μg/mL → vancomycin 사용
> (4) vancomycin MIC >8 μg/mL → penicillin/ampicillin 사용 고려

- VRE (vancomycin-resistant enterococci) ⇨ 8주 이상 linezolid, quinupristin-dalfopristin, teicoplamin, imipenem/cilastatin + ampicillin, ceftriazxone + ampicillin 등

⑤ *Staphylococci*
- MSSA NVE ⇨ nafcillin/oxacillin/flucloxacillin 4~6주 or
  - penicillin 6주 : penicillin 감수성이면 사용 가능 (β-lactamase를 생산하지 않는 균주)
  - cefazolin/cephalothin 6주 : nonimmediate penicillin allergy시
  - vancomycin 6주 : severe or immediate penicillin allergy시
- MSSA PVE ⇨ nafcillin/oxacillin/flucloxacillin 6~8주 + GM 2주 + rifampin 6~8주
- MRSA NVE ⇨ vancomycin 4~6주
- MRSA PVE ⇨ vancomycin 6~8주 + GM 2주 + rifampin 6~8주
  or daptomycin, linezolid

⑥ 기타

- HACEK organisms ⇨ 3세대 cepha. (e.g., ceftriaxone) or ampicillin/sulbactam 4주
- *Enterobacteriaceae* ⇨ potent β-lactam + AG
- *P. aeruginosa* ⇨ ticarcillin/piperacillin/ceftazidime + high-dose tobramycin
- *Corynebacteria* ⇨ penicillin + AG or vancomycin
- *Candida* ⇨ amphotericin B + flucytosine + 조기에 수술 (항진균제 1~2주 투여 후)

⑦ culture-negative subacute IE ⇨ ampicillin/sulbactam(or amoxicillin-clavulanate) + GM
or vancomycin + GM + ciprofloxacin
(*Bartonella* spp. 가능성이 있으면 doxycycline 추가)

* rifampin을 빼고는 모두 IV (or IM)

(4) 치료의 반응

- 항생제의 투여는 임상증상이 호전된 뒤에도 4주 이상 계속 되어야
- PVE의 최소 치료기간 : 6주
- 투여 후 1주 내에 75%에서 발열 호전, 2주 내에 90%에서 해열
- 적절한 항생제 치료 후에도 7일 이상 발열이 지속되거나 재발했을 때의 원인 ★
  ① 심장내 합병증 (e.g., paravalvular abscess) : m/c
  ② metastatic infection (e.g., spleen or kidney abscess)
  ③ nosocomial infections의 공존
  ④ embolism, drug fever, 기타 동반 질환
- 혈청검사(CRP, ESR, RF)는 정상화가 느리며, 치료에 대한 반응을 반영하지 못함
- vegetation : 작아질 수도 있지만, 치료 3개월 뒤에 약 1/2은 변화가 없고, 약 1/4은 커짐

c.f.) anticoagulation

- 효과 없다, 오히려 출혈 (특히 뇌출혈) 위험만 증가
- mechanical valve 같은 절대적인 Ix. 시에만 사용
- septic embolism은 Ix. 아님

■ CIED endocarditis

- 가능한 모든 장치를 제거함, percutaneous lead전극 extraction이 선호됨 → 남아있으면 수술
- 항생제 치료도 NVE처럼 시행 ; bacteremia 동반시 4~6주, bacteremia 없으면 10~14일
- 장치를 유지하면서 항생제 치료하는 것은 생존율 저하로 권장 안됨
  (장치를 제거할 수 없는 경우에만 유지하면서 치료)
- 2 cm 이상의 lead vegetation은 pulmonary embolism 위험
- 계속 CIED가 필요하면 최소한 10~14일의 항생제 치료 뒤에 재삽입

2. 수술

수술의 적응증 ★	
1. Emergent op. (당일)	폐부종이나 심장성쇼크를 동반한 MV의 조기 폐쇄를 동반한 acute AR Valsalva sinus의 abscess가 우측 심장으로 파열시 Pericardial sac으로의 파열 or fistula
2. Urgent op. (1~2일 이내)	Acute AR or MR에 의한 moderate~severe CHF (m/i) Vegetation에 의한 판막 폐쇄 인공판막(삽입물)의 불안정(dehiscence), 구멍 폐쇄 중격 천공 감염이 판막 주위로 전파 효과적인 항생제의 부족 (e.g., Brucella) 색전 위험이 높은 크고(>1 cm) 운동성이 있는 vegetation
3. Elective op. (가능한 조기에)	점진적인 판막주위 prosthetic regurgitation 7~10일 이상의 항생제 치료에도 불구하고 감염이 지속되는 판막 부전 (e.g., 항생제 고도내성 enterococci or GNB) 심장내 합병증을 동반한 Staphylococcal PVE Early (수술 2개월 이내 발생한) PVE 적절한 항생제치료 후 재발한 PVE 진균성 심내막염 (e.g., mold, candida)

* 수술 후 항생제 치료
  • 제거된 판막에서 Gram stain or PCR로 균이 발견된 경우
    – 반드시 항생제 치료 실패를 의미하는 것은 아님 (치료 성공 환자의 45%에서도 발견됨)
    – 7%만 culture (+) : 대부분 드문 균이거나 내성균
    – 균이 발견되어도 수술 이후에 endocarditis 재발은 드묾
  • uncomplicated NVE에서 valve culture (-)인 경우 항생제 투여 기간
    : 수술 전 + 수술 후 = 권장 투여 기간 (수술 후에는 2주 이상 투여)
  • paravalvular abscess, 부분적으로 치료된 PVE, valve culture (+) : 수술 후 full course 투여

예후

• 예후가 나쁜 경우
  ① 고령, 남자, health care-associated endocarditis   ② 심한 동반 질환, DM
  ③ 진단 지연시   ④ prosthetic valve 또는 aortic valve
  ⑤ invasive (S. aureus) or resistant (P. aeruginosa, yeast) pathogen
  ⑥ 심장내 합병증 ; valve ring or myocardial abscess, cardiac arrhythmias 등
  ⑦ 심한 신경계 합병증   ⑧ CXR상 CT ratio 증가, heart failure 발생 ...
• NVE의 일반적인 생존율은 85~90%
• S. aureus에 의한 NVE의 생존율 : 55~70% (IVDU에서는 85~90%로 더 좋다)
• PVE : 판막치환술 후 2개월 이내에 발생시 사망률 40~50% (2개월 뒤에는 10~20%로 크게 감소)
• 사망원인 ; CHF (m/c), embolism, mycotic aneurysm의 파열, renal failure

항생제 예방요법

• 실제 감염성 심내막염 예방효과는 미미한 것으로 밝혀져, 최근에 적응증을 많이 줄였음
  – 치과/비뇨기과/소화기 시술에 따른 균혈증보다 일상생활에서 발생하는 균혈증으로 더 많
  – 치과/비뇨기과/소화기 시술시 항생제 예방요법으로 IE 발생의 아주 적은 부분만을 예방
  – 항생제 투여로 기대되는 이익보다 항생제의 부작용에 대한 위험부담이 큼
  – 구강위생과 치아건강으로 일상생활 관련 균혈증을 줄이는 것이 항생제 예방요법보다 더 효
• 치과시술 전 항생제 예방요법이 필요한 고위험군 (AHA, 2007) ★
  ① 인공심장판막
  ② 감염성 심내막염의 과거력
  ③ 교정 안 된 cyanotic CHD (palliative shunt/conduit 포함)
  ④ 완전히 교정된 CHD의 수술/시술 이후 6개월 동안
  ⑤ 불완전하게 교정된 CHD (인공삽입물 인접 부위에 defect 잔존)
  ⑥ 심장이식 이후에 발생한 판막 질환
  * 이 외의 심장질환에서는 치과시술 전 항생제 예방요법이 필요 없음!
• amoxicillin PO (경구 투여가 불가능하면 ampicillin IV/IM) 1시간 전
• pencillin allergy 있으면 ; clarithromycin, azithromycin, cephalexin, clindamycin PO (1시간 전)
• pencillin allergy 있으면서 경구투여가 불가능한 경우 ; cefazolin or ceftriaxone IV/IM (30분 전)
  or clindamycin IV/IM (1시간 전)

■ 시술에 따른 심내막염의 항생제 예방요법 필요성 ★

	예방 권장	예방 불필요
치과	발치 잇몸출혈을 일으키는 치주과적 시술 인공치아 삽입, 적출치아 재삽입 치근첨 이상의 근관 시술/수술 기타 출혈이 예상되는 시술	교정 시술, 의치나 교정장치 삽입 감염 안된 부위의 국소 마취주사 치근관내 근관치료 유치가 빠진 경우 입술/구강점막 외상으로 인한 출혈
호흡기	점막이 포함되는 수술 (e.g., 편도선 절제) 경직성 기관지내시경	기관내 삽관 연성 기관지내시경
소화기	식도정맥류 경화술, 식도협착증 확장 ERCP (담도폐쇄시), 담도계 수술 점막이 포함되는 장관수술 (e.g., 치핵 수술)	내시경 (± 조직검사), EVL 경식도초음파(TEE) ERCP (단순)
비뇨 생식기	방광경 or 요로 시술 (UTI or enterococci 증식시) 전립선 또는 요도의 수술	자연 분만, 제왕절개술 질식 자궁절제술, 치료적 유산 불임시술, IUD의 삽입/제거 방광경 or 요로시술, 포경수술
기타	감염된 조직의 절개/배농	동맥조영술, 심도자술(풍선확장술 포함) 인공심박동기, 제세동기 등의 삽입 관상동맥 스텐트 삽입 소독 후 피부 절개나 조직검사

⑥ 기타

- HACEK organisms ⇨ 3세대 cepha. (e.g., ceftriaxone) or ampicillin/sulbactam 4주
- *Enterobacteriaceae* ⇨ potent β-lactam + AG
- *P. aeruginosa* ⇨ ticarcillin/piperacillin/ceftazidime + high-dose tobramycin
- *Corynebacteria* ⇨ penicillin + AG or vancomycin
- *Candida* ⇨ amphotericin B + flucytosine + 조기에 수술 (항진균제 1~2주 투여 후)

⑦ culture-negative subacute IE ⇨ ampicillin/sulbactam(or amoxicillin-clavulanate) + GM
   or vancomycin + GM + ciprofloxacin

   (*Bartonella* spp. 가능성이 있으면 doxycycline 추가)

* rifampin을 빼고는 모두 IV (or IM)

(4) 치료의 반응

- 항생제의 투여는 임상증상이 호전된 뒤에도 4주 이상 계속 되어야
- PVE의 최소 치료기간 : 6주
- 투여 후 1주 내에 75%에서 발열 호전, 2주 내에 90%에서 해열
- 적절한 항생제 치료 후에도 7일 이상 발열이 지속되거나 재발했을 때의 원인 ★
  ① 심장내 합병증 (e.g., paravalvular abscess) : m/c
  ② metastatic infection (e.g., spleen or kidney abscess)
  ③ nosocomial infections의 공존
  ④ embolism, drug fever, 기타 동반 질환
- 혈청검사(CRP, ESR, RF)는 정상화가 느리며, 치료에 대한 반응을 반영하지 못함
- vegetation : 작아질 수도 있지만, 치료 3개월 뒤에 약 1/2은 변화가 없고, 약 1/4는 커짐

c.f.) anticoagulation

- 효과 없다, 오히려 출혈 (특히 뇌출혈) 위험만 증가
- mechanical valve 같은 절대적인 Ix. 시에만 사용
- septic embolism은 Ix. 아님

■ CIED endocarditis

- 가능한 모든 장치를 제거함, percutaneous lead전극 extraction이 선호됨 → 남아있으면 수술
- 항생제 치료도 NVE처럼 시행 ; bacteremia 동반시 4~6주, bacteremia 없으면 10~14일
- 장치를 유지하면서 항생제 치료하는 것은 생존율 저하로 권장 안됨
  (장치를 제거할 수 없는 경우에만 유지하면서 치료)
- 2 cm 이상의 lead vegetation은 pulmonary embolism 위험
- 계속 CIED가 필요하면 최소한 10~14일의 항생제 치료 뒤에 재삽입

2. 수술

수술의 적응증 ★	
1. Emergent op. (당일)	폐부종이나 심장성쇼크를 동반한 MV의 조기 폐쇄를 동반한 acute AR Valsalva sinus의 abscess가 우측 심장으로 파열시 Pericardial sac으로의 파열 or fistula
2. Urgent op. (1~2일 이내)	Acute AR or MR에 의한 moderate~severe CHF (m/i) Vegetation에 의한 판막 폐쇄 인공판막(삽입물)의 불안정(dehiscence), 구멍 폐쇄 중격 천공 감염이 판막 주위로 전파 효과적인 항생제의 부족 (e.g., Brucella) 색전 위험이 높은 크고(>1 cm) 운동성이 있는 vegetation
3. Elective op. (가능한 조기에)	점진적인 판막주위 prosthetic regurgitation 7~10일 이상의 항생제 치료에도 불구하고 감염이 지속되는 판막 부전 　　(e.g., 항생제 고도내성 enterococci or GNB) 심장내 합병증을 동반한 Staphylococcal PVE Early (수술 2개월 이내 발생한) PVE 적절한 항생제치료 후 재발한 PVE 진균성 심내막염 (e.g., mold, candida)

* 수술 후 항생제 치료
  • 제거된 판막에서 Gram stain or PCR로 균이 발견된 경우
    – 반드시 항생제 치료 실패를 의미하는 것은 아님 (치료 성공 환자의 45%에서도 발견됨)
    – 7%만 culture (+) : 대부분 드문 균이거나 내성균
    – 균이 발견되어도 수술 이후에 endocarditis 재발은 드묾
  • uncomplicated NVE에서 valve culture (–)인 경우 항생제 투여 기간
    : 수술 전 + 수술 후 = 권장 투여 기간 (수술 후에는 2주 이상 투여)
  • paravalvular abscess, 부분적으로 치료된 PVE, valve culture (+) : 수술 후 full course 투여

예후

• 예후가 나쁜 경우
  ① 고령, 남자, health care-associated endocarditis　　② 심한 동반 질환, DM
  ③ 진단 지연시　　④ prosthetic valve 또는 aortic valve 침범
  ⑤ invasive (S. aureus) or resistant (P. aeruginosa, yeast) pathogen
  ⑥ 심장내 합병증 ; valve ring or myocardial abscess, cardiac arrhythmias 등
  ⑦ 심한 신경계 합병증　　⑧ CXR상 CT ratio 증가, heart failure 발생 ...
• NVE의 일반적인 생존율은 85~90%
• S. aureus에 의한 NVE의 생존율 : 55~70% (IVDU에서는 85~90%로 더 좋다)
• PVE : 판막치환술 후 2개월 이내에 발생시 사망률 40~50% (2개월 뒤에는 10~20%로 크게 감소)
• 사망원인 ; CHF (m/c), embolism, mycotic aneurysm의 파열, renal failure

항생제 예방요법

- 실제 감염성 심내막염 예방효과는 미미한 것으로 밝혀져, 최근에 적응증을 많이 줄였음
  - 치과/비뇨기과/소화기 시술에 따른 균혈증보다 일상생활에서 발생하는 균혈증으로 더 많이 발생
  - 치과/비뇨기과/소화기 시술시 항생제 예방요법으로 IE 발생의 아주 적은 부분만을 예방 가능
  - 항생제 투여로 기대되는 이익보다 항생제의 부작용에 대한 위험부담이 큼
  - 구강위생과 치아건강으로 일상생활 관련 균혈증을 줄이는 것이 항생제 예방요법보다 더 효과적
- 치과시술 전 항생제 예방요법이 필요한 고위험군 (AHA, 2007) ★
  ① 인공심장판막
  ② 감염성 심내막염의 과거력
  ③ 교정 안 된 cyanotic CHD (palliative shunt/conduit 포함)
  ④ 완전히 교정된 CHD의 수술/시술 이후 6개월 동안
  ⑤ 불완전하게 교정된 CHD (인공삽입물 인접 부위에 defect 잔존)
  ⑥ 심장이식 이후에 발생한 판막 질환

  * 이 외의 심장질환에서는 치과시술 전 항생제 예방요법이 필요 없음!

- amoxicillin PO (경구 투여가 불가능하면 ampicillin IV/IM) 1시간 전
- pencillin allergy 있으면 ; clarithromycin, azithromycin, cephalexin, clindamycin PO (1시간 전)
- pencillin allergy 있으면서 경구투여가 불가능한 경우 ; cefazolin or ceftriaxone IV/IM (30분 전)
  or clindamycin IV/IM (1시간 전)

■ 시술에 따른 심내막염의 항생제 예방요법 필요성 ★

	예방 권장	예방 불필요
치과	발치 잇몸출혈을 일으키는 치주과적 시술 인공치아 삽입, 적출치아 재삽입 치근첨 이상의 근관 시술/수술 기타 출혈이 예상되는 시술	교정 시술, 의치나 교정장치 삽입 감염 안된 부위의 국소 마취주사 치근관내 근관치료 유치가 빠진 경우 입술/구강점막 외상으로 인한 출혈
호흡기	점막이 포함되는 수술 (e.g., 편도선 절제) 경직성 기관지내시경	기관내 삽관 연성 기관지내시경
소화기	식도정맥류 경화술, 식도협착증 확장 ERCP (담도폐쇄시), 담도계 수술 점막이 포함되는 장관수술 (e.g., 치핵 수술)	내시경 (± 조직검사), EVL 경식도초음파(TEE) ERCP (단순)
비뇨 생식기	방광경 or 요로 시술 (UTI or enterococci 증식시) 전립선 또는 요도의 수술	자연 분만, 제왕절개술 질식 자궁절제술, 치료적 유산 불임시술, IUD의 삽입/제거 방광경 or 요로시술, 포경수술
기타	감염된 조직의 절개/배농	**동맥조영술, 심도자술**(풍선확장술 포함) 인공심박동기, 제세동기 등의 삽입 관상동맥 스텐트 삽입 소독 후 피부 절개나 조직검사